Elizabeth Hoyt

Née à La Nouvelle-Orléans d'où est originaire la famille
de sa mère, elle a passé son enfance à Saint Paul dans le
Minnesota. Avec ses parents, elle fait de fréquents voyages
en Angleterre et en Écosse. Elle étudie l'anthropologie à
l'Université du Wisconsin et rencontre son mari, archéo-
logue. Ils vivent dans l'Illinois avec leurs deux enfants et
leurs trois chiens.

Elle est l'auteur de la série *Les trois princes,* qui a été très
remarquée, et de *The Legend of the Four Soldiers*. Elle écrit
également des romances contemporaines sous le nom de
Julia Harper.

Pour en savoir plus, vous pouvez visiter son site :
elizabethhoyt.com

D1413173

Séduire un séducteur

Du même auteur
aux Éditions J'ai lu

Les trois princes :
1 - PURITAINE ET CATIN
N° 8761

2 - LIAISON INCONVENANTE
N° 8889

3 - LE DERNIER DUEL
N° 8986

La légende des quatre soldats :
1 - LES VERTIGES DE LA PASSION
N° 9162

Elizabeth HOYT

LA LÉGENDE DES QUATRE SOLDATS - 2

Séduire
un séducteur

ROMAN

*Traduit de l'américain
par Daniel Garcia*

Titre original
TO SEDUCE A SINNER

Éditeur original
Forever, Hachette Book Group USA, New York.

Forever is an imprint of Grand Central Publishing. The Forever name and logo is a trademark of Hachette Book Group USA, Inc.

À mon père, Robert G. McKinnell, qui m'a toujours soutenue pour que je devienne écrivain – mais tu ne pourras encore pas lire ce livre, papa !

Je remercie chaleureusement mon éditeur, Amy Pierpont, ainsi que toute son équipe. Merci à vous tous !

Prologue

Il était une fois un soldat qui revenait de la guerre. La guerre à laquelle il avait participé avait commencé bien avant sa naissance. En vérité, elle avait même duré si longtemps que les belligérants avaient fini par oublier pourquoi ils se battaient. Un jour, les soldats des deux camps adverses se regardèrent et réalisèrent qu'ils ne savaient pas pourquoi ils voulaient s'entretuer. Les officiers mirent plus longtemps pour arriver à la même conclusion, mais la raison finit par l'emporter. On déposa les armes, et la paix fut décrétée.

Voici pourquoi notre soldat retournait chez lui. Mais, la guerre ayant duré si longtemps, il n'avait plus de chez-lui où retourner. Il marchait donc sans but précis. Le soleil brillait généreusement dans le ciel, il avait des vivres dans sa besace, et la route lui ouvrait les bras. Cela suffisait à son bonheur.

Il s'appelait Jack le Rieur.

Jack le Rieur marchait sur la route en sifflotant. Il ne se connaissait aucun souci...

1

Existait-il quelque chose de plus vexant que de se faire répudier par sa fiancée le jour même de ses noces ? se demandait Jasper Renshaw, vicomte Vale. Pour corser le tout, il souffrait d'une atroce migraine, conséquence d'une nuit de beuverie. C'était beaucoup pour un seul homme...

— Je suis tellement, tellement désolée ! assurait Mlle Mary Templeton – la fiancée en question – d'une voix si aiguë que Jasper avait l'impression que son crâne allait exploser. Je n'ai jamais voulu vous tromper !

— À la bonne heure.

Jasper refrénait une irrésistible envie de plonger la tête dans ses mains, dans l'espoir de calmer sa migraine. Mais il avait l'intuition qu'une telle attitude manquerait de gravité pour la circonstance. Après tout, Mlle Templeton vivait l'un des moments les plus mélodramatiques de son existence. Au moins était-il assis : la sacristie de l'église abritait une vieille chaise en bois, et Jasper se l'était appropriée sans se soucier de la galanterie dès qu'ils s'étaient enfermés là tous les deux.

De toute façon, Mlle Templeton ne semblait pas avoir remarqué son geste.

— Oh, mon Dieu ! s'exclama-t-elle, sans que Jasper puisse déceler si elle s'adressait à elle-même, à lui, ou à une présence céleste – ce qui aurait été possible, eu égard au lieu où ils se trouvaient. Je n'ai pas pu lutter, ajouta-t-elle. C'était impossible. Une femme est trop frêle pour s'opposer au souffle de la passion.

Le souffle de la passion, rien que ça !

— Je m'en doute, marmonna Jasper.

Il regrettait de ne pas avoir eu le temps d'avaler un verre de vin, peut-être même deux. Cela lui aurait éclairci l'esprit, et il aurait été plus en état de comprendre ce qu'essayait de lui dire sa fiancée – en dehors du fait qu'elle ne souhaitait plus devenir la quatrième vicomtesse Vale. Il s'était levé, ce matin, convaincu qu'il allait se marier et ensuite partager un repas de noces avec les invités – deux perspectives déjà affligeantes en soi. Mais les événements l'avaient pris au dépourvu. M. et Mme Templeton l'avaient accueilli à l'église avec de drôles de mines – lui, grimaçant, et elle paraissant très nerveuse. Puis sa fiancée s'était avancée. Des traces de larmes marquaient ses joues. Jasper avait aussitôt deviné qu'il ne mangerait pas de pièce montée aujourd'hui.

Réprimant un soupir, il se tourna vers son « ex-future épouse ». Mary Templeton était une jeune femme ravissante. De beaux cheveux noirs lustrés, des yeux d'un bleu parfait, un teint crémeux du plus noble effet, et une paire de seins rebondis à souhait. Pour être tout à fait honnête, Jasper s'était réjoui à l'idée de goûter à ces deux petites merveilles. Savoir qu'il en serait privé le rendit tout à coup morose.

— Oh, Julius ! s'écria soudain Mlle Templeton, lançant en l'air ses deux bras qu'elle avait joliment galbés. Si seulement je ne t'aimais pas autant !

Jasper cligna des yeux. Il devait avoir raté quelque chose, car ce Julius ne lui disait rien.

— Julius… ?

Mlle Templeton écarquilla les yeux – ils étaient définitivement magnifiques.

— Julius Fernwood. Le vicaire du village où papa possède une propriété.

Jasper n'était pas sûr de bien comprendre. Elle le répudiait pour un *vicaire*?

— Oh, si vous pouviez le voir, avec ses yeux d'ambre, ses cheveux couleur miel et ses gestes posés, je suis sûre que vous réagiriez comme moi.

Jasper en doutait fort.

— Je l'aime! psalmodia Mlle Templeton. Je l'aime de toute mon âme!

Elle se laissa tomber à genoux devant Jasper, les mains jointes en signe d'imploration.

— Je vous en supplie, milord! Je vous en supplie! Affranchissez-moi de ce lien cruel! Rendez-moi ma liberté, que je puisse voler vers mon véritable amour. L'homme que je chérirai toujours plus que tout, quand bien même je serais contrainte de vous épouser, quand bien même je serais forcée de subir vos assauts bestiaux, quand bien même...

— Oui, oui, la coupa Jasper avant qu'elle ne dresse de lui le portrait d'un pervers lubrique et esclavagiste. Je vois que je ne peux pas soutenir la comparaison avec votre vicaire aux cheveux miel. Je me retire de la course. Allez rejoindre votre *véritable amour*. Avec toutes mes félicitations en prime.

— Oh, merci milord! s'exclama-t-elle, lui prenant les mains pour les embrasser. Je vous serai éternellement reconnaissante. Considérez-moi comme votre débitrice. Si jamais...

— J'ai compris. Si j'ai besoin un jour d'un vicaire aux cheveux miel, je saurai où m'adresser, grommela Jasper.

Saisi d'une inspiration, il fouilla dans sa poche et en sortit une pleine poignée de couronnes – elles étaient destinées à être jetées aux badauds à la sortie de l'église.

— Prenez ça, ajouta-t-il. C'est mon cadeau de mariage. Je vous souhaite tout le bonheur possible avec votre M. Fernwood.

Il glissa les pièces dans sa main.

— Oh! fit Mlle Templeton, les yeux écarquillés. Oh, merci beaucoup!

Après un dernier baiser mouillé sur ses mains, elle s'empressa de quitter la sacristie. Sans doute s'imaginait-elle qu'il lui avait donné cet argent sur une impulsion, et qu'il pourrait revenir sur sa générosité si elle restait trop longtemps.

Jasper soupira encore, et sortit son mouchoir pour s'essuyer les mains. La sacristie était bâtie avec les mêmes pierres grises que l'église. Des étagères en bois sombre couvraient tout un mur, servant à entreposer des chandelles, des vieilles bibles et différents papiers. Une petite fenêtre permettait d'entrevoir un ciel bleu à peine voilé par quelques nuages d'altitude. C'était l'endroit idéal pour goûter à un peu de solitude. Jasper rangea son mouchoir, s'aperçut au passage qu'il manquait un bouton à son veston, puis appuya son bras sur la table à côté de sa chaise et ferma les yeux.

Pynch, son valet, connaissait la recette d'un remontant très efficace contre la gueule de bois. Une fois rentré chez lui, Jasper en commanderait un verre, avant probablement de retourner se coucher. Mais pour l'instant, son crâne lui faisait si mal qu'il ne se sentait pas l'énergie de bouger. Des voix résonnaient sous la voûte de l'église, parvenant jusqu'à ses oreilles. À en juger par leur intensité, Mlle Templeton rencontrait quelques difficultés à convaincre son père de se ranger à ses projets romantiques.

Jasper soupira derechef. C'étaient six mois de travail réduits à néant – le temps qu'il lui avait fallu pour amener Mlle Templeton jusqu'à l'autel. D'abord un mois pour se trouver une fiancée convenable, c'est-à-dire issue d'une bonne famille, ni trop jeune ni trop vieille, et assez mignonne pour qu'il ait envie de coucher avec elle. Ensuite, trois mois pour la courtiser dans les règles : promenades en calèche, bals, réceptions diverses et petits cadeaux. Après quoi, il lui avait officiellement demandé sa main. Elle avait accepté, bien sûr, et Jasper avait déposé un chaste baiser sur ses joues virginales. Les deux derniers mois avaient été consacrés à la préparation des noces.

Comment expliquer un tel échec ? Mlle Templeton avait paru souscrire pleinement à ses projets. À aucun moment avant aujourd'hui, elle n'avait exprimé la moindre réticence. D'où venait, alors, ce soudain besoin d'épouser un vicaire aux cheveux miel ?

Pareille histoire ne serait jamais arrivée à son frère aîné Richard – à supposer, bien sûr, que Richard ait vécu assez longtemps pour se trouver une vicomtesse. Jasper en conclut qu'il était sans doute l'unique responsable de ce désastre. C'était à croire qu'une malédiction pesait sur ses rapports avec le beau sexe – du moins, lorsqu'on en venait à parler mariage. Car c'était quand même la deuxième fois, en l'espace d'un an, qu'il se faisait ainsi répudier. Certes, la première fois, c'était avec Emeline, qui était pour lui davantage une sœur qu'une maîtresse. Il n'empêche que…

Le grincement de la porte de la sacristie le tira de ses pensées. Jasper rouvrit les yeux.

Une jeune femme, grande et mince, hésita sur le seuil. C'était une amie d'Emeline, mais Jasper ne se souvenait plus de son nom.

— Je suis désolée, dit-elle. Je vous ai réveillé ?

— Non, pas du tout. Je me reposais, simplement.

Elle hocha la tête, jeta un coup d'œil derrière elle et repoussa le battant pour s'enfermer avec lui. Ce qui était bien sûr tout à fait inconvenant.

Jasper haussa les sourcils.

Elle se tenait droite, très raide, les épaules carrées, le menton légèrement relevé. C'était une jeune femme ordinaire, qui ne pouvait pas frapper l'imagination. Ses cheveux, noués sur la nuque, balançaient entre le blond et le châtain. Ses yeux étaient d'un marron commun. Sa robe tirait sur le gris, avec un décolleté sage qui ne mettait pas en valeur une poitrine de toute façon assez plate. En revanche, elle avait la peau très fine. S'il s'approchait d'elle, Jasper était persuadé qu'il pourrait distinguer les veines courant sous la surface.

Elle ne bougeait toujours pas, mais elle avait légèrement rougi sous son examen.

— Que puis-je pour vous, mademoiselle ? demanda-t-il un peu sèchement.

Elle lui répondit par une autre question :

— Est-il vrai que Mary ne veut plus vous épouser ?

Jasper soupira.

— Il semblerait qu'elle ait jeté son dévolu sur un vicaire. Le modeste vicomte que je suis n'est pas en mesure de lutter.

Son trait d'humour ne la fit pas sourire.

— Vous ne l'aimiez pas, dit-elle.

— C'est vrai. Même si ce n'est pas à mon honneur de l'avouer.

— Dans ce cas, j'ai une proposition à vous faire.

— Ah ?

Elle se raidit un peu plus, si c'était possible.

— Que diriez-vous de m'épouser, à la place ?

Melisande Fleming planta son regard droit dans celui de lord Vale. Après tout, elle n'était plus une gamine. À vingt-huit ans, elle avait largement dépassé l'âge des mariages romantiques. En vérité, elle avait même laissé filer derrière elle toute chance de bonheur. Ce qui ne l'empêchait pas de se raccrocher à un ultime espoir.

Elle avait bien conscience, toutefois, du ridicule de sa proposition. Lord Vale était riche. Et titré. Il pouvait aspirer à tout un flot de prétendantes plus jeunes et plus belles qu'elle. Même s'il s'était fait répudier devant l'autel au profit d'un vicaire.

Aussi Melisande s'attendait-elle à ce qu'il sourie, qu'il éclate de rire – ou pire : qu'il la prenne en pitié.

Mais lord Vale se contentait de la regarder. Peut-être n'avait-il pas entendu ? Ses beaux yeux bleus semblaient fatigués et, à en juger par la façon dont il se tenait la tête lorsqu'elle était entrée, Melisande aurait été prête à jurer qu'il avait un peu trop fêté sa dernière nuit de célibataire.

Il s'adossa à son siège, étirant ses jambes devant lui. Ses yeux restaient braqués sur elle. Leur luminosité était extraordinaire, mais c'était bien la seule chose que l'on pouvait trouver belle chez lui. Il avait le visage étiré, le nez trop long – et aussi trop large. Ses paupières tombantes lui donnaient un air endormi. Ses cheveux, en revanche, ne manquaient pas de charme : longs, bouclés, soyeux, d'un brun sombre tirant sur le roux.

Melisande avait bien failli ne pas venir à ce mariage. Mary n'était qu'une cousine éloignée, qu'elle n'avait pas dû rencontrer plus de deux fois dans sa vie. Mais Gertrude, la belle-sœur de Melisande, s'était sentie malade ce matin, et elle avait insisté pour que celle-ci la remplace, afin de représenter leur branche de la famille.

Et voilà comment elle s'était retrouvée à formuler cette demande improbable.

Le destin était décidément imprévisible.

Lord Vale se passa une main sur le visage, et contempla quelques instants ses doigts.

— Pardonnez-moi, mais je ne me souviens pas de votre nom, dit-il.

Melisande aurait dû s'y attendre. Elle avait toujours été incapable d'attirer l'attention sur elle. Dans une foule, elle faisait partie de ceux qu'on ne remarquait jamais. Tout le contraire de lui, en somme.

Elle prit une profonde inspiration.

— Je m'appelle Melisande Fleming. Mon père était Ernest Fleming, de la branche des Fleming du Northumberland.

Sa famille était si ancienne et respectée qu'elle ne jugea pas utile de rentrer dans les détails.

— Mon père est mort, précisa-t-elle cependant. Mais j'ai deux frères, Ernest et Harold. Ma mère était une immigrée prussienne. Elle est morte également. Vous devez savoir que je suis une amie de lady Emeline et que je…

— Oui, oui, bien sûr, la coupa-t-il. Je sais *qui* vous êtes, mais j'avais un mal de chien à me rappeler…

— Mon nom.

Il acquiesça.

— Encore une fois, pardonnez-moi.

Melisande déglutit péniblement, avant de risquer:

— Pourrais-je connaître votre réponse?

— C'est… commença-t-il, avant de secouer la tête. Je sais que j'ai trop bu cette nuit, et que je suis encore un peu secoué par le refus de Mlle Templeton pour avoir les idées claires. Mais franchement, je n'arrive pas à voir pourquoi vous voudriez m'épouser.

— Vous êtes vicomte, milord. La fausse modestie vous sied mal.

Il esquissa un sourire.

— Voilà une réponse bien crue, de la part d'une jeune femme qui espère obtenir la main d'un gentleman.

Melisande sentit le feu lui monter aux joues. Elle dut lutter contre une irrépressible envie de s'enfuir en courant.

— Pourquoi tenez-vous absolument à m'épouser, moi? insista-t-il. Il existe beaucoup d'autres vicomtes sur terre.

— Vous êtes un homme d'honneur. Je le sais par Emeline, répondit Melisande. Et, à en juger par la brièveté de vos fiançailles avec Mary, j'en déduis que vous êtes pressé de vous marier. Ai-je tort?

Il hocha la tête.

— Certes.

— Pour ma part, j'aimerais tenir ma propre maison, plutôt que d'avoir à dépendre de la générosité de mes frères.

Ce n'était pas faux, mais ce n'était qu'une partie de la vérité.

— Vous n'avez pas d'argent en propre?

— Je dispose d'une rente confortable qui m'assure largement de quoi vivre. Mais une lady digne de ce nom ne saurait habiter toute seule.

— C'est vrai.

Il la regarda encore un moment, puis se releva, et Melisande fut obligée de lever les yeux : elle avait beau être grande, il était encore plus grand qu'elle.

— Pardonnez-moi d'être direct, dit-il, mais c'est le meilleur moyen d'éviter tout malentendu. Je veux un vrai mariage. Un mariage qui nous donnera – si Dieu le veut – des enfants que nous aurons conçus dans un même lit. Est-ce cela que vous cherchez ?

Elle soutint son regard, n'osant se réjouir trop vite.

— Oui.

Il inclina la tête.

— Dans ce cas, je serai ravi d'accepter votre proposition, mademoiselle Fleming.

Melisande crut que sa poitrine allait exploser de joie.

— Merci, milord !

Elle lui tendit la main. Il la contempla en souriant, avant de se décider à s'en saisir. Mais, au lieu de la serrer pour conclure leur accord, il la porta à ses lèvres. La jeune femme en ressentit un frisson dans tout le corps.

— J'espère, dit-il en se redressant, que vous aurez encore envie de me remercier le lendemain de notre mariage.

Melisande voulut répondre, mais il partait déjà vers la porte.

— J'ai une migraine épouvantable, lança-t-il pour s'excuser. Je rendrai visite à vos frères dans trois jours. En attendant, je jouerai les amoureux éconduits. Trois jours, c'est suffisant, non ? Un délai plus court serait insultant pour Mlle Templeton.

Et, avec un sourire ironique, il referma la porte derrière lui.

Les épaules de Melisande s'affaissèrent en même temps que sa tension retombait. Elle regarda un moment la porte, avant de s'intéresser au reste de la pièce. La sacristie était exiguë, quelconque, mal rangée. Pourtant, c'était dans ce décor banal à pleurer qu'en l'espace d'un quart d'heure, sa vie venait de prendre une direction totalement inattendue.

La jeune femme examina le dos de sa main. Aucune marque visible ne permettait de voir l'endroit où il avait posé les lèvres. Elle porta sa main à sa bouche, et tenta d'imaginer ce qu'elle ressentirait quand il l'embrasserait. Un nouveau frisson la saisit à cette perspective.

Laissant retomber sa main, elle arrangea les plis de sa robe, puis s'assura que sa coiffure était en ordre. Elle était prête à ressortir lorsque son pied heurta un petit objet métallique. Elle baissa les yeux et découvrit un bouton en argent, qui avait été caché jusque-là par les jupes de sa robe. Se penchant pour le ramasser, elle s'aperçut que la lettre V était gravée dans l'argent. Melisande le contempla quelques instants, avant de le glisser dans le revers de sa manche.

Puis elle quitta la sacristie.

— Pynch, as-tu déjà entendu parler d'un homme qui, le même jour, perd sa future femme et se trouve une autre fiancée ? demanda Jasper, dans l'après-midi de ce jour-là.

Il était à moitié allongé dans sa vaste baignoire, fabriquée sur mesure.

Pynch s'affairait à ranger du linge dans la penderie.

— Non, milord, répondit-il sans se retourner.

— Alors, je suis peut-être le premier, dans l'histoire, à vivre cela. La municipalité londonienne devrait songer à m'ériger une statue.

— Certainement, milord, répliqua Pynch d'un ton monocorde.

La voix de Pynch – douce à l'oreille, mais capable de sonorités profondes – était digne d'un serviteur stylé. Pour le reste, il ne présentait aucune des caractéristiques de l'emploi. Il était grand, d'abord. Très grand, même. Avec ça, un cou et des épaules de taureau, des mains larges comme des battoirs et un énorme crâne chauve. Pynch ressemblait à un grenadier, ces géants de l'infanterie utilisés par l'armée pour ouvrir des brèches dans les lignes ennemies.

Du reste, Pynch avait effectivement servi comme grenadier dans l'armée de Sa Majesté. Mais c'était avant qu'il n'ait une petite divergence avec son sergent, et ne décide de l'exprimer ouvertement. Ce qui lui avait valu de passer quelques jours au trou. Jasper, impressionné par le courage de Pynch, lui avait offert, à sa libération, de devenir son ordonnance. Pynch avait aussitôt accepté. Deux ans plus tard, lorsque Jasper avait quitté l'armée, il avait proposé à Pynch de racheter son engagement auprès des autorités militaires, afin qu'il puisse le suivre dans le civil. Depuis, Jasper n'avait eu qu'à se féliciter de son choix.

— As-tu envoyé ma lettre à Mlle Fleming ? questionna-t-il.

Dans cette courte missive, Jasper se contentait de rappeler à la jeune femme qu'il comptait demander sa main à ses frères d'ici trois jours, si elle n'avait pas entre-temps changé d'avis.

— Oui, milord.

— Parfait. Je crois que cette fois, ça va marcher. J'ai comme un bon pressentiment.

— Un pressentiment, milord ?

— Oui. Exactement comme l'autre jour, quand j'ai parié une guinée sur cette jument alezane.

Pynch s'éclaircit la voix.

— Je crois me souvenir que la jument en question est arrivée bonne dernière.

— Ah ? fit Jasper. Peu importe, grommela-t-il avec un geste vague de la main pour balayer l'argument. J'ai eu tort de comparer une lady à une jument. Ce que je voulais dire, c'est que nous sommes fiancés depuis plus de trois heures, et Mlle Fleming ne m'a toujours pas répudié. C'est impressionnant, non ?

— Pour le moins encourageant, milord, acquiesça Pynch. Mais puis-je vous rappeler que Mlle Templeton a attendu le jour de vos noces pour rompre son engagement ?

— Oui, mais là, c'est Mlle Fleming elle-même qui a proposé le mariage.

— Vraiment, milord ?

— Je compte sur toi pour que cette précision ne sorte pas de cette pièce.

Pynch se raidit.

— Bien sûr que non, milord.

Jasper grimaça en comprenant qu'il venait d'insulter son valet.

— Il est inutile d'écorcher l'orgueil de cette jeune femme. Même si elle s'est pratiquement jetée à mes pieds.

— À vos pieds, milord ?

— C'est une manière de parler, corrigea Jasper. Elle a cru que je cherchais désespérément à me marier, et elle a voulu en profiter pour tenter sa chance.

Pynch haussa les sourcils.

— Vous n'avez pas cherché à la détromper, milord ?

— Pynch ! Combien de fois t'ai-je dit qu'il ne fallait jamais contredire une lady ? Outre que c'est inconvenant de la part d'un gentleman, c'est de toute façon une perte de temps. Et puis, il faut bien que je me marie un jour, pour continuer l'œuvre de mes ancêtres. Un ou deux garçons, de préférence dotés d'un minimum de cervelle, ne seront pas de trop pour perpétuer le nom des Vale.

— Et pour cela, vous jugez que n'importe quelle lady pourra convenir, milord ?

— Oui, répondit Jasper, avant de changer aussitôt d'avis. Non. Bon sang, Pynch, il faut toujours que tu poses les mauvaises questions ! En fait, il y a quelque chose qui m'attire chez cette Mlle Fleming.

Je ne saurais comment te le décrire. C'est vrai que ce n'est pas forcément la femme que j'aurais choisie dans l'idéal, mais quand je l'ai vue devant moi, si courageuse et en même temps sur la défensive, j'ai été... sous le charme. Enfin, je crois. À moins que ce soit la conséquence de tout le whisky que j'ai ingurgité la nuit dernière.

— Probablement, milord, murmura Pynch.

— Peu importe. L'essentiel, c'est que mes fiançailles débouchent enfin sur un mariage. Sinon, je finirai par avoir une réputation de fruit pourri.

— Certainement, milord.

Jasper fronça les sourcils.

— Pynch, tu n'es pas censé acquiescer lorsque je me compare à un fruit pourri.

— Non, milord.

— Merci.

— De rien, milord.

— Il ne reste plus à espérer que Mlle Fleming ne rencontrera pas de vicaire dans les prochaines semaines. Et surtout pas de vicaire aux cheveux miel.

— En effet, milord.

— Je crois... commença Jasper, les yeux rivés au plafond – il réfléchissait tout en parlant. Je crois que je n'ai jamais croisé un seul vicaire qui m'ait plu.

— Non, milord ?

— Ils m'ont toujours paru manquer de volonté, dit-il, se massant le menton. Mais peut-être est-ce pour cela qu'ils sont entrés dans l'Église ?

— Peut-être, milord, répliqua distraitement Pynch. Serez-vous à la maison ce soir ?

— Non. J'ai un rendez-vous.

— Avec cet homme enfermé à la prison de New-gate ?

Jasper abandonna sa contemplation du plafond pour se tourner vers son valet. Le visage d'ordinaire impassible de Pynch semblait trahir l'inquiétude.

— Oui. Thornton va être bientôt jugé. Et sa condamnation à mort ne fait aucun doute. Ce qu'il sait mourra avec lui.

Pynch s'approcha de la baignoire, un grand drap de bain à la main.

— Parce que vous restez convaincu qu'il détient des informations ?

Jasper sortit de la baignoire et s'empara du drap pour se frictionner.

— Oui.

Pynch le regarda s'essuyer, l'air toujours soucieux.

— Pardonnez-moi, milord, je n'aime pas parler quand ce n'est pas mon rôle de le faire, mais…

— Mais cela ne t'arrête jamais pour autant, marmonna Jasper.

Son valet continua comme s'il n'avait pas entendu :

— Je m'inquiète de votre obsession pour cet homme. C'est un menteur notoire. Qu'est-ce qui vous fait penser qu'il pourrait vous dire la vérité ?

Jasper jeta le drap de bain et se dirigea vers la chaise où étaient posés ses vêtements.

— Rien, avoua-t-il, commençant à s'habiller. C'est un menteur, en effet, doublé d'un violeur et d'un assassin. Et Dieu sait quels autres crimes il a pu commettre. Il faudrait être idiot pour croire à ce qu'il raconte. Mais je ne peux me résoudre à le voir mourir sans avoir au moins essayé de lui arracher la vérité.

— Je crains qu'il ne s'amuse à vous manipuler.

— Tu as sans doute raison, Pynch. Comme toujours, concéda encore Jasper en enfilant sa chemise.

Il avait rencontré Pynch après le massacre du 28e régiment des colonies, à Spinner's Falls. Pynch n'avait pas livré cette bataille, et n'était donc pas aussi tenaillé que lui par le désir de savoir qui avait trahi leur régiment.

— Mais, ajouta-t-il, la raison ne doit pas toujours nous gouverner.

Pynch soupira, et lui apporta ses souliers.

— Comme vous voudrez, milord.

Jasper s'assit pour se chausser.

— Cesse de t'inquiéter, Pynch. N'oublie pas que Thornton sera mort d'ici quelques jours.

— Si vous le dites, milord, marmonna Pynch en ramassant le drap de bain abandonné par son maître.

Jasper finit de s'habiller en silence, puis il se planta devant le miroir de sa penderie pour coiffer ses cheveux en arrière.

Pynch lui tendit ensuite son manteau.

— J'espère que vous n'avez pas oublié, milord, que M. Dorning vous attend dans vos terres de l'Oxford-shire ?

Dorning était le régisseur de Jasper. Il lui avait écrit plusieurs fois pour réclamer sa présence afin de régler un litige délicat entre fermiers. Jasper l'avait fait attendre afin d'épouser Mlle Templeton, et maintenant...

— Tant pis ! Dorning peut patienter quelques jours de plus. Je ne peux pas quitter Londres sans avoir parlé aux frères de Mlle Fleming. Ni sans avoir revu Mlle Fleming elle-même.

Jasper se glissa dans son manteau, attrapa son chapeau et quitta la pièce avant que Pynch ait pu protester. Il dévala l'escalier, traversa le hall, salua au passage son majordome de la tête, et sortit de sa maison. L'un de ses palefreniers l'attendait avec Belle, sa grande jument baie. Jasper remercia le garçon, monta en selle et partit vers l'ouest, le dôme de Saint Paul se détachant devant lui au-dessus des immeubles.

Les rues encombrées l'obligeaient à conduire sa monture au pas. L'agitation londonienne était bien éloignée du pays à peine civilisé où toute cette histoire avait commencé. Mais Jasper se souvenait parfaitement des arbres immenses encadrant les chutes d'eau, du rugissement de la cascade se mêlant aux cris des hommes agonisant. Voici bientôt sept ans, il servait comme capitaine dans l'armée de Sa

Majesté, combattant les Français dans les colonies. Le 28e régiment revenait de Québec, où il avait remporté une victoire décisive. La longue file de soldats serpentait sur un sentier étroit, lorsqu'ils avaient été attaqués par des Indiens wyandots. Ils n'avaient pas eu le temps de se regrouper en position défensive. La quasi-totalité du régiment, son colonel y compris, avait été massacrée en moins d'une demi-heure. Les quelques survivants, neuf hommes en tout, dont Jasper, avaient été faits prisonniers et conduits au campement des Wyandots. Puis…

Même après toutes ces années, Jasper avait du mal à repenser à la tragédie. D'autant que des zones d'ombre se mélangeaient à ses souvenirs. Pourtant il avait cru, à un moment, que le passé était définitivement enterré. Mais, il y a six mois, lors d'un bal, il était sorti prendre l'air sur une terrasse, et il était tombé sur Samuel Hartley.

Hartley était caporal, à l'époque. Et il avait été du petit nombre des survivants au massacre. Samuel était convaincu, depuis le début, qu'un traître au sein du régiment avait informé les Français et leurs alliés indiens de leur itinéraire. Lorsque Jasper s'était joint à Samuel pour rechercher ce fameux traître, ils avaient découvert un assassin qui avait endossé l'identité de l'une des victimes du massacre de Spinner's Falls : Dick Thornton. Thornton – Jasper était incapable de l'appeler autrement, bien qu'il sût que ce n'était pas son vrai nom – était à présent enfermé à Newgate, dans l'attente de son jugement. Mais la nuit où ils l'avaient capturé, Thornton avait clamé qu'il n'était pas le traître.

Jasper donna une pichenette dans les flancs de sa jument, pour lui faire contourner une carriole croulant sous les fruits.

— Vous ne voulez pas m'acheter quelques prunes, monsieur ? lui proposa la vendeuse avec une pose suggestive. Elles sont délicieuses.

Jasper lui sourit.

— Mais sans doute pas aussi délicieuses que vos petites pommes.

Le rire de la fille le suivit tandis qu'il continuait son chemin parmi la foule. Mais Jasper était déjà replongé dans sa mission. Ainsi que Pynch l'avait souligné, Thornton mentait comme il respirait. C'est pourquoi Hartley n'avait jamais émis le moindre doute quant à sa culpabilité. Cependant Hartley avait mieux à penser, ces derniers temps : il avait épousé lady Emeline Gordon, la première fiancée de Jasper.

Emporté par ses songes, Jasper s'aperçut qu'il était arrivé dans Skinner Street, qui débouchait directement dans Newgate Street. La porte monumentale de la prison se profilait devant lui. Newgate avait été reconstruite après le Grand Incendie, et sa façade était ornée de statues figurant des valeurs pieuses, comme la Paix ou la Miséricorde. Mais plus on s'approchait du bâtiment, plus l'atmosphère devenait oppressante.

Jasper mit pied à terre devant la loge du concierge. Le garde en faction redressa l'échine.

— Vous revoilà, milord ?

— Eh oui, McGinnis.

McGinnis était un vétéran de l'armée, et il avait perdu un œil lors d'une campagne sur le continent. Un bandeau lui barrait le visage pour cacher sa cicatrice.

Il se tourna vers la loge.

— Eh, Bill ! Lord Vale est de retour ! cria-t-il. Bill sera là dans une minute, milord.

Jasper hocha la tête et donna au garde une demi-couronne, pour s'assurer que sa jument serait toujours là lorsqu'il reviendrait. Il avait très vite compris, lors de sa première visite à Newgate, que graisser la patte des gardiens simplifiait beaucoup de choses.

Bill, un type courtaud et chétif aux cheveux gris, sortit de la loge. Il tenait dans sa main droite l'attribut de son grade : un énorme trousseau de clés. Il salua Jasper de la tête et se dirigea vers l'entrée principale de la prison. La grande porte en fer était décorée de menottes entrelacées et surmontée d'une devise latine empruntée à la Bible : *Venio sicut fur* – « Je suis venu comme un voleur. » Bill adressa un signe aux gardes qui encadraient le portail et continua son chemin.

L'odeur, dans l'enceinte du bâtiment, était pestilentielle. Bill trottinait devant Jasper. Il emprunta un long couloir, qui débouchait sur une cour où des prisonniers se promenaient sans but. Ils traversèrent la cour, suivirent un autre couloir, puis Bill s'engagea dans l'escalier qui descendait au quartier des condamnés à mort. Celui-ci avait été aménagé en sous-sol, comme pour donner aux prisonniers un avant-goût de ce qui les attendait dans l'au-delà – une plongée directe vers les enfers. Les marches de pierre, humides, étaient usées en leur centre par des siècles d'allées et venues.

Le couloir était plongé dans l'obscurité : ici, les prisonniers payaient pour avoir des chandelles, et les prix étaient prohibitifs. On entendait une voix fredonner une complainte. Quelqu'un toussait. Et deux ou trois prisonniers semblaient se quereller à voix basse. Mais pour le reste, le sous-sol était tranquille. Bill s'arrêta devant une cellule qui comptait quatre occupants. L'un, allongé sur sa paillasse, paraissait dormir. Deux autres jouaient aux cartes à la lumière d'une maigre bougie.

Le quatrième était adossé au mur. Il s'en détacha en les voyant.

— Bel après-midi, n'est-ce pas, Thornton ? l'interpella Bill.

Thornton haussa les épaules.

— Qu'est-ce que j'en sais ?

Bill s'esclaffa.

— Désolé, mon gars. J'oubliais que tu ne peux pas voir le ciel.

Thornton s'approcha des barreaux de la porte.

— Que me voulez-vous ? demanda-t-il à Jasper.

Thornton était un homme au physique ordinaire, de taille moyenne. Son seul trait distinctif était ses cheveux d'un roux flamboyant.

— Ce que je veux ? Rien, bien sûr, ironisa Jasper. Je passais par là, c'est tout.

Thornton savait pertinemment ce qu'il désirait : il le lui avait fait comprendre lors de leurs précédentes entrevues.

Le prisonnier grimaça nerveusement – un tic qu'il ne pouvait pas contrôler.

— Vous devez me prendre pour un imbécile, dit-il.

— Pas du tout, assura Jasper, qui sortit une demi-couronne de sa poche. Vous êtes un brigand, un violeur, un assassin, mais certainement pas un imbécile.

Thornton se pourlécha les babines en voyant Jasper tourner la pièce d'argent entre ses doigts.

— Que voulez-vous savoir ?

Jasper regarda distraitement le plafond.

— Je crois me souvenir qu'il pleuvait lorsque nous vous avons mis la main dessus, Hartley et moi. Vous vous rappelez ?

— Évidemment, je me rappelle.

— Alors, vous devez aussi vous rappeler avoir prétendu que vous n'étiez pas le traître.

Une lueur s'alluma dans les yeux de Thornton.

— Je ne *prétends* pas. Je ne suis pas le traître, un point c'est tout.

Jasper abandonna sa contemplation du plafond pour regarder Thornton droit dans les yeux.

— Vraiment ? Je crois que vous mentez.

— Si je mens, je mourrai pour mes péchés.

— Vous allez mourir, de toute façon. Et dans moins d'un mois.

— Je ne serai exécuté que si je suis reconnu coupable à mon procès.

— Oh, vous le serez. Ne vous inquiétez pas pour cela.

— Dans ce cas, pourquoi m'abaisserais-je à vous raconter ce que je sais ?

Jasper haussa les épaules.

— Il vous reste quelques semaines à vivre. Vous n'aimeriez pas les passer plus confortablement, le ventre plein, avec des vêtements propres ?

— Moi, je vous avoue n'importe quoi pour une chemise neuve, intervint l'un des deux joueurs de cartes.

Jasper l'ignora.

— Eh bien, Dick ?

Thornton le regardait, impavide. Soudain, il grimaça avant de coller son visage aux barreaux.

— Si vous voulez découvrir le traître, je vous conseille de regarder du côté de ceux qui ont été capturés avec vous.

Jasper recula vivement, comme si un serpent l'avait menacé.

— C'est impossible.

Thornton le dévisagea quelques instants en silence, avant d'éclater de rire. Son rire résonna dans tout le couloir.

— La ferme ! cria un prisonnier depuis une cellule voisine.

Thornton, cependant, riait toujours, ses yeux rivés malicieusement sur Jasper. Ce dernier comprit qu'il n'en apprendrait pas davantage. Il soutint quelques instants le regard de Thornton, avant de laisser tomber la pièce sur le carrelage. Elle roula jusqu'au milieu du couloir, hors de portée de la main du prisonnier.

Thornton cessa de ricaner, mais Jasper avait déjà tourné les talons.

2

Jack le Rieur croisa un vieil homme assis sur le bord de la route. Le vieil homme était pieds nus, il portait des vêtements élimés et courbait le dos, comme si tout le poids du monde reposait sur ses épaules.

— Mon bon monsieur ! s'écria-t-il. Auriez-vous un quignon de pain à partager ?

— J'ai mieux que ça, répondit Jack.

Il s'arrêta auprès du vieil homme, ouvrit sa besace et en tira la moitié d'une tourte à la viande, soigneusement enveloppée dans un linge. Il la mangea avec le vieillard, accompagnée d'un gobelet d'eau fraîche puisée dans un ruisseau voisin. Ce fut un repas de rois...

Ce soir-là, Melisande se vit servir une assiette de bœuf accompagné de carottes et de petits pois – le plat préféré de son frère Harold.

La jeune femme occupait l'un des côtés d'une longue table en bois noir. À l'une des extrémités de la table, trônait Harold. À l'autre, sa femme, Gertrude. La pièce, éclairée par quelques chandelles, était sombre. Ils auraient pu s'offrir des bougies à la cire, bien sûr, mais Gertrude tenait sa maison à l'économie et considérait les bougies à la cire comme une dépense inutile. Harold l'approuvait entièrement sur ce chapitre. Melisande avait toujours pensé que Harold et Gertrude formaient un couple merveilleusement assorti : ils partageaient les mêmes goûts et les mêmes idées, et sécrétaient tous deux le même ennui insondable.

Contemplant son assiette d'un œil morne, la jeune femme se demandait comment annoncer à son frère et à sa belle-sœur le marché qu'elle avait conclu avec lord Vale. Elle coupa un morceau de viande, le prit entre ses doigts et le glissa discrètement sous la table. Un petit museau froid vint chatouiller ses doigts, et le morceau de viande disparut.

— Je suis vraiment navrée d'avoir raté le mariage de Mlle Templeton, assura Gertrude. Ou plutôt, son non-mariage. Je suis sûre que sa mère aurait apprécié ma présence dans ces circonstances. On m'a toujours dit que je n'avais pas mon pareil pour réconforter les gens qui jouent de malchance. Et c'est précisément le cas de cette pauvre Mme Templeton.

Elle posa sa fourchette, attendant le verdict de son mari.

Harold secoua la tête. Il avait les bajoues de leur père, et des cheveux bruns très fins, cachés présentement sous une perruque grise.

— Sa fille aurait dû être mise au pain sec et à l'eau jusqu'à ce qu'elle recouvre son bon sens. Répudier un vicomte ! C'est de la pure folie !

Gertrude acquiesça.

— Je crois en effet qu'elle est folle.

Harold s'anima. Il était passionné par les maladies.

— Y a-t-il déjà eu des fous, dans leur famille ?

Melisande sentit le petit museau se frotter contre ses jambes. Elle découpa un autre morceau de viande, qui disparut tout aussi rapidement que le premier sous la nappe.

— Je l'ignore, mais je n'en serais pas surprise si c'était le cas, répondit Gertrude.

Melisande repoussa, du bout de sa fourchette, les pois bouillis vers le bord de son assiette. Elle éprouvait de la sympathie pour Mary : après tout, elle n'avait fait qu'écouter son cœur.

— Je crois que Mary Templeton est très amoureuse du vicaire, risqua-t-elle.

Gertrude écarquilla les yeux.

— Je ne vois pas le rapport. Qu'en penses-tu, Harold ?

— Il n'y a aucun rapport, confirma Harold. Mary Templeton était promise à un beau parti, et elle a tout gâché.

Il mastiqua pensivement sa viande quelques instants, avant d'ajouter :

— C'est aussi bien que Vale soit débarrassé d'elle. Il n'avait pas besoin d'une folle dans sa famille. Mieux vaut qu'il se trouve une autre fiancée.

— Puisqu'on en parle… commença Melisande, qui voyait là une ouverture inespérée. J'ai quelque chose à vous annoncer.

— Oui, ma chérie ? fit Gertrude, sans même lever les yeux de son assiette.

Melisande prit une profonde inspiration avant de se lancer :

— Lord Vale et moi avons décidé de nous marier.

Gertrude laissa tomber sa fourchette.

Harold s'étrangla avec son vin.

— J'ai pensé que je devais vous en avertir, précisa Melisande.

— Te marier à lord Vale ? s'exclama Gertrude. Jasper Renshaw, vicomte Vale ? insista-t-elle, comme s'il existait plusieurs lord Vale en Angleterre.

— Oui.

Harold et Gertrude échangèrent un regard. Gertrude semblait provisoirement muette. Harold se tourna vers Melisande :

— Es-tu sûre de toi ? N'as-tu pas mal inter-prété…

Il laissa sa phrase en suspens, comme s'il réalisait qu'il était impossible de se méprendre sur une demande en mariage.

— Sûre et certaine, répliqua Melisande d'une voix claire. Lord Vale viendra te rendre visite dans trois jours, pour conclure l'affaire.

— Je vois, murmura Harold, qui contemplait son assiette d'un air consterné. Eh bien, toutes mes félicitations, petite sœur. Je te souhaite d'être heureuse avec lord Vale. Si tu es bien sûre de le vouloir.

Il n'avait jamais su comprendre Melisande. Mais elle savait qu'il tenait beaucoup à elle. Et Melisande aimait son frère. Elle lui sourit.

— Je le suis.

Il hocha la tête.

— Dans ce cas, j'adresserai un mot à lord Vale pour l'informer que je serai heureux de le recevoir, dit-il, bien que son regard trahît toujours son scepticisme.

Melisande croisa sa fourchette et son couteau sur son assiette.

— Merci, Harold. Maintenant, si vous voulez bien m'excuser, la journée a été longue…

Elle se leva de table, consciente qu'à l'instant où elle aurait quitté la pièce, Harold et Gertrude discuteraient avec animation de la nouvelle. Leur stupéfaction n'avait rien d'étonnant, du reste. Voilà des années que Melisande n'avait plus témoigné d'intérêt pour le mariage – très exactement depuis ses fiançailles avortées avec Timothy. Avec le recul, elle s'étonnait presque d'avoir autant souffert quand Timothy l'avait abandonnée. Sur le coup, elle avait cru mourir. Et elle s'était promis de ne plus jamais connaître le même chagrin.

Le couloir était aussi mal éclairé que la salle à manger : le sens de l'économie de Gertrude s'étendait à toute la maison. Mais la jeune femme n'eut pas besoin de se retourner pour s'assurer qu'elle était suivie : des griffes raclaient le carrelage. Elle se dirigea vers l'escalier.

Après Timothy, elle avait eu quelques prétendants, mais aucun vraiment sérieux. Harold et Gertrude s'étaient probablement résignés à ce qu'elle vive chez eux pour le restant de ses jours. Et elle leur savait gré de n'avoir jamais manifesté la moindre hostilité à sa présence sous leur toit, ni même de lui avoir fait sentir qu'elle était un fardeau. Toutes les vieilles filles n'étaient pas logées à la même enseigne.

Parvenue à l'étage, Melisande gagna sa chambre et referma la porte après le passage de Mouse, son petit terrier. Le chien grimpa sur le lit, tourna trois fois sur lui-même avant de s'installer sur la courtepointe et de regarder sa maîtresse.

— Pour toi aussi, la journée a été longue ? lui demanda Melisande.

Le chien pencha la tête de côté, ses yeux – deux perles noires – en alerte, et ses oreilles, l'une blanche, l'autre marron, dressées bien droites. Le feu couvait dans la cheminée, et Melisande alluma plusieurs chandelles pour éclairer la pièce. Sa chambre n'avait rien de luxueux, mais chaque élément du mobilier avait été choisi avec soin. Le lit, quoique étroit, avait beaucoup d'allure avec ses montants en bois sculpté, et si la courtepointe était blanche, sans la moindre broderie, les draps étaient en pure soie. Il n'y avait qu'un seul fauteuil, face à la cheminée, mais avec des accoudoirs dorés et un magnifique tissu or et pourpre recouvrant le dossier et le siège. Cette chambre était son refuge : Melisande pouvait y être elle-même.

Elle s'approcha de son bureau, encombré d'une pile de papiers. Sa traduction d'un conte de fées était presque terminée, mais…

Quelqu'un frappa à la porte. Mouse bondit aussitôt du lit en aboyant, comme si un maraudeur cherchait à entrer.

— Chut ! lui intima Melisande, le repoussant du pied avant d'ouvrir.

Une soubrette apparut. Elle fit la révérence.

— Pourrais-je vous parler, mademoiselle, s'il vous plaît ?

Melisande, intriguée, hocha la tête. Elle s'effaça pour laisser entrer la soubrette, qui contourna prudemment Mouse. Refermant la porte, Melisande détailla sa visiteuse. C'était une fille plutôt mignonne, avec des cheveux blonds et des joues colorées. Elle portait une robe de calicot vert qui ne manquait pas d'une certaine élégance.

— Que puis-je pour toi, Sally ?

La soubrette fit une nouvelle révérence.

— Je... J'ai appris...

Elle ferma les yeux, reprit son souffle et lâcha d'une traite :

— J'ai appris que vous alliez épouser lord Vale, mademoiselle. Si c'est vrai, vous quitterez cette maison pour vivre avec lui. Vous serez vicomtesse, et il vous faudra une chambrière, car une vicomtesse a besoin que ses robes et ses cheveux soient toujours parfaits, et pardonnez-moi, mademoiselle, mais ce n'est pas vraiment le cas pour l'instant.

Elle rouvrit brusquement les yeux, affolée, comme si elle redoutait d'avoir insulté Melisande.

— Il n'y a rien de mal avec vos cheveux, ni avec vos robes, mademoiselle, s'empressa-t-elle de rectifier. Simplement... simplement...

— Ma toilette n'est pas forcément digne d'une vicomtesse, ironisa Melisande.

— Eh bien, non, en effet, mademoiselle, si vous ne m'en voulez pas de dire ça. Et ce que je voulais vous demander – croyez bien que si vous acceptez, je vous en serai éternellement reconnaissante –, c'est de me prendre comme votre chambrière personnelle.

Sally se tut, attendant, bouche bée, la réponse de Melisande comme si elle allait décider de son destin.

Ce qui n'était pas faux, car la différence de condition entre une soubrette ordinaire et une chambrière attitrée était considérable.

— Oui, acquiesça Melisande.

Sally cligna des yeux. Elle semblait redouter de ne pas avoir compris.

— Oui, répéta Melisande. Je veux bien te prendre comme chambrière.

— Oh! s'exclama Sally, tendant les mains comme si elle voulait serrer Melisande dans ses bras. Oh, merci, merci, mademoiselle! Vous ne le regretterez pas! Je serai la meilleure chambrière dont vous puissiez rêver. Vous verrez!

— Je n'en doute pas, répliqua Melisande, rouvrant sa porte. Nous discuterons des détails de tes nouvelles fonctions demain matin. Bonne nuit.

— Oui, mademoiselle. Merci, mademoiselle. Bonne nuit, mademoiselle.

Sally sortit dans le couloir, fit une révérence et recula d'un pas. Elle faisait encore la révérence quand Melisande referma la porte.

— Je crois que c'est une brave fille, dit-elle à Mouse.

L'intéressé émit un grognement qui pouvait passer pour un acquiescement, et retourna s'allonger sur le lit. Melisande le gratifia d'une petite tape affectueuse sur le museau, puis elle ouvrit sa penderie. Une vieille tabatière en étain trônait sur une étagère. La jeune femme en caressa le couvercle, avant de sortir le bouton qu'elle avait caché dans sa manche. Le V gravé en argent étincela à la lumière des chandelles.

Voilà six ans – six longues années – qu'elle était amoureuse de Jasper Renshaw. Tout avait commencé peu après qu'il fut rentré en Angleterre. Ils s'étaient rencontrés dans une soirée, mais bien sûr, il n'avait pas prêté attention à elle. Ses magnifiques yeux bleu-vert regardaient ailleurs lorsqu'ils avaient été présentés, et quelques secondes plus tard, il s'était excusé pour aller flirter avec Mme Redd, une veuve affriolante. Assise sur une chaise en lisière de la piste de bal, Melisande les avait regardés danser. À un moment, il avait basculé la tête en arrière, éclatant de rire avec un total abandon. Elle l'avait trouvé fascinant. Mais sans doute serait-il sorti rapidement de son esprit s'il ne s'était produit un événement quelques heures plus tard.

Minuit était largement passé, et Melisande n'en pouvait plus. Elle serait même rentrée depuis longtemps si cela n'avait pas froissé son amie, lady Emeline. Emeline avait beaucoup insisté pour qu'elle assiste à cette soirée, car un an après son fiasco avec Timothy, Melisande n'avait guère retrouvé le moral. Mais le bruit, la chaleur et la cohue lui étaient vite devenus insupportables. Aussi Melisande avait-elle fini par quitter la salle de bal. Ne connaissant pas la demeure de leurs hôtes, elle avait pensé se diriger vers le salon destiné aux femmes, mais des voix masculines provenaient du couloir dans lequel elle s'était engagée. Elle aurait dû logiquement faire demi-tour, bien sûr, mais l'une des voix avait attiré son attention. En fait, on aurait juré que l'homme *pleurait*. Mue par la curiosité, elle s'était tapie dans la pénombre d'un recoin... et n'avait pas été déçue du spectacle.

Un jeune homme, qu'elle n'avait encore jamais vu, était adossé au mur du couloir. Il portait une perruque blanche encadrant un visage aux traits réguliers, qui aurait sans doute été très beau s'il n'incarnait pas, en cet instant précis, l'image du désespoir le plus affligeant. L'une de ses mains serrait une bouteille de vin. Lord Vale se tenait à côté de lui. Mais un lord Vale totalement différent de celui qu'elle avait vu flirter un peu plus tôt avec Mme Redd.

La mine grave, il écoutait ce que l'autre homme murmurait entre deux sanglots.

— Avant, ils me hantaient dans mes rêves, Vale. Mais maintenant, je les vois même en plein jour. Je vois leurs têtes. Leurs rictus sanguinaires. Et j'ai l'impression que l'un d'entre eux va se jeter sur moi pour me scalper. J'ai beau savoir que je ne crains plus rien ici, c'est plus fort que moi. L'autre soir, j'ai failli étrangler mon valet parce qu'il m'avait fait sur-

38

sauter. Je ne sais pas quoi faire. Est-ce que ça finira un jour ? Je n'en peux plus de ne pas dormir.

— Chuuut, lui avait murmuré Vale, comme une mère le ferait avec un enfant. Chut, avait-il répété, le regard triste. Ça finira un jour. Je te le promets.

— Qu'en sais-tu ?

— N'oublie pas que j'y étais, moi aussi, avait répondu Vale, tout en récupérant délicatement la bouteille de vin de la main du jeune homme. J'ai survécu, et toi aussi. Tourne tes yeux vers la lumière. Chasse les démons qui te poursuivent. Refuse les pensées morbides. Sinon, elles finiront par s'emparer complètement de ta raison.

Le jeune homme paraissait toujours aussi malheureux, mais son regard s'était légèrement éclairé.

— Toi, tu sais me comprendre, Vale. Tu es le seul.

Un valet apparut à l'autre extrémité du couloir. Vale lui adressa un signe de tête, et posa une main sur l'épaule de son compagnon.

— Ta voiture t'attend au bas du perron. Cet homme va te montrer le chemin, dit-il. Rentre chez toi et repose-toi. Je viendrai te voir demain matin et nous irons faire du cheval dans Hyde Park.

Le jeune homme avait soupiré, et s'était laissé conduire par le valet.

Lord Vale les avait suivis des yeux jusqu'à ce qu'ils aient tourné dans le couloir, puis il avait renversé la tête en arrière et bu à même le goulot de la bouteille.

— Par l'enfer, avait-il murmuré en abaissant la bouteille, alors qu'un rictus de colère et de douleur mêlées déformait ses lèvres. Par l'enfer !

Une demi-heure plus tard, Melisande l'avait revu dans la salle de bal. Il chuchotait à l'oreille de Mme Redd, et Melisande n'aurait jamais cru que ce séducteur impénitent était le même homme qui réconfortait tout à l'heure son ami, si elle ne l'avait vu de ses propres yeux. Malgré son expérience désastreuse avec Timothy, et la terrible leçon qu'elle en avait retirée sur la réalité de l'amour, elle n'avait pu s'empêcher de tomber éperdument amoureuse du vicomte – même si c'était sans espoir.

Cela faisait donc maintenant six ans qu'elle l'aimait, alors qu'il la connaissait à peine. Elle avait vu Emeline se fiancer à lui sans manifester la moindre humeur. À quoi bon se chagriner inutilement, alors qu'elle savait qu'elle ne pourrait jamais l'avoir ? Puis il s'était fiancé à l'insipide Mary Templeton. Mais à l'instant où elle avait réalisé, dans l'église, que ce mariage ne se ferait pas, une pulsion incontrôlable l'avait poussée à agir. Pourquoi pas moi ? s'était-elle demandé. Pourquoi ne pas tenter ma chance ?

Et elle l'avait tentée.

À présent, il lui faudrait procéder prudemment avec lord Vale. L'amour, ainsi qu'elle l'avait appris à ses dépens, était son talon d'Achille. Elle devrait donc prendre garde à ce que son futur mari ne puisse deviner la profondeur de ses sentiments.

Elle ouvrit la tabatière et y déposa le bouton.

Puis elle se déshabilla, et souffla les chandelles avant de se mettre au lit. Mouse se glissa sous les couvertures, contre ses jambes.

Melisande resta un long moment à contempler l'obscurité, les yeux grands ouverts. Bientôt, ce ne serait plus avec Mouse qu'elle partagerait son lit. Serait-elle capable de coucher avec Jasper sans lui révéler l'amour qui la consumait ? Cette idée la fit frémir, et elle ferma les paupières pour s'obliger à dormir.

Une semaine plus tard, Jasper arrêta son phaéton devant la demeure de Harold Fleming. Un phaéton flambant neuf, qui lui avait coûté une fortune. Mais le véhicule était confortable, élégant, et ses roues étaient gigantesques. Jasper était impatient de conduire Mlle Fleming à leur après-midi musical. Non qu'il eût très envie d'assister au concert proprement dit, mais ce n'était pas tout de piloter un phaéton : il fallait lui trouver une destination.

Penchant son tricorne de côté, de façon désinvolte comme le voulait la mode, il gravit le perron et frappa à la porte. Dix minutes plus tard, introduit dans une bibliothèque dépourvue du moindre intérêt, il attendait toujours que sa fiancée daigne apparaître. Il avait déjà pu visiter cette bibliothèque quatre jours plus tôt, lorsqu'il était venu rendre visite à M. Fleming pour discuter du mariage. La conversation avait été horriblement ennuyeuse, et Jasper n'en avait retiré qu'un seul souvenir positif : Mlle Fle-ming n'avait pas menti, elle jouissait d'une dot consé-quente. Comme le voulait l'usage, la jeune femme ne s'était pas montrée durant cette visite. Jasper l'avait déploré : sa présence aurait constitué une distraction bienvenue.

Pour tromper son attente, il se décida à inspecter les rayonnages qui recouvraient les murs. La plupart des livres étaient en latin, et Jasper se demandait si M. Fleming était réellement capable de lire le latin, ou s'il avait acheté ces livres uniquement pour décorer la pièce, quand Mlle Fleming fit son entrée. Il ne l'avait pas revue depuis leur rencontre dans la sacristie, mais elle affichait la même expression : un mélange inattendu de détermination et de retenue. Jasper trouva cela charmant.

Il s'inclina poliment.

— Ma chère, dit-il avec un grand sourire, vous êtes aussi resplendissante qu'un jour d'été. Cette robe souligne votre beauté comme le ferait un anneau d'or d'un rubis.

— La comparaison manque de véracité, milord. Ma robe n'a pas la couleur de l'or, et je ne suis pas un rubis.

Le sourire de Jasper s'élargit, jusqu'à révéler ses dents parfaites.

— Mais je suis sûr que votre vertu vous fera passer pour un rubis parmi les autres femmes.

— Je vois, fit Melisande. Et pour la couleur de ma robe, comment comptez-vous vous en tirer?

— Eh bien, elle n'est peut-être pas d'or, mais...

Jasper se trouva soudain à court d'imagination. Car la robe de Mlle Fleming était en réalité de la couleur des... déjections chevalines.

La jeune femme haussa un sourcil.

— Sa couleur... est terriblement exotique, lâcha-t-il. Et mystérieuse.

— Pour ma part, je dirais plutôt qu'elle est marron foncé.

Jasper lui avait pris la main, pour l'escorter jusqu'à la sortie.

— Pas du tout! se récria-t-il. Elle m'évoque le pelage d'un écureuil.

— Le pelage d'un écureuil? Dois-je le prendre comme un compliment, milord?

— Dans ma bouche, c'est un compliment. Mais bien sûr, tout dépend de ce que vous pensez des écureuils.

Ils étaient arrivés devant le phaéton.

— Les écureuils sont des petits animaux charmants.

— Ah, vous voyez! C'était à n'en pas douter un compliment.

Il lui tint le bras pour l'aider à monter dans le véhicule. La sentant se raidir, il crut qu'elle s'inquiétait d'être assise en hauteur.

— Tenez-vous bien au rebord, dit-il. Mais n'ayez pas peur. Et nous ne sommes pas très loin de chez lady Edding.

— Je n'ai pas peur, répliqua-t-elle d'un ton cinglant.

— Non, bien sûr.

Il contourna le véhicule, pour monter de l'autre côté et s'emparer des rênes. La jeune femme se tenait droite et raide, une main posée sur ses jupes, l'autre solidement accrochée au rebord de la portière. Quoi qu'elle prétendît, sa fiancée n'était pas rassurée. Jasper en éprouva une bouffée de tendresse à son endroit. De toute évidence, elle détestait montrer ses faiblesses.

— Vous devez beaucoup aimer les écureuils, lança-t-il.

— Pourquoi dites-vous cela ?

— Parce que vous portez souvent cette couleur. J'en déduis que vous aimez les écureuils. Peut-être en avez-vous eu un quand vous étiez petite ?

— Quelle imagination, milord ! Ma robe est marron, comme je vous l'ai déjà dit. Et je ne sais pas si j'aime le marron, mais je suis habituée à en porter.

Il jeta un coup d'œil dans sa direction. La jeune femme regardait droit devant elle.

— Ils sont ainsi pour ne pas être vus, murmura-t-il.

Elle écarquilla les yeux.

— J'ai peur de ne pas vous suivre, milord.

— Les écureuils. Leur pelage est de cette couleur pour qu'ils se fondent dans la végétation. Si vous ne vous décidez pas à lancer la conversation sur un autre sujet, je crains que nous ne parlions d'écureuils jusqu'à notre arrivée.

Elle sourit.

— Parce que vous estimez que je devrais me fondre dans la végétation ?

— Peut-être. Peut-être aimeriez-vous sauter d'arbre en arbre en évitant les autres animaux, et les humains. Qu'en pensez-vous ?

— Je pense que vous me connaissez bien mal, milord.

Il se tourna vers elle. Leurs regards se croisèrent. Elle semblait amusée – mais sa main droite se cramponnait toujours au rebord de la portière.

— Vous avez sans doute raison, dit-il, réalisant qu'il avait soudain très envie de mieux connaître cette créature qui refusait de montrer sa peur. Êtes-vous satisfaite de l'arrangement que j'ai conclu avec votre frère ?

Les premiers bans avaient été publiés la veille, et le mariage était prévu pour dans trois semaines.

Très peu de ladies auraient accepté des fiançailles aussi courtes.

— Je suis pleinement satisfaite, répondit-elle.

— Parfait.

Et, s'éclaircissant la gorge :

— Je dois vous prévenir que je quitte Londres demain.

— Ah ? fit-elle d'un ton apparemment détaché.

Mais sa main libre se crispa sur sa jupe.

— Je n'ai pas le choix. Le régisseur de mes terres me réclame depuis un moment pour régler une querelle entre fermiers.

Il y eut un silence, pendant qu'il engageait le phaéton dans une rue plus étroite.

— Savez-vous quand vous reviendrez ?

— Dans une semaine, peut-être deux.

— Je vois.

Jasper coula un regard vers elle. Elle serrait les lèvres. Désirait-elle le voir rester ? Cette femme était aussi peu déchiffrable que le Sphinx.

— Je serai de retour pour notre mariage, se crut-il obligé de préciser.

— Naturellement, murmura-t-elle.

Ils étaient arrivés à destination. Jasper arrêta les chevaux et lança les rênes à un laquais, avant de sauter sur le trottoir. Le temps qu'il contourne le véhicule, Mlle Fleming s'était déjà levée, ce qui l'irrita passablement.

— Laissez-moi vous aider, dit-il, lui tendant la main.

Elle l'ignora superbement et, se cramponnant toujours au rebord de la portière, entreprit de descendre toute seule.

Jasper ne l'entendait pas de cette oreille. Elle pouvait manifester tout le courage qu'elle désirait, il n'était pas question qu'elle rejette son aide. Il lui prit le bras d'autorité. La jeune femme tressaillit, mais n'eut d'autre choix que de le laisser faire.

— C'était inutile, maugréa-t-elle, une fois sur le trottoir, lissant les plis de sa robe.

— Je ne suis pas de cet avis, répliqua-t-il, l'escortant jusqu'à l'imposant perron des Edding. Un concert ! ajouta-t-il, changeant délibérément de sujet. Quelle merveilleuse façon de passer l'après-midi ! J'espère qu'on nous jouera des ballades romantiques, parlant de demoiselles qui se jettent dans des puits par désespoir.

Mlle Fleming lui adressa un regard incrédule, mais un imposant majordome leur ouvrait déjà la porte. Jasper sourit à sa fiancée, et la suivit à l'intérieur. Son sang bouillait dans ses veines, et ce n'était pas l'impatience d'assister à ce concert – même en compagnie de Mlle Fleming, si intéressante fût-elle. Il espérait retrouver ici Matthew Horn. Un vieil ami, un vétéran de l'armée et, par-dessus tout, l'un des rares survivants du massacre de Spinner's Falls.

Melisande prit une chaise et tenta de se concentrer sur la jeune femme qui chantait. Si elle s'asseyait bien droit et fermait les yeux, sa panique finirait par refluer. Elle n'avait pas prévu que l'annonce de ses fiançailles précipitées avec Jasper Renshaw susciterait une telle excitation dans la bonne société. À peine étaient-ils entrés chez lady Edding qu'ils avaient été l'objet de tous les regards. Elle détestait attirer l'attention sur elle. Cela la rendait moite. Ses mains se mettaient à trembler, sa gorge se serrait. Et, pire que tout, elle perdait tout esprit de repartie. Elle était restée muette lorsque cette infecte Mme Pendleton avait insinué que lord Vale devait être bien désespéré pour lui avoir proposé de l'épouser. Tout à l'heure, de retour chez elle, une bonne demi-douzaine de réponses cinglantes lui viendraient à l'esprit, mais sur le coup, elle n'avait rien trouvé d'intelligent à rétorquer.

Assis à côté d'elle, lord Vale se pencha pour lui demander :

— Est-elle supposée interpréter une bergère ?

Melisande haussa les sourcils.

— Qui cela ?

Il leva les yeux au plafond.

— Mais, *elle*, enfin ! répliqua-t-il, désignant la cadette de lady Edding qui se tenait à côté du clavecin.

Elle chantait plutôt bien, mais la malheureuse était affublée d'une ridicule robe à paniers, d'un chapeau mou et d'un seau d'eau qu'elle tenait à la main.

— Elle n'incarne quand même pas une femme de chambre ! objecta lord Vale, qui s'agitait sur sa chaise comme un collégien obligé d'assister à la messe. Si elle était femme de chambre, elle porterait un seau de charbon à la place.

— C'est une laitière, chuchota Melisande.

Il fronça les sourcils.

— Une laitière ? Avec une robe à paniers ?

— Chut ! pesta quelqu'un derrière eux.

— Franchement, poursuivit lord Vale en baissant à peine la voix, des jupes aussi larges ne doivent pas être pratiques pour traire les vaches. Cela dit, je ne m'y connais pas spécialement en vaches. Mais j'aime bien le fromage.

Melisande se mordit la lèvre pour ne pas pouffer. C'était la première fois depuis longtemps qu'elle avait envie de rire ainsi. Elle coula discrètement un regard vers lord Vale. Il lui sourit et se pencha un peu plus vers son oreille :

— J'adore manger du fromage avec du raisin. Du raisin noir, sucré, et bien juteux en bouche. Aimez-vous le raisin ?

Bien que sa question fût tout à fait innocente, il avait employé un ton qui fit rougir la jeune femme. Elle réalisa qu'elle l'avait déjà vu se conduire ainsi – chuchoter à l'oreille d'une femme – d'innombrables fois, dans d'innombrables réceptions. Et avec d'innombrables femmes. Mais cette fois, c'était différent.

Cette fois, c'était avec *elle* qu'il flirtait.

Elle baissa timidement les yeux.

— J'aime le raisin, mais je préfère les framboises.

Quand elle releva les yeux, elle vit qu'il la dévisageait d'un air pensif, comme s'il se demandait quoi faire d'elle. Elle soutint son regard – par défi, ou pour le mettre en garde, elle n'aurait su le dire. Il ne souriait plus. Et une lueur étrange – grave, presque solennelle – s'était allumée dans ses yeux.

L'assistance éclata soudain en applaudissements. Melisande sursauta. Lord Vale détourna le regard, et l'enchantement disparut.

— Voulez-vous que je vous apporte un verre de punch ? proposa-t-il.

— Oui, merci.

Elle le regarda se frayer un chemin parmi la foule. Dans son dos, la jeune femme qui avait dit « chut » échangeait maintenant des ragots avec une amie. Melisande surprit le mot « enceinte », mais elle s'empressa de tourner la tête dans une autre direction pour ne pas entendre la suite. La fille de lady Edding se faisait féliciter pour sa prestation. Un jeune homme boutonneux s'était posté près d'elle et lui tenait bravement son seau. Melisande lissa ses jupes, heureuse que personne ne soit venu lui faire la conversation. Si elle pouvait rester tranquillement assise sur sa chaise, à observer ce qui se passait autour d'elle, elle serait ravie de son après-midi.

Lord Vale se trouvait maintenant dans l'attroupement se pressant devant le buffet des rafraîchissements. Il n'était pas difficile à repérer, dépassant les autres gentlemen d'une bonne demi-tête, et riant à gorge déployée avec ses voisins. Melisande sourit – elle aimait le voir manifester cette gaieté. Mais soudain, son expression se modifia. Le changement fut très subtil – un léger plissement des yeux, son rire qui baissa d'une octave – et sans doute Melisande fut-elle la seule à s'en apercevoir. Elle suivit son regard. Un jeune homme à perruque blanche venait d'entrer dans la pièce. Il saluait leur hôtesse, un sourire poli aux lèvres. Ses traits parurent familiers à Melisande, bien qu'elle fût incapable de le replacer. Il était de taille moyenne, mais affichait une prestance qui trahissait l'ancien militaire.

Melisande reporta son attention sur lord Vale. Il s'était détaché du buffet, un verre de punch à la main. Le nouvel arrivant l'aperçut et s'excusa auprès de lady Edding pour se porter à sa rencontre. Melisande vit les deux hommes se serrer la main, et son fiancé chuchoter quelques mots à l'inconnu. Puis il regarda autour de lui et, inévitablement, croisa le regard de la jeune femme. Sa bonne humeur s'était évanouie. Il arborait un visage indéchiffrable.

Il s'éloigna, entraînant le jeune homme à sa suite. En scrutant celui-ci, Melisande le reconnut.

C'était lui qu'elle avait vu pleurer, six ans plus tôt.

3

Quand la dernière bouchée de tourte à la viande fut avalée, le vieil homme se leva, et il se produisit une chose extraordinaire. Ses hardes glissèrent à terre, et soudain apparut devant Jack le Rieur un très beau jeune homme, vêtu d'un magnifique costume blanc.

— Tu as été bon pour moi, lui dit l'ange (car c'était un ange de Dieu), et je veux t'en récompenser.

L'ange produisit une petite boîte en étain et la posa sur la paume de Jack.

— Regarde dedans ce que tu cherches, et tu seras exaucé, dit-il.

Il disparut sur ces mots.

Jack resta un moment interdit, avant de risquer un coup d'œil à l'intérieur de la boîte. Et il rit, car il n'y avait rien, sinon quelques feuilles de tabac. Rangeant la tabatière dans son sac, il reprit son chemin.

Trois semaines plus tard, Melisande cachait le tremblement de ses mains dans les jupes de sa robe de mariée. Derrière elle, Sally Suchlike, sa nouvelle chambrière, procédait à des arrangements de dernière minute sur sa toilette.

— Vous êtes absolument ravissante, lui dit Sally sans lever les yeux de sa tâche.

Les deux femmes se tenaient sous le porche de l'église, à l'entrée de la nef. L'organiste avait commencé de jouer, et bientôt Melisande devrait remonter la travée centrale, au milieu de tous les invités. Cette perspective l'effrayait un peu.

— Quand vous avez choisi ce gris, j'étais très déçue, bavardait Sally. Mais en fait, il brille comme de l'argent.

— Ce n'est pas un peu trop ? s'inquiéta Melisande.

Sa robe était plus ornée qu'elle ne l'avait initialement prévu. Des rubans jaunes noués en papillons couraient tout le long de son décolleté, et ses jupes s'évasaient à l'arrière pour révéler une deuxième épaisseur de tissu, brodée de rouge et de jaune.

— Oh non, c'est parfait, assura Sally, qui tournait maintenant autour d'elle, l'examinant comme une cuisinière face à un rôti. Lord Vale sera stupéfait, vous verrez. D'autant que cela fait une éternité qu'il ne vous a pas vue.

Une éternité, c'était beaucoup dire. Mais tout de même trois semaines. Lord Vale avait quitté Londres le lendemain du concert chez lady Edding, et il n'était rentré que la veille. Au point que Melisande s'était demandé s'il ne cherchait pas à l'éviter. Le jour du concert, il avait paru avoir l'esprit ailleurs après sa rencontre avec son ami – d'ailleurs, il n'avait même pas pris la peine de le présenter à Melisande. Les deux hommes avaient échangé quelques mots en aparté, puis l'inconnu avait disparu.

Tout cela n'avait pas d'importance, voulut se persuader Melisande. Lord Vale était bien là, aujourd'hui. Il l'attendait près de l'autel, et le reste ne comptait pas.

— Es-tu prête ? vint s'enquérir Gertrude, surgissant de la nef. Mon Dieu, je n'aurais jamais cru que ce jour finirait par arriver, ma chérie ! Mariée – et à un vicomte ! Les Renshaw sont une excellente famille. Oh, Melisande… !

À son grand étonnement, Melisande vit des larmes mouiller les yeux de sa flegmatique belle-sœur.

— Je suis si heureuse pour toi ! ajouta celle-ci, la serrant un instant dans ses bras. Es-tu prête ?

Melisande redressa l'échine et prit une profonde inspiration.

— Je suis prête.

Jasper contemplait le morceau de canard rôti déposé dans son assiette en méditant sur l'absurdité de ces repas de noces. Amis et famille étaient réunis autour d'une même table sous le prétexte de célébrer l'amour, alors qu'en réalité, c'est la fertilité qui aurait dû être honorée. Car, après tout, les mariages comme celui-ci ne poursuivaient qu'un seul but : engendrer.

Mais il était finalement marié, et c'était le principal. Hier, en rentrant à Londres, il s'était demandé s'il n'était pas resté absent trop longtemps. Mlle Fleming aurait pu se sentir délaissée et renoncer elle aussi à cette union – sans même prendre la peine d'aller jusqu'à l'église, comme Mlle Templeton, pour lui signifier son congé. Il avait pensé rentrer plus tôt, mais son départ avait sans cesse été différé pour de multiples raisons : une route qui avait besoin d'être réparée, un champ que voulait lui montrer son régisseur… Pour être tout à fait honnête, Jasper avait surtout craint d'affronter le regard de sa fiancée. Mlle Fleming semblait, sinon lire dans ses pensées, du moins deviner ce qui se cachait sous sa façade souriante. Chez lady Edding, il avait eu un moment de panique en croisant son regard alors qu'il parlait avec Matthew Horn – il s'était imaginé qu'elle avait compris sur quoi portait leur conversation.

Pourtant, elle ne pouvait pas savoir, voulut-il se rassurer en buvant une gorgée de vin. Mlle Fleming ignorait tout de ce qui s'était passé à Spinner's Falls, et, grâce à Dieu, il en serait toujours ainsi.

— Beau mariage, n'est-ce pas ? lui cria presque un vieil homme, assis à quelques places de lui.

Jasper ne le connaissait pas – c'était sans doute un parent de sa femme. Il lui sourit cependant, et leva son verre à son intention.

— Merci, monsieur. J'avoue que je suis très heureux.

Le vieil homme grimaça hideusement.

— Et attendez d'avoir passé votre nuit de noces ! s'exclama-t-il, avant de partir d'un éclat de rire qui faillit faire tomber sa perruque.

La vieille femme assise face à lui roula des yeux d'un air las.

— Ça suffit, William.

Jasper sentit son épouse se tendre, et il pesta contre la grivoiserie de ce soi-disant gentleman. C'était d'autant plus de malchance que la jeune femme avait fini par retrouver un peu de couleurs. Tout à l'heure, durant la cérémonie religieuse, elle était si pâle que Jasper s'était préparé à la recevoir dans ses bras, au cas où elle serait tombée en pâmoison. Mais elle ne s'était pas évanouie. Elle avait récité ses vœux sans faillir, avec la détermination d'un soldat affrontant la mitraille.

À présent, la jeune femme jouait avec sa fourchette, sans toucher au contenu de son assiette.

— Mangez un peu, lui murmura Jasper. Le canard n'est pas mauvais. Cela vous redonnera des forces.

— Je me sens très bien, répliqua-t-elle, sans le regarder.

Quel satané caractère !

— Je n'en doute pas. Mais vous étiez blanche comme un linge dans l'église. Pendant quelques secondes, vous étiez même verte. Alors, faites-moi plaisir et avalez une bouchée.

Elle ne put retenir un sourire. Et tandis qu'elle découpait un morceau de canard pour le porter à ses lèvres, Jasper héla un serviteur :

— Remplissez le verre de la vicomtesse !

Le serviteur reparti, la jeune femme avala une gorgée de vin. Jasper la regarda déglutir, s'émerveillant de la finesse de sa gorge. Cette nuit, il coucherait avec cette femme qu'il connaissait à peine. Il la posséderait, et ferait d'elle véritablement son épouse.

Cette perspective lui paraissait à la fois déroutante et terriblement excitante. Le mariage, chez les personnes de leur rang, était décidément une chose étrange. Un peu comme l'appariement des chevaux. On prenait le meilleur étalon et la meilleure jument, en se basant sur leur lignée, puis on laissait faire la nature, en espérant obtenir des poulains dignes du sang de leurs géniteurs. C'était pareil avec les aristocrates.

Il aurait aimé savoir ce que son épouse penserait de cette comparaison entre les chevaux et les nobles, mais il préféra s'abstenir de lui poser la question. Le sujet était sans doute trop osé pour ses oreilles virginales.

— Le vin est-il à votre goût, milady ? préféra-t-il demander.

— Oui. Il est à l'équilibre entre l'acidité et le sucré. C'est parfait.

— Vous m'en voyez ravi. Sachez que mon devoir de mari est de pourvoir à tous vos désirs.

— Vraiment ?

— Vraiment.

— Et quel est mon devoir d'épouse ?

De porter mes héritiers, songea instantanément Jasper. Mais il était bien conscient qu'une telle réplique serait trop abrupte. Pour l'instant, l'heure était à la séduction.

— Milady, vous n'avez pas d'autre devoir que d'être ravissante, et d'illuminer ma maison et mon cœur.

— Je crains de vite me lasser de ces fonctions lumineuses, rétorqua-t-elle, avant de boire une autre gorgée de vin et de reposer son verre.

Une goutte s'échappa de ses lèvres, qu'elle récupéra avec le bout de sa langue. Puis elle ajouta :

— Peut-être trouverez-vous des tâches plus concrètes à me confier ?

Jasper avait suivi le mouvement de sa langue avec fascination.

— Sans doute, mais je n'en vois pas, pour l'instant. Suggérez-moi donc un exemple, milady.

Elle sourit.

— Oh, ce ne sont pas les exemples qui manquent. Ne suis-je pas supposée vous obéir et vous servir en tout point ?

— Ce sont là des « fonctions lumineuses ». Vous parliez de tâches plus concrètes...

— Je ne suis pas certaine que vous obéir sera toujours une fonction lumineuse, murmura-t-elle.

— Avec moi, si. Je ne vous demanderai jamais autre chose que de me sourire, et de rendre mes journées plus agréables. Voudrez-vous bien m'obéir en cela ?

— Très volontiers.

— Alors, je m'estimerai comblé sur l'obéissance. Mais je crois me souvenir que vous avez aussi prononcé un autre vœu, devant l'autel.

— De vous aimer, dit-elle, baissant soudain les yeux, si bien que Jasper ne put déchiffrer son regard.

— Oui, c'est exact. Et j'ai peur que m'aimer ne soit une tâche plus redoutable. Je ne suis pas forcément quelqu'un qu'on a envie d'aimer. Peut-être pourriez-vous vous contenter de m'admirer ?

— Mais j'ai formulé le vœu de vous aimer, et je suis une femme d'honneur.

Jasper l'étudiait, essayant de deviner ses vrais sentiments.

— Alors, vous m'aimerez ?

Elle haussa les épaules.

— Bien sûr.

Il leva son verre à son intention.

— Dans ce cas, je serai le plus heureux des hommes.

Mais elle sourit à peine, comme si elle se lassait déjà de leur joute verbale.

Jasper s'interrogeait. Était-elle impatiente de le retrouver pour leur nuit de noces, ou redoutait-elle ce moment ? La deuxième hypothèse paraissait hélas plus vraisemblable. Même à son âge – supérieur à celui de la plupart des nouvelles épousées –, elle ne devait pas savoir grand-chose de l'union charnelle entre un homme et une femme. Jasper se promit d'y mettre les formes et de ne rien faire, pour cette première nuit, qui puisse l'effrayer ou la dégoûter. Malgré son esprit de repartie, c'était une femme réservée, presque timide. À la réflexion, peut-être ferait-il mieux d'attendre un ou deux jours avant de consommer leur mariage, afin qu'elle s'habitue à cette idée.

L'ennui, c'est que la perspective d'un tel délai le rendait, lui, morose.

Il s'empressa de boire une gorgée de vin, et de chasser toute idée déprimante de son esprit. Après tout, c'était le jour de ses noces.

— C'était un mariage magnifique, milady, s'extasia Sally tandis qu'elle aidait Melisande, ce soir-là, à quitter sa robe. Et lord Vale avait fière allure dans son manteau écarlate. Il est si beau, et si grand ! Vous avez vu comment ses épaules sont larges ?

— Hmm, fit Melisande.

Les épaules de lord Vale étaient l'une des choses qu'elle préférait chez lui. Mais il lui semblait inconvenant de discuter des mérites physiques de son mari avec sa chambrière.

Sally plia la robe sur une chaise, puis entreprit de lui délacer son corset.

— Et quand lord Vale a jeté des pièces à la foule ! Quel homme généreux ! Savez-vous, milady, qu'il a donné une guinée à tous les domestiques de la maison ? Même au petit cireur de chaussures !

— Ah oui ?

Melisande retint difficilement un sourire attendri. Mais elle n'était pas du tout surprise : elle connaissait la générosité de lord Vale. Et elle le soupçonnait d'être un peu sentimental.

Débarrassée de son corset, elle s'assit à sa coiffeuse, en camisole, et ôta elle-même ses bas.

— La cuisinière dit que lord Vale est un maître très plaisant à servir, continua Sally. Il paie les gages rubis sur l'ongle, et il ne crie jamais après ses domestiques. C'est rare, conclut-elle, récupérant les bas de Melisande pour les ranger dans la penderie.

Les appartements de la vicomtesse à Renshaw House étaient restés fermés depuis la mort du père de lord Vale, sa femme ayant alors déménagé dans une demeure plus modeste. Mais Mme Moore, la gouvernante, était une femme très compétente. Elle avait ordonné un nettoyage général avant les noces. La chambre, meublée de bois clair, sentait la cire et le propre. Les tentures bleu et or avaient été brossées, et les tapis semblaient avoir été battus au grand air.

La pièce n'était pas très grande, mais confortable. Les murs étaient peints en beige clair, et les tapis faisaient écho aux rideaux avec leur fond bleu roi, émaillé de touches d'or et de rubis. La cheminée, carrelée de bleu cobalt et surmontée d'un manteau de bois blanc, était tout simplement ravissante. Devant, trônaient deux fauteuils séparés par une table basse en marbre. Dans l'un des murs s'ouvrait une porte communiquant avec la chambre du vicomte – Melisande essayait de ne pas regarder dans cette direction. Une autre porte lui répondait sur le mur d'en face, pour accéder au dressing. Des grattements se faisaient régulièrement entendre contre cette porte, mais Melisande les ignorait.

— Tu as donc rencontré les autres domestiques ? demanda-t-elle.

Sally s'attaqua à sa coiffure.

— Oui, milady. Le majordome, M. Oaks, est un peu austère, mais je crois qu'il a un bon fond. Mme Moore dit qu'il respecte toujours son opinion. Il y a six soubrettes au rez-de-chaussée, et cinq à l'étage. En revanche, j'ignore le nombre des valets.

— J'en ai compté sept, murmura Melisande.

Elle avait été présentée au personnel en fin d'après-midi, mais il lui faudrait plusieurs jours avant de pouvoir mettre un nom sur chaque visage.

— J'espère qu'ils ont été gentils avec toi ? ajouta-t-elle.

— Oh, oui, milady.

Il y eut un silence, pendant lequel Sally ôta une à une la myriade d'épingles qui retenaient le chignon de Melisande.

— Quoique...

Melisande croisa le regard de sa chambrière dans le miroir de la coiffeuse.

— Quoique ?

— Oh, ce n'est rien, milady. Enfin... c'est ce M. Pynch. Vous savez, celui qui a un grand nez. Pendant que M. Oaks faisait les présentations, il m'a lancé que j'étais bien jeune pour être chambrière. Franchement, de quoi se mêle-t-il ?

Melisande n'en revenait pas. Elle n'avait jamais vu Sally s'emporter contre qui que ce soit.

— Qui est ce M. Pynch ?

— Le valet de lord Vale, répondit Sally, qui s'était emparée d'une brosse avec laquelle elle donnait de vigoureux coups dans la chevelure de Melisande. Un vrai physique de bête sauvage, si vous voulez mon avis. La cuisinière dit qu'il a servi avec lord Vale, dans les colonies.

— Alors, il doit connaître lord Vale depuis des années.

— Peut-être. Ça n'empêche pas qu'il est très vilain. Pourtant, il a l'air content de lui. On jurerait qu'il est fier de son gros nez. Franchement, il n'y a pas de quoi !

Melisande sourit, mais un petit bruit l'alerta et son sourire s'évanouit sur-le-champ.

La porte communiquant avec les appartements du vicomte s'ouvrit. Lord Vale apparut, vêtu d'un peignoir écarlate enfilé sur sa chemise et son pantalon.

— Ah, j'arrive trop tôt. Voulez-vous que je revienne plus tard ?

— Ce n'est pas nécessaire, milord, répliqua Melisande en contrôlant sa voix.

Elle avait les pires difficultés à ne pas le dévorer des yeux. Sa chemise était déboutonnée au col, et le peu de chair que révélait cette ouverture suffisait à l'affoler.

— Ce sera tout, Sally, merci.

La domestique fit une révérence et s'éclipsa.

Lord Vale la suivit des yeux jusqu'à ce que la porte se soit refermée derrière elle.

— J'espère que je n'ai pas effrayé votre chambrière ?

— Pas du tout. Elle est simplement un peu nerveuse de servir dans une maison qu'elle ne connaît pas encore.

Melisande le regardait, à travers le miroir de la coiffeuse, faire les cent pas dans la pièce comme un fauve en cage. Désormais, elle était *sa femme*. Et elle se retenait de crier sa joie.

Il s'immobilisa devant l'horloge qui trônait sur le manteau de la cheminée.

— Je ne voulais pas vous déranger dans votre toilette. Mais je n'ai jamais la bonne notion de l'heure. Je peux revenir dans une demi-heure, si vous préférez.

— Non, je suis prête.

Elle prit sa respiration, se leva de sa chaise et se tourna vers lui.

Il la fixa, son regard détaillant sa camisole – ou ce qui se cachait dessous. Melisande frissonna : elle sentait ses yeux la caresser.

— Voulez-vous du vin ? proposa-t-il, détournant finalement le regard.

Melisande s'obligea à masquer sa déception. Elle hocha la tête.

— Volontiers.

Il se dirigea vers le guéridon où attendaient une bouteille et deux verres. Il les remplit, et lui en tendit un.

— Merci, dit Melisande, qui porta le verre à ses lèvres.

Était-il nerveux, lui aussi ? Son verre à la main, il contemplait le feu d'un regard vide. Melisande se laissa choir dans l'un des fauteuils, et lui désigna l'autre :

— Asseyez-vous donc, milord.

— Oui…

Il s'assit, vida la moitié de son verre d'un seul trait, puis se pencha soudain en avant :

— Écoutez, j'ai réfléchi tout l'après-midi à la meilleure façon de vous le dire, mais je n'ai toujours pas trouvé, et pourtant il faut que je vous le dise. Alors, voilà : nous nous sommes mariés très rapidement, et j'ai été absent pendant presque toutes nos courtes fiançailles – par ma seule faute, j'en conviens. Du coup, nous nous connaissons à peine. Et j'ai pensé…

— Oui ?

— Que peut-être vous préféreriez attendre, termina-t-il en levant vers Melisande un regard où elle crut lire de la pitié. Mais je m'en remets à votre décision.

Une idée atroce traversa l'esprit de la jeune femme. Et s'il ne la trouvait pas suffisamment attirante pour désirer coucher avec elle ? Après tout, cela n'aurait rien d'étonnant. Elle était trop grande, trop maigre, et son visage n'avait rien de remarquable. Que faire ? Que répondre ?

Cependant, il continuait de parler pendant qu'elle réfléchissait :

— … nous pourrions attendre un mois ou deux. Même plus, si vous le souhaitez. Je…

— Non.

— Pardon ?

S'ils attendaient, il existait un risque que leur mariage ne soit jamais consommé. Et Melisande s'y refusait absolument. Elle reposa son verre sur la table basse.

— Je ne veux pas attendre.

— Je… je vois.

Elle se leva, pour se planter devant lui. Il termina son verre, le reposa et se leva à son tour.

— Vous êtes sûre ?

Elle se contenta de le fixer. Elle refusait de l'implorer.

Il hocha la tête, les lèvres serrées, et lui prit la main pour la conduire jusqu'au lit. Elle tremblait déjà – le simple contact de sa main sur la sienne y avait suffi – mais elle ne se souciait plus de le cacher. Il défit les couvertures et, d'un signe de tête, l'invita à grimper sur les draps. Elle s'allongea sur le dos, toujours vêtue de sa camisole. Il sortit une petite boîte de la poche de son peignoir et la plaça sur la table de nuit. Puis il se débarrassa de son peignoir et de ses chaussures.

Le matelas plia sous son poids lorsqu'il s'allongea à côté d'elle. Melisande se risqua à toucher sa manche de chemise – pas plus, car elle craignait que son cœur n'explose si elle s'aventurait à frôler une quelconque partie de son anatomie. Il se pencha vers elle, approchant ses lèvres des siennes. Elle ferma les yeux, au comble du ravissement. *Enfin*, songeat-elle. Elle avait l'impression de goûter à un nectar délicieux après avoir traversé, pendant d'interminables années, un désert aride. Ses lèvres avaient gardé un léger goût de vin qui monta jusqu'à ses narines. Il posa une main sur ses seins. Sa paume, chaude et puissante à travers la fine étoffe de la camisole, la fit tressaillir.

Elle écarta les lèvres, prête à s'offrir à son baiser. Mais il se redressa.

— Vale… murmura-t-elle.

— Chut, dit-il, déposant un baiser sur son front. Ce sera bientôt fini.

Il attrapa la boîte posée sur la table de nuit, et l'ouvrit. Elle contenait une sorte d'onguent. Il trempa un doigt dedans, puis sa main disparut entre eux, au niveau de ses cuisses.

Melisande fronça les sourcils. Elle n'espérait pas du tout que ce soit «bientôt fini».

— Je...

Il retroussa sa camisole jusqu'à la taille, et elle fut distraite par le contact de ses mains sur ses hanches. Sans doute réfléchissait-elle trop. Il suffisait qu'elle se laisse porter par...

— Laissez-moi faire, intima-t-il tendrement.

Il lui écarta les cuisses et se positionna au milieu. Melisande réalisa qu'il avait ouvert sa braguette : elle sentait son membre érigé se presser contre son bas-ventre. Un frisson d'excitation la saisit.

— Cela risque de faire un peu mal, dit-il, mais je vais me dépêcher. Et ça ne fait mal que la première fois. Vous pouvez fermer les yeux, si vous voulez.

Quoi ?

Et il la pénétra.

Au lieu de fermer les yeux, elle les écarquilla, voulant partager avec lui chaque seconde de cette expérience. Mais lui-même gardait les paupières closes, et il fronçait les sourcils, comme s'il était à la peine.

Melisande noua les bras à son cou, mais il l'obligea à les rabattre sur les draps.

— Ne bougez plus, s'il vous plaît.

Il se redressa sur les coudes. Puis il poussa de toute la force de ses reins. Une fois. Deux fois. Trois fois. En serrant les dents. Finalement, un cri étouffé s'échappa de ses lèvres, et il s'écroula sur elle.

Pour être «bientôt fini», cela avait été très vite fini...

La jeune femme voulut de nouveau nouer les bras à son cou, pour au moins le garder un peu contre elle, mais il roula sur le côté.

— Excusez-moi, dit-il. J'espère que je ne vous ai pas écrasée.

Il lui tournait le dos, à présent. Melisande, ravalant une envie de pleurer, rabattit sa camisole sur ses cuisses. Il se releva d'un bond, bâilla, s'étira, puis récupéra son peignoir et ses chaussures.

— Ça va ? dit-il, lui caressant les cheveux. Dormez bien, à présent. Je demanderai aux domestiques de vous monter un bain chaud, demain matin. Cela vous aidera à vous sentir mieux.

— Je…

— N'hésitez pas à boire d'autre vin, si vous avez un peu mal, conclut-il. Bonne nuit.

Et il repartit vers sa chambre.

Melisande, hébétée, fixa un long moment la porte qui s'était refermée derrière lui. Puis, les paupières closes, elle tenta d'ignorer les grattements qui se faisaient de nouveau entendre depuis le dressing. Glissant une main sous sa camisole, elle sentit la semence de son mari coller entre ses cuisses. Elle approcha ses doigts de sa féminité. Sa chair palpitait d'un désir frustré.

Les grattements redoublèrent. Et cette fois, ils étaient assortis de petits couinements.

La jeune femme rouvrit les yeux.

— Oh, s'il te plaît, un peu de patience !

Melisande bondit hors de son lit dans un mouvement d'exaspération. Sentant la semence couler le long de sa cuisse, elle se dirigea d'abord vers la table de toilette, pour se nettoyer avec un linge qu'elle trempa dans la cuvette d'eau. Puis elle alla ouvrir la porte du dressing.

Mouse en surgit, avec un aboiement indigné. Il sauta sur le lit, tourna trois fois sur lui-même, comme à son habitude, avant de se laisser tomber sur un oreiller, tournant délibérément le dos à la jeune femme. Il détestait rester enfermé.

Melisande le rejoignit. Elle se sentait d'humeur aussi renfrognée que le chien. Durant plusieurs minutes, elle contempla le dais du baldaquin, se demandant quelle erreur elle pouvait bien avoir commise pour justifier une aussi brève étreinte. Finalement, après un soupir, elle décida qu'elle y verrait sans doute plus clair demain matin. Elle souffla sa chandelle et ferma les yeux.

Juste avant de s'endormir, une dernière pensée lui traversa l'esprit : heureusement qu'elle n'était plus vierge...

Jasper était parfaitement conscient que sa prestation de ce soir ne resterait pas dans les annales. Assis dans un fauteuil devant la cheminée de sa chambre, il se désolait de ne pas avoir montré à Melisande ce qu'était le plaisir. Tout s'était passé si vite. D'un autre côté, il se félicitait de ne pas l'avoir trop bousculée. Et encore moins de lui avoir fait mal. Or, c'était là son intention première : ne pas effrayer sa jeune épousée.

Il termina son verre de brandy et jeta un regard à son propre lit, immense et intimidant. Il avait bien fait de lui rendre visite dans sa chambre, plutôt que de l'amener ici. La taille de son lit aurait effrayé la plus intrépide des candidates à l'initiation aux plaisirs de la chair. Sans compter qu'ensuite, il aurait dû trouver un moyen de congédier la jeune femme – ce qui n'aurait pas été une tâche plaisante.

Tout bien considéré, les choses s'étaient donc plutôt bien passées. Il serait toujours temps, plus tard, de lui montrer tout le plaisir qu'on pouvait retirer de l'union de deux corps. À supposer, bien sûr, qu'elle le souhaite. Beaucoup de ladies ne manifestaient aucun intérêt pour l'amour physique avec leur mari.

Bizarrement, cette idée le chagrinait. Pourtant, jusqu'ici, il n'avait jamais songé à critiquer la vie maritale, telle qu'on la concevait dans son monde. On se mariait pour faire un ou deux enfants, puis chacun vivait de son côté – aussi bien socialement que sexuellement. C'était, du reste, ce genre de mariage qu'il avait prévu pour lui-même. Mais à présent, cette perspective lui paraissait... glaciale.

Jasper secoua la tête. Son nouveau statut matrimonial lui égarait l'esprit. Il se releva et posa son verre vide à côté de la carafe de brandy. Sa chambre était au moins deux fois plus grande que celle de son épouse, mais tout cet espace avait un inconvénient : c'était difficile à éclairer. Des zones d'ombre envahissaient les recoins, les abords de la penderie et même le pourtour du lit.

Il se déshabilla et se lava avec l'eau froide de sa table de toilette. Il aurait pu faire monter de l'eau chaude, mais il détestait que quiconque entre dans ses appartements après la nuit tombée. Même la présence de Pynch le mettait mal à l'aise. Puis il souffla les chandelles, à l'exception d'une seule. S'en emparant, il se rendit dans son dressing où se trouvait un autre lit, comme ceux qu'on destinait aux valets. Mais Pynch ne s'en servait jamais : il avait sa propre chambre. À côté de ce deuxième lit, il y en avait encore un troisième – ou plus exactement, une planche sur pieds, à mi-chemin entre la vulgaire paillasse et le lit de camp.

Jasper plaça sa chandelle au pied de ce troisième lit et vérifia, comme tous les soirs, que tout était en ordre : le paquetage avec les vêtements de rechange, la gourde remplie d'eau, une miche de pain. Pynch renouvelait l'eau et le pain tous les deux jours, bien que Jasper n'ait jamais discuté avec lui de ce paquetage. Il s'assit sur le lit, enroula l'unique couverture sur ses épaules nues, puis s'allongea, dos au mur. Il contempla quelques minutes les ombres projetées par la chandelle sur le plafond, avant de fermer les yeux.

4

Chemin faisant, Jack le Rieur croisa un autre vieillard, pareillement vêtu de haillons et assis au bord de la route.

— Pourrais-tu me donner à manger ? le héla le vieillard d'une voix désagréable.

Jack posa son sac et en sortit un morceau de fromage. Le vieillard le lui arracha des mains et le goba d'une seule bouchée. Jack sortit ensuite une miche de pain. Le vieillard la mangea en entier, puis tendit les mains pour réclamer encore. Jack fouilla au fond de son sac, pour en tirer une pomme. Le vieillard dévora la pomme, et dit :

— C'est tout ce que tu as à m'offrir ?

La patience de Jack avait des limites.

— Enfin, quoi ! Vous avez mangé toutes mes provisions et vous n'avez même pas eu un mot pour me remercier. Allez donc au diable !

Sally Suchlike n'avait jamais vu de maison aussi grande ni aussi magnifique que Renshaw House, et elle en était encore tout ébaubie. Mazette ! Des sols de marbre rose et blanc ; des meubles en bois sculptés aux formes si délicates que leurs pieds ne semblaient pas plus épais que des cure-dents ; des soies, des velours, des brocarts partout ! Oh, la maison de M. Fleming était bien jolie, sans doute, mais ici, c'était comme vivre dans un palais royal.

Et quel chemin parcouru, depuis la masure misérable où elle avait grandi ! Elle y était restée jusqu'à l'âge de douze ans. Mais quand son père avait parlé de la marier à l'un de ses amis, Pinky, un gros homme sale qui avait perdu toutes ses dents de devant, Sally s'était sentie condamnée à la misère perpétuelle. Elle s'était vue mourir jeune, prématurément usée par une vie de labeur harassant, sans avoir pu connaître d'autres horizons.

Alors, elle s'était enfuie. Et elle avait commencé à gagner sa vie comme fille de cuisine. Séduite par sa vivacité et son énergie, la cuisinière qui l'avait recrutée lui avait offert de la suivre lorsqu'elle avait trouvé une meilleure maison : celle de M. Fleming. Sally avait travaillé dur, refusant de s'accorder la moindre liberté avec un valet ou un garçon d'écurie – elle n'avait aucune envie de tomber enceinte. Et surtout, elle avait ouvert grands ses yeux et ses oreilles. Elle avait écouté comment parlaient les Fleming et la nuit, sur son petit lit à côté de celui d'Alice, une femme de chambre qui ronflait comme un bûcheron, elle s'était entraînée à répéter inlassablement les mêmes phrases, jusqu'à obtenir presque les mêmes inflexions de voix que Mlle Fleming.

Le moment venu – c'est-à-dire quand Bob, l'un des valets, avait déboulé tout essoufflé dans les cuisines pour annoncer que Mlle Fleming allait épouser un vicomte –, Sally s'était sentie prête. Elle avait rangé son raccommodage et s'était précipitée pour formuler sa requête à Mlle Fleming.

Et voilà comment elle avait encore grimpé d'une marche ! Chambrière d'une vicomtesse ! Dès qu'elle parviendrait à se repérer dans cette immense demeure, où elle ne comptait plus les étages, les couloirs ou les pièces, tout irait pour le mieux dans le meilleur des mondes possibles.

Sally tira sur les plis de son tablier, et poussa doucement la porte du corridor réservé aux domestiques. Si elle avait bien calculé son coup, elle devrait déboucher, par un panneau dérobé, dans le couloir passant devant la chambre du maître. Elle risqua un coup d'œil. Le couloir était large, lambrissé de bois sombre, et un tapis rouge et noir courait sur toute sa longueur. L'ennui, c'est que tous les couloirs se ressemblaient, dans cette maison. Mais, tournant la tête à droite, Sally aperçut la scandaleuse statue de marbre figurant un gentleman assaillant une lady dénudée. Elle l'avait déjà repérée – difficile de la manquer – et savait que cette statue trônait juste en face de la porte des appartements du vicomte. Satisfaite, Sally referma le panneau dérobé et s'approcha de la statue pour l'examiner plus en détail.

En fait, les deux protagonistes étaient nus. Et la dame ne semblait pas si effrayée que cela – elle avait même passé un bras au cou du gentleman. Celui-ci avait une drôle d'allure, avec de longs poils sur les flancs – un peu comme les chèvres – et deux petites cornes sur le front. À bien y regarder, sa figure évoquait le valet du vicomte, M. Pynch – à supposer que M. Pynch ait eu des cheveux, des poils sur les flancs et des cornes sur le front. Baissant les yeux, elle se demanda si M. Pynch avait aussi une très grande…

Quelqu'un s'éclaircit la gorge dans son dos.

Sally lâcha un petit cri et se retourna en sursaut. M. Pynch se tenait juste derrière elle, comme si elle l'avait fait apparaître en pensant à lui. Elle se sentit violemment rougir, mais elle masqua sa confusion en plaquant fermement les mains sur ses hanches.

—Quelle idée, de me faire peur ainsi ! Vous ne savez pas que c'est dangereux ? J'ai connu une dame qui est morte parce qu'un garnement s'était planté dans son dos et lui avait crié « Bouh ! ». Qu'auriez-vous dit à votre maître si je m'étais effondrée raide morte sur ce tapis ? Le lendemain de ses noces, en plus ! Hein, vous auriez été bien embêté !

M. Pynch s'éclaircit encore la gorge – le bruit évoquait un roulement de rochers.

—Si vous n'aviez pas été aussi absorbée par la contemplation de cette statue, mademoiselle Suchlike...

—M'accuseriez-vous d'avoir lorgné cette statue, monsieur Pynch ?

Le valet haussa les sourcils.

—Je voulais simplement...

—Sachez que j'inspectais la poussière, monsieur Pynch.

—La poussière ?

—La poussière, répéta Sally avec un hochement de tête très sec. Ma maîtresse déteste la poussière.

—Je vois, répliqua M. Pynch. Et je saurai m'en souvenir.

—Je l'espère, monsieur.

Elle tira encore sur les plis de son tablier, puis jeta un regard vers la porte de sa maîtresse. Il était huit heures du matin. D'ordinaire, milady était déjà levée. Mais la nouvelle lady Vale avait vécu sa nuit de noces...

—Je vous suggère de frapper, lui dit M. Pynch, qui l'observait.

Sally roula des yeux.

—Je sais comment réveiller ma maîtresse, merci.

—Alors, où est le problème ?

—Elle n'est peut-être pas toute seule, dit-elle, se sentant de nouveau rougir. Si jamais *il* est là... je ne me vois pas faire irruption dans la chambre, et qu'ils... Ce serait horriblement embarrassant.

—Non.

—Non, quoi ?

—Il n'y est pas, déclara M. Pynch, avec assurance, avant d'entrer dans la chambre de son maître.

Sally le suivit du regard, avec l'envie de lui tirer la langue. Quel diable d'homme, décidément ! Elle lissa une dernière fois son tablier et se dirigea vers la porte de sa maîtresse.

Melisande était assise à son bureau, occupée à sa traduction, lorsqu'on frappa à sa porte. Mouse, couché à ses pieds, se redressa d'un bond et grogna.

— Entrez, fit Melisande, qui ne fut pas surprise de voir apparaître Sally.

La pendule de la cheminée indiquait un peu plus de huit heures, mais Melisande était réveillée depuis deux bonnes heures. Elle dormait rarement après l'aube. Sally connaissait ses habitudes et, d'ordinaire, elle se présentait beaucoup plus tôt pour l'habiller. Mais sans doute avait-elle hésité ce matin, en raison du nouveau statut marital de sa maîtresse. Melisande était mortifiée. Bientôt, toute la maisonnée saurait qu'elle avait passé sa nuit de noces en faisant chambre à part avec son mari. Mais puisqu'elle ne pouvait rien y changer, autant affronter l'épreuve la tête haute.

— Bonjour, milady, la salua sa chambrière avec un regard méfiant pour Mouse.

— Bonjour. Mouse, tiens-toi tranquille !

L'intéressé renifla Sally avec circonspection, avant de revenir s'asseoir à ses pieds.

Melisande avait déjà tiré les rideaux de la fenêtre derrière le bureau. Sally s'occupait maintenant des autres croisées.

— La journée est ravissante, dit-elle. Pas un nuage dans le ciel, presque pas de vent, rien que du beau soleil. Que désirez-vous porter aujourd'hui, milady ?

— J'ai pensé à ma robe grise, murmura Melisande d'une voix distraite.

Elle butait sur un mot allemand. Le recueil de contes de fées avait appartenu à son amie Emeline – c'était pour elle un souvenir d'enfance, qu'elle avait hérité de sa nounou prussienne. Avant de partir pour l'Amérique avec son mari, M. Hartley, Emeline avait laissé le livre à Melisande pour qu'elle le traduise. Melisande avait accepté, sachant pertinemment qu'il ne s'agissait pas seulement d'une simple histoire de traduction. En lui confiant ce livre qu'elle chérissait, Emeline avait voulu lui signifier que leur amitié survivrait à cette séparation. Melisande avait été très touchée par son geste.

Elle s'était promis de traduire rapidement l'ouvrage, puis de le faire imprimer et relier, pour l'offrir à Emeline lorsqu'elle reviendrait en Angleterre. Hélas, Melisande avait sous-estimé la difficulté. Le recueil contenait quatre parties, chacune racontant l'histoire d'un soldat rentrant de la guerre. Elle avait réussi à traduire les trois premières sans trop de difficultés. Mais la quatrième lui posait un véritable défi.

— La grise, milady ? répéta Sally, indécise.

— Oui, la grise.

Melisande avait appris l'allemand avec sa mère. Sa connaissance de la langue était donc essentiellement orale. S'attaquer à un texte écrit était une autre affaire. Mais elle aimait ce travail, qui lui rappelait son amie. Elle aurait tellement aimé qu'Emeline soit là pour son mariage ! Et plus encore, qu'elle soit là maintenant, afin de pouvoir lui confier ses doutes et ses interrogations. Pourquoi son mari…

— *Quelle* grise ?

— Quoi ? fit Melisande et, levant les yeux de sa copie, elle constata que Sally s'impatientait.

— Quelle grise ? répéta la chambrière, ouvrant les portes de la penderie pour découvrir une rangée de robes qui, il faut bien l'avouer, affichaient toutes des coloris assez ternes.

— La gris-bleu.

Sally sortit la robe concernée en marmonnant. Melisande préféra ignorer ses récriminations. Abandonnant son bureau, elle alla se rincer le visage à sa table de toilette puis attendit, debout, que sa chambrière l'habille.

Une demi-heure plus tard, vêtue et coiffée, Melisande congédia Sally et descendit au rez-de-chaussée. Mais elle hésita au pied des marches : comment savoir dans quelle pièce serait servi le petit déjeuner ? Il y avait tellement de portes ! Hier, en faisant la connaissance du personnel, elle n'avait pas songé à poser la question.

Quelqu'un s'éclaircit la gorge, tout près d'elle. Tournant la tête, la jeune femme avisa Oaks, le major-dome. C'était un homme trapu, avec des épaules rondes et des mains trop grandes pour ses poignets. Il portait une perruque poudrée à la taille un peu démesurée.

— Puis-je vous aider, milady ?

— Oui, volontiers. Pourriez-vous demander à l'un des valets de promener Mouse, mon petit chien, dans le jardin ? Et merci de m'indiquer où est servi le petit déjeuner.

— Mais bien sûr, milady.

Oaks claqua des doigts, et aussitôt un jeune valet accourut. Le majordome lui désigna Mouse. Le valet voulut se pencher vers le chien, mais se figea en voyant Mouse retrousser les babines et gronder d'un air menaçant.

— Oh, Mouse, sois gentil ! le tança Melisande, avant de le soulever de terre pour le confier au valet.

Mouse grondant toujours, celui-ci le tint à bout de bras, comme s'il voulait protéger son visage.

Melisande donna une petite tape sur le museau du terrier :

— Ça suffit, maintenant !

Mouse cessa ses grognements, mais il jetait à son porteur des regards mauvais. Le valet partit vers l'arrière de la maison en tenant toujours le chien à bout de bras.

— La salle à manger des petits déjeuners se trouve par là, indiqua Oaks.

Il conduisit Melisande dans une pièce très élégante, qui ouvrait sur les jardins. La jeune femme put voir Mouse baptiser chaque arbre qu'il croisait sur son chemin, tandis que le valet suivait à distance.

— C'est la pièce qu'utilise le vicomte pour les petits déjeuners lorsqu'il a des invités, précisa Oaks, lui tendant une chaise. Mais bien sûr, vous pouvez en décider autrement. Il vous suffira de m'en avertir.

— Non, c'est très bien ici. Merci beaucoup, Oaks.

Elle s'assit à la grande table de bois verni.

— Les œufs brouillés de la cuisinière sont excellents, mais si vous préférez…

— Des œufs brouillés me conviendront parfaitement. J'aimerais aussi quelques toasts, et une tasse ou deux de chocolat chaud.

Le majordome s'inclina.

— Je vais demander à une servante de vous apporter cela.

— Non, pas tout de suite. Je vais d'abord attendre mon mari.

Oaks battit des cils.

— Le vicomte se lève souvent tard…

— Ça ne fait rien. J'attendrai.

Melisande regarda Mouse terminer ses petites affaires, puis revenir en trottinant vers la maison. Quelques minutes plus tard, il faisait son entrée dans la salle à manger, toujours suivi du valet. Le terrier se précipita vers sa maîtresse et se coucha à ses pieds.

— Merci, dit Melisande au valet, qui semblait vraiment très jeune. Comment vous appelez-vous ?

— Sprat, milady, répondit-il en rougissant.

Melisande hocha la tête.

— Très bien, Sprat. Désormais, vous serez en charge de M. Mouse. Il devra sortir une deuxième fois après le déjeuner, et encore ce soir, avant de se coucher. Puis-je compter sur vous pour vous en souvenir ?

— Oui, milady, fit Sprat avec une esquisse maladroite de révérence. Merci, milady.

Melisande se retint de sourire. Sprat devait se demander si c'était vraiment une gratification : tapi sous la chaise de la jeune femme, Mouse continuait de lui montrer les dents.

— Merci, dit-elle. Ce sera tout.

Sprat s'éclipsa, et Melisande se retrouva de nouveau seule. Elle resta assise une bonne minute, jusqu'à ce que ses nerfs ne puissent plus supporter l'inaction. Elle se releva et fit les cent pas devant la fenêtre. Comment affronterait-elle son mari ? Avec sérénité, bien sûr. Mais n'était-il pas envisageable de lui faire comprendre – très discrètement – qu'elle avait éprouvé une certaine… déception de ce qui s'était passé cette nuit ? La jeune femme grimaça. Ce n'était pas une bonne idée de mettre le sujet au menu du petit déjeuner. Les hommes avaient la réputation d'être susceptibles sur ce point – et ils se montraient rarement raisonnables de bon matin. Toutefois, il lui faudrait bien aborder la question d'une manière ou d'une autre, à un moment ou à un autre. Après tout, lord Vale était connu pour être un amant fantastique ! Ou toutes les femmes qui avaient couché avec lui mentaient, ou il était capable de *beaucoup mieux* que la nuit dernière.

Une horloge, quelque part, sonna neuf heures. Mouse se releva, s'étira et bâilla à s'en décrocher la mâchoire. Melisande, renonçant à attendre davantage, rejoignit le hall. Sprat s'y trouvait, les yeux rivés au plafond, qu'il s'empressa de baisser dès qu'il la vit.

— Dites aux servantes de m'apporter mon petit déjeuner, dit-elle, avant de retourner dans la salle à manger.

Lord Vale dormait-il vraiment si tard, ou n'avait-il pas plutôt déjà quitté la maison ?

Après un repas solitaire, partagé seulement avec Mouse, Melisande décida de s'occuper. Elle convoqua la cuisinière, et trouva un adorable salon jaune et blanc pour élaborer avec elle les menus de la semaine.

La cuisinière était une petite femme noueuse, à l'air grave, avec des cheveux blancs coiffés en chignon sévère. Elle s'assit au bord de sa chaise, hochant la tête à tout ce que lui disait Melisande, sans jamais sourire – peut-être ne savait-elle pas sourire? Mais les plis de ses lèvres se détendirent quelque peu quand Melisande la félicita pour l'excellence de ses œufs brouillés et de son chocolat chaud. Pour tout dire, Melisande pensait avoir établi de bons rapports avec elle, lorsqu'un grand fracas interrompit leur échange. Puis elle entendit aboyer, dans un brouhaha de voix masculines.

Bonté divine! Elle se dressa et sourit poliment à la cuisinière:

— Si vous voulez bien m'excuser...

Elle regagna la salle à manger, où elle découvrit une pantomime burlesque. Sprat était figé sur place, la bouche grande ouverte. Oaks, sa perruque de travers, parlait à toute vitesse mais d'une voix à peine audible, tandis que lord Vale criait, pestait et agitait les bras comme les ailes d'un moulin à vent. La cause de sa colère se tenait à ses pieds, et aboyait férocement.

— D'où sort ce monstre? grondait lord Vale. Qui l'a laissé entrer? N'est-il pas possible, dans cette maison, de prendre son petit déjeuner sans avoir à défendre son bacon contre la vermine?

— Mouse, appela Melisande d'une voix calme, mais assez forte pour être entendue du terrier.

Après un dernier « ouarf! » dominateur, Mouse vint se planter à côté d'elle.

— Connaissez-vous ce fauve? demanda lord Vale, stupéfait. D'où sort-il, bon sang?

Oaks tentait de remettre sa perruque d'aplomb, tandis que Sprat dansait d'un pied sur l'autre.

— Mouse est mon chien, répliqua Melisande, furieuse.

C'était donc tout ce qu'il trouvait à lui dire? Après l'avoir fait attendre plus d'une heure?

Lord Vale cligna des yeux, et elle ne put s'empêcher de remarquer qu'ils étaient décidément magnifiques. Nous avons couché ensemble cette nuit, songea-t-elle avec un frisson. Nos deux corps se sont unis. Il est enfin mon mari.

— Ce monstre a mangé mon bacon.

Melisande baissa les yeux. Mouse la regardait avec adoration, et ses babines semblaient esquisser un sourire.

— M. Mouse n'est pas un monstre. C'est un gentleman toutou. Et il adore le bacon. Alors, ne le tentez pas avec.

Là-dessus, elle claqua des doigts et quitta la pièce, Mouse sur ses talons.

— Un gentleman toutou ? répéta Jasper en regardant la porte se fermer sur son épouse. Un *gentleman toutou* ? Avez-vous déjà entendu une chose pareille ? demanda-t-il aux deux domestiques restés dans la pièce.

Le valet se gratta le front.

— Milady semble beaucoup tenir à lui.

Oaks avait recouvré sa dignité. Il écarta le sujet d'un ton sans appel :

— La vicomtesse a donné des instructions très précises au sujet de cet animal quand elle a pris son petit déjeuner, il y a une heure de cela.

Jasper réalisa qu'il s'était conduit comme un idiot. Il n'avait jamais été brillant de bon matin, mais quand même : hurler après son épouse le lendemain de leurs noces n'était pas vraiment de bon aloi.

— Je vais demander à la cuisinière de vous préparer une autre assiette de bacon, ajouta Oaks.

Jasper soupira.

— Ce n'est pas la peine. Je n'ai plus faim.

Il jeta un regard pensif vers la porte, avant de décider qu'il ne possédait pas l'éloquence, à cette heure-ci, pour s'excuser convenablement auprès de Melisande. Il avait appris que la prudence était une vertu à cultiver quand il s'agissait des femmes.

— Faites seller mon cheval, ordonna-t-il.

— Oui, milord.

Oaks s'esquiva sans bruit. Jasper était toujours stupéfait par la légèreté avec laquelle son major-dome se mouvait.

Le valet, cependant, s'attardait. Il semblait vouloir dire quelque chose.

Jasper soupira encore.

— Oui ?

— Dois-je avertir milady que vous allez sortir ? s'enquit le valet.

Jasper se sentit encore un peu plus honteux. Même ses valets savaient mieux que lui comment se conduire avec une femme.

— Oui, faites, répondit-il.

Et il quitta à son tour la pièce, en évitant de croiser le regard du domestique.

Un peu plus d'une demi-heure plus tard, Jasper chevauchait dans les rues encombrées de Londres, pour rallier une maison sur Lincoln's Inn Fields. Le soleil était au rendez-vous et la population de la ville semblait vouloir en profiter. Des vendeurs de rues s'étaient positionnés à tous les coins stratégiques, des femmes à la mode marchaient bras dessus bras dessous, et les attelages glissaient comme des navires au milieu de la foule.

Six mois plus tôt, quand Jasper et Sam Hartley avaient entrepris d'interroger les survivants du massacre de Spinner's Falls, ils n'avaient pu retrouver la trace de tous les soldats. Certains paraissaient avoir purement et simplement disparu. D'autres, tombés dans la misère et réduits à la mendicité, étaient impossibles à localiser.

Et puis, il y avait les survivants, comme sir Alistair Munroe. Munroe n'avait pas directement servi dans le 28e : c'était un naturaliste de Sa Majesté, attaché au régiment pour dresser l'inventaire de la faune et de la flore rencontrées dans les colonies. Mais bien sûr, lorsque le régiment était tombé dans l'embuscade tendue par les Wyandots, ceux-ci n'avaient pas fait la différence entre les militaires et les civils. Munroe s'était retrouvé, avec Jasper, dans leur petit groupe de prisonniers, et il avait subi le même sort qu'eux, avant qu'ils ne puissent recouvrer la liberté en échange d'une rançon. Ce souvenir arracha un frisson à Jasper. Tous les captifs, forcés de marcher d'interminables heures dans des forêts immenses et sombres infestées de moustiques, n'avaient pas survécu. Et ceux qui s'en étaient tirés n'étaient plus les mêmes hommes. Parfois, Jasper avait le sentiment d'avoir laissé une partie de son âme dans ces forêts d'Amérique.

Il s'ébroua mentalement pour chasser ces noires pensées, et guida Belle dans le très chic carré de Lincoln's Inn Fields. Sa destination était une élégante demeure de brique rouge, avec de larges moulures blanches autour des portes et des fenêtres. Jasper mit pied à terre et confia ses rênes à un laquais, avant de gravir le perron et d'actionner le heurtoir. Deux minutes plus tard, le majordome l'introduisait dans la bibliothèque.

— Vale ! s'exclama Matthew Horn, se levant d'un imposant bureau et tendant la main. Je ne t'attendais pas le lendemain de tes noces !

Jasper lui serra la main. Horn portait une perruque blanche et il avait le teint pâle des rouquins. Son menton, carré et un peu lourd, contrebalançait un visage presque poupin. Des petites rides se distinguaient au coin de ses yeux – d'un bleu magnifique –, bien qu'il n'eût pas encore fêté ses trente ans.

— Je sais, je suis un gredin d'abandonner déjà ma femme, mais l'affaire est urgente, répliqua Jasper.

— Assieds-toi, je t'en prie.

Jasper écarta les pans de son manteau et se laissa choir dans un fauteuil.

— Comment va ta mère ?

Horn leva les yeux, comme s'il pouvait voir la chambre de sa mère à travers le plafond.

— J'ai peur qu'elle ne reste clouée au lit pour le restant de ses jours, mais elle a toujours toute sa tête. Je prends le thé les après-midi avec elle, du moins si je suis en ville, et elle me réclame assidûment les derniers potins.

Jasper sourit.

— Tu as évoqué Spinner's Falls lorsque nous nous sommes croisés chez les Edding, reprit Horn.

— En effet. Te rappelles-tu Sam Hartley ? Le caporal Hartley ? Il avait été dépêché auprès de notre régiment pour nous conduire jusqu'à Fort Edward.

— Oui, je m'en souviens. Et alors ?

— Il est venu à Londres, au mois de septembre.

Horn tendit le bras pour tirer le cordon de la sonnette.

— Pendant que j'étais en Italie, donc. Je regrette de l'avoir manqué.

— Il m'a montré une lettre qui était tombée entre ses mains.

— Quel genre de lettre ?

— Elle détaillait la marche du 28e régiment, depuis Québec jusqu'à Fort Edward. Y compris l'itinéraire exact que nous devions emprunter, et le moment précis où nous atteindrions Spinner's Falls.

— *Quoi ?* s'exclama Horn.

Jasper se pencha en avant.

— Nous avons été trahis. Les Français et leurs alliés indiens avaient connaissance de notre position. Le régiment s'est engouffré dans un piège.

La porte s'ouvrit, et le majordome fit son apparition.

— Oui, monsieur ?

Horn cligna des paupières.

— Ah… oui. Demandez à la cuisinière de nous préparer du thé.

Le majordome salua et se retira.

Horn attendit que la porte se fût refermée avant de parler.

— Mais qui aurait pu faire une chose pareille ? Les seuls hommes qui connaissaient notre route

étaient les guides, et les officiers. Tu es sûr de toi ?
As-tu vu cette lettre de tes propres yeux ? Hartley a
pu se tromper.

Jasper secoua la tête.

— J'ai vu la lettre. Il n'y a pas d'erreur possible.
Nous avons bel et bien été trahis. Et avec Hartley,
nous avons d'abord pensé qu'il s'agissait de Thornton.

— As-tu pu lui parler dans sa prison ?

— Oui.

— Et alors ?

— Thornton jure de son innocence. Il m'a laissé
entendre que le traître appartenait au petit groupe
capturé par les Indiens.

D'abord, Horn le regarda avec une totale incrédulité. Puis il partit d'un grand éclat de rire.

— Pourquoi irais-tu croire cet assassin de Thornton ?

Jasper contemplait ses mains croisées sur ses
genoux. Il s'était posé plusieurs fois cette question.

— Thornton sait qu'il va mourir. Il n'avait aucune
raison de me mentir.

— Mais c'est un fou. Et un fou n'a pas de raison
du tout.

Jasper haussa les épaules.

— Je sais. Mais quand nous marchions à travers
la forêt, Thornton était en bout de file. Il a pu entendre ou voir quelque chose qui nous aurait échappé.

— Admettons que tu croies aux accusations de
Thornton. Où cela te mène-t-il ?

Jasper ne répondit rien.

Horn leva les mains.

— Quoi ! Crois-tu que j'aie trahi, Vale ? Crois-tu
que j'aie demandé à être torturé, jusqu'à ce que ma
voix ne fût plus qu'une longue plainte ? Tu sais ce
que j'ai enduré. Tu ne...

— Chut, l'interrompit Jasper. Je ne pense évidemment pas que tu...

— Alors, qui ? grommela Horn, les yeux brillants
de larmes. Qui, parmi nous, aurait été trahir un

régiment entier ? Nate Growe ? Ils lui ont tranché la moitié des doigts. Munroe ? Ils ne lui ont crevé qu'un œil. Ce n'est pas beaucoup, en récompense de…

— Matthew…

— Alors, Saint Aubyn ? Ah, non, il est mort. Peut-être a-t-il mal calculé son coup, et il se sera laissé carboniser pour…

— Arrête, Matthew, le coupa Jasper d'une voix calme, mais suffisamment impérieuse pour interrompre Horn dans sa litanie. Je sais. Je sais tout cela.

Horn ferma les yeux.

— Alors tu sais aussi qu'aucun de nous n'a pu trahir.

— Pourtant, nous avons été trahis. Quelqu'un nous a tendu un piège, et a délibérément conduit quatre cents hommes à l'abattoir.

Horn grimaça.

— Bon sang…

Une servante entra, avec le thé. Les deux hommes gardèrent le silence pendant qu'elle déposait son plateau sur un coin du bureau. Puis elle s'éclipsa et la porte se referma doucement sur elle.

Jasper croisa le regard de son ami – celui qui avait été son frère d'armes à l'époque du massacre.

— Qu'attends-tu de moi ? questionna Horn.

— Je veux que tu m'aides à découvrir le traître, répondit Jasper. Et ensuite, que tu m'aides à le tuer.

Le dîner était depuis longtemps terminé quand lord Vale rentra enfin. Melisande avait pu compter les heures, car le grand salon à l'avant de la maison était doté d'une affreuse pendule trônant sur la cheminée. Des nymphes plantureuses – pour ne pas dire grasses – se contorsionnaient autour du cadran dans des poses qui se voulaient probablement érotiques. Mais l'artisan qui avait réalisé cette pendule ne devait pas connaître grand-chose à l'érotisme.

Mouse, assis aux pieds de la jeune femme occupée à broder, alla renifler vers la porte dès qu'il entendit arriver lord Vale.

Melisande avait été furieuse de devoir encore une fois attendre son mari. Oh, ses sentiments à son égard n'avaient pas varié, et elle était toujours impatiente de retrouver sa compagnie, mais pour l'instant ce désir était supplanté par l'exaspération. Elle ne l'avait pas vu depuis le petit déjeuner – qu'ils n'avaient pas pris ensemble – et il ne l'avait même pas avertie qu'il ne serait pas rentré pour dîner. Leur mariage avait beau être de pure convenance, cela n'interdisait pas de respecter les règles de la plus élémentaire courtoisie.

À présent, elle l'entendait converser tranquillement dans le hall, avec le majordome et des valets. Avait-il donc déjà oublié qu'il avait une femme ? Oaks semblait quelqu'un de parfaitement sensé. Avec un peu de chance, le majordome saurait rappeler à son maître l'existence de Melisande.

L'horrible pendule sonna le quart avec une sonorité plate. Le petit salon jaune et blanc était plus agréable, mais Melisande avait préféré s'installer dans celui-ci, car Vale serait obligé de passer devant pour gagner l'escalier conduisant à ses appartements.

La porte s'ouvrit finalement, surprenant Mouse qui fit un bond en arrière, avant de se reprendre et d'aboyer sur lord Vale. Celui-ci baissa les yeux en direction du chien, et Melisande eut le sentiment qu'il n'hésiterait pas à lui donner un coup de pied pour l'écarter.

— Mouse, ici ! l'appela-t-elle.

Le chien aboya une dernière fois, avant de la rejoindre et de sauter sur le sofa, à côté d'elle.

Lord Vale s'approcha.

— Bonsoir, madame mon épouse. Je m'excuse pour mon absence au dîner.

Melisande, posant sa broderie, lui désigna un fauteuil :

— J'imagine que les affaires qui vous ont retenu dehors étaient de première importance.

Lord Vale s'installa confortablement dans le fauteuil.

— Importantes, en effet, murmura-t-il.

Il paraissait éteint, comme si son habituelle joie de vivre l'avait déserté. Melisande sentit sa colère retomber. Elle se demandait ce qui avait bien pu l'assombrir ainsi.

Lord Vale fronça les sourcils en toisant Mouse.

— Ce canapé est couvert de satin.

Mouse posa la tête sur les genoux de la jeune femme. Melisande lui caressa le museau.

— Oui, je sais.

Lord Vale ouvrit la bouche, puis la referma. Son regard errait dans la pièce, et Melisande devina qu'il avait envie de bondir de son siège pour faire les cent pas. Mais il se contenta de tapoter des doigts les accoudoirs du fauteuil. Il semblait fatigué et, sa bonne humeur ayant déserté son regard, vieilli.

Melisande détestait le voir dans cet état – cela lui retournait le cœur.

— Désirez-vous un verre de brandy? proposa-t-elle. Ou quelque chose de la cuisine? Il doit rester de la tourte à la viande.

Il secoua la tête.

La jeune femme l'observa un moment, perplexe. Elle aimait cet homme depuis des années, mais au fond, elle le connaissait à peine. Et elle ne savait pas quoi faire pour lui quand il était triste. Elle reprit sa broderie et se saisit, dans son panier à ouvrage, d'une bobine de soie rose.

Lord Vale cessa de tambouriner sur ses accoudoirs.

— Votre broderie ressemble à un lion.

— C'est parce que c'est un lion, répondit-elle, attaquant avec son aiguille la langue du fauve.

Il sourit.

— C'est très joli.

— Merci.

Il recommença à tambouriner.

Melisande appréciait d'être assise en sa compagnie, même s'ils ne savaient quoi se dire.

Lord Vale lâcha les accoudoirs.

— Ah! J'ai failli oublier. Je vous ai ramené quelque chose, annonça-t-il, fouillant dans sa poche.

Melisande posa sa broderie de côté, pour accepter l'écrin qu'il lui tendait.

— Acceptez-le en manière d'excuse pour m'être emporté ce matin, dit-il. Je me suis conduit comme le pire des maris.

Melisande esquissa un sourire.

— Pas si pire que cela.

Il secoua la tête.

— Ce n'est pas bien de crier ainsi après sa femme. Je vous promets de ne pas recommencer.

Elle ouvrit l'écrin. Il contenait deux gouttes de grenat montées en pendentifs.

— C'est ravissant!

— Vous aimez?

— Oui! Merci beaucoup!

Il se releva.

— Alors, c'est parfait. Je vous souhaite une bonne nuit.

Melisande sentit ses lèvres effleurer ses cheveux et, l'instant d'après, il était déjà à la porte. Il tourna la poignée, et lui lança par-dessus son épaule:

— Au fait, inutile de m'attendre, cette nuit.

Elle haussa un sourcil.

Il grimaça.

— Je veux dire que je ne viendrai pas vous visiter dans votre chambre. Ce serait un peu trop tôt après notre nuit de noces, pas vrai? Dormez bien, ma chère.

Melisande inclina la tête, se mordant les lèvres pour contenir ses larmes, mais il avait déjà disparu.

La jeune femme cligna des yeux, puis reporta son attention sur l'écrin aux pendentifs. Ils étaient réellement ravissants, mais elle n'en portait jamais – ses oreilles n'étaient même pas percées. Elle caressa l'un des grenats, se demandant s'il l'avait jamais regardée – vraiment regardée.

5

Le second mendiant se redressa, et ses haillons s'envolèrent, révélant une hideuse créature, moitié bête moitié homme.

— Aller au diable, dis-tu ? s'écria le démon – car bien sûr, c'en était un. Mais c'est toi qui seras damné !

Jack vit ses bras et ses jambes rétrécir, et il se retrouva bientôt de la taille d'un enfant. Dans le même temps, son nez s'allongea et se recourba, jusqu'à toucher pratiquement son menton, qui avait poussé vers l'avant.

Le démon rugit de rire, avant de disparaître dans un nuage de fumée. Jack demeura seul sur la route, les manches de son uniforme de soldat traînant dans la poussière...

— Ah, excellent ! commenta Jasper au dîner, trois jours plus tard. Bœuf rôti avec sa sauce, et Yorkshire pudding[1]. L'essence même du dîner anglais !

Il but une gorgée de vin, et regarda par-dessus son verre si sa femme réagirait à son jugement définitif et parfaitement crétin. Mais, comme d'habitude, elle portait un masque poli.

---

1. Sorte de pâte à crêpes cuite, qui accompagne traditionnellement les viandes en sauce *(N.d.T.)*.

— La cuisinière sait très bien faire le Yorkshire pudding, se contenta-t-elle de murmurer.

Jasper l'avait à peine croisée, ces trois derniers jours, et c'était le premier dîner qu'ils prenaient en commun. Cependant elle ne manifestait ni satisfaction, ni colère, ni émotion d'aucune sorte. Il reposa son verre, cherchant à comprendre pourquoi il était déçu. Après tout, n'était-ce pas ce qu'il avait désiré : une épouse complaisante, qui ne lui ferait jamais de scènes ? Il avait pensé, au début, lui rendre visite quelques nuits, l'accompagner de temps en temps à des réceptions, puis, quand il aurait été certain qu'elle était enceinte, il aurait pris une maîtresse.

Mais ce dessein ne le satisfaisait plus.

— Nous sommes invités au bal masqué de lady Graham, dit-il, coupant sa tranche de rôti. Je déteste porter un masque, ça me donne chaud et envie d'éternuer. Mais j'ai pensé que vous aimeriez peut-être y aller ?

Elle grimaça légèrement.

— Merci de me le proposer, mais je ne crois pas, non.

— Ah, fit-il, de nouveau déçu. Si c'est le masque qui vous pose aussi problème, on peut s'arranger. Que diriez-vous d'un simple loup sur les yeux ? Avec quelques plumes noires et des pierreries ?

Elle sourit.

— J'aurais l'air d'une corneille dans une assemblée de paons. Non, merci.

— Je comprends.

— Mais n'hésitez pas à vous y rendre, si cela vous chante. Je ne voudrais pas gâcher votre plaisir.

Jasper songeait à ces nuits interminables, qu'il essayait de meubler en s'enivrant avec des inconnus.

— Voilà qui est gentil. C'est toujours amusant de voir des gentlemen et des ladies d'ordinaire très dignes se cacher sous un masque – même si c'est un peu puéril, j'en conviens.

Elle ne répondit rien.

— Vous êtes ravissante ce soir, reprit-il pour changer de sujet. La lumière des chandelles vous met particulièrement en valeur.

— Je suis très désappointée, avoua la jeune femme. Je me trouve assise face à l'un des séducteurs les plus célèbres de la ville, et il me parle de la lumière des chandelles.

— Préférez-vous que je vous complimente sur vos yeux ?

Elle les plissa.

— Laissez-moi deviner : vous allez les comparer à des miroirs qui reflètent mon âme.

Jasper ne put s'empêcher d'éclater de rire.

— Vous avez l'esprit très critique, madame. Dois-je plutôt vous parler de votre sourire ravageur ?

— Vous pouvez, mais je risque de bâiller.

— Je pourrais louer le modelé de votre visage. Et décrire ensuite ce qui se cache derrière.

— Cela vous serait difficile. Vous ne savez rien de moi.

— Non ?

Elle détourna les yeux, comme si elle regrettait de l'avoir mis au défi. Ce qui aiguisa un peu plus la curiosité de Jasper.

— Parce que vous ne m'avez pas beaucoup donné l'occasion de vous connaître.

Elle haussa les épaules, une main posée sur son ventre, l'autre serrant son verre de vin.

— Peut-être est-ce à moi de mener l'exploration ? poursuivit Jasper. Je vais commencer par le plus simple : qu'aimez-vous manger ?

Elle désigna le bœuf en sauce et le Yorkshire pudding qui refroidissaient dans son assiette :

— Ceci me convient très bien.

— Vous ne me facilitez pas les choses, fit valoir Jasper, dérouté.

La plupart des dames de sa connaissance adoraient parler d'elles-mêmes – c'était même leur sujet de prédilection. Pourquoi sa femme serait-elle différente des autres ?

— Il n'existe vraiment aucun mets que vous préférez par-dessus tout? insista-t-il.

Elle croisa son regard.

— Non, je ne pense pas.

Jasper contenait difficilement son impatience.

— Comment pourriez-vous ne pas avoir de plat préféré? Tout le monde en a un.

Elle haussa les épaules.

— Je n'avais jamais réfléchi à la question.

— Le jambon fumé? Les tartes aux framboises? Les sabayons? interrogea Jasper, au bord de l'exaspération.

— Les sabayons?

— Il y a forcément quelque chose que vous aimez. Ou plutôt, que vous *adorez*. Quelque chose pour lequel vous seriez capable de vous relever la nuit.

— Si votre théorie est fondée, vous avez vous-même un plat préféré, lui retourna la jeune femme.

Il sourit.

— Le pâté au pigeon, le jambon fumé, les tartes aux framboises, les poires du verger, les muffins qui sortent tout chauds du four, un bon steak, ou du fromage. N'importe quelle variété de fromage.

Elle porta son verre à ses lèvres, mais ne but pas.

— C'est toute une liste, milord. Vous ne m'avez pas dit quel était votre plat préféré.

— Peut-être, mais au moins, j'ai une liste.

Ses lèvres esquissèrent une amorce de sourire, et Jasper remarqua, pour la première fois, qu'elles étaient finement dessinées et ne manquaient pas de charme.

— Cependant, vous semblez incapable de déterminer lequel est votre préféré.

Jasper se redressa sur son siège.

— M'accuseriez-vous de frivolité, madame?

Son sourire s'élargit.

— C'est vous qui avez prononcé le mot.

Il éclata de rire.

— Me voilà insulté à ma propre table, et par ma propre femme!

88

Elle souriait toujours, et Jasper refréna l'envie de se lever pour passer son pouce sur ses lèvres.

— Pardonnez-moi, mais comment appelleriez-vous un homme qui aime tant de mets différents qu'il ne peut en distinguer un du lot? Un homme qui a récolté et perdu deux fiancées en moins d'un an?

— Oh, voilà un méchant coup bas! protesta Jasper en riant.

— Un homme que je n'ai jamais vu porter deux fois le même costume?

— Ah…

— Et qui est l'ami de tous les hommes qu'il rencontre, mais qui n'a pas véritablement de meilleur ami?

Jasper cessa de rire. Il avait eu un meilleur ami, autrefois. Reynaud Saint Aubyn. Mais Reynaud était mort lors du massacre de Spinner's Falls. Désormais, Jasper passait ses nuits en compagnie de camarades de fortune, croisés au hasard de ses beuveries. Sa femme avait hélas raison: il connaissait beaucoup de monde, mais il n'était intime avec personne.

Il déglutit, et demanda:

— Dites-moi, madame, en quoi serait-il pire de fréquenter une multitude de ses semblables plutôt que de prendre le risque de n'en retenir qu'un seul?

Elle reposa son verre sur la nappe.

— Je crois que je commence à me lasser de cette conversation.

Il y eut un silence, qui s'étira pendant plusieurs longues secondes. Puis Jasper soupira et recula sa chaise.

— Si vous voulez bien m'excuser…

Elle hocha la tête et il quitta la pièce, en donnant l'apparence de reconnaître sa défaite. Mais ce n'était pas une défaite, voulait-il se persuader: juste une retraite stratégique, le temps de fourbir ses arguments. Beaucoup de généraux considéraient qu'il était souvent préférable de reculer, plutôt que de se jeter tête baissée dans la bataille.

Melisande s'en voulait. Elle avait bien failli, ce soir, en révéler trop sur elle-même. Et, pire que tout, elle avait été à deux doigts de trahir ses sentiments pour lord Vale.

La jeune femme gardait une main pressée sur son ventre tandis que Sally lui brossait les cheveux. Savoir que quelqu'un désirait percer votre personnalité avait de quoi séduire – et plus encore s'il s'agissait de lord Vale. Durant tout le dîner, il ne s'était intéressé qu'à elle. Si Melisande n'y prenait pas garde, elle risquait de succomber à tant d'attentions. C'était trop dangereux. Une seule fois, elle avait laissé ses émotions la gouverner – avec Timothy, et cela ne lui avait pas réussi. Aimer quelqu'un aussi fort n'était pas une bénédiction, mais plutôt une malédiction. Il lui avait fallu des années pour surmonter la perte de Timothy, et elle entretenait soigneusement le souvenir de ce chagrin d'amour comme une mise en garde indispensable contre toute rechute. Sa santé mentale en dépendait.

Mais dans l'immédiat, une autre douleur la travaillait au corps. La jeune femme s'agrippa aux rebords de la coiffeuse pour laisser passer l'onde de choc. Voilà maintenant quinze ans qu'elle endurait cette souffrance une fois par mois, et il était inutile de vouloir s'emporter : la nature devait parler.

— Vos cheveux sont encore plus jolis quand ils sont défaits, milady, commenta Sally dans son dos. Ils sont tellement fins et soyeux !

— Ils sont bruns, répondit Melisande.

— Oui, concéda Sally. Mais c'est un beau brun. Un peu comme le bois de chêne lorsqu'il vieillit.

Melisande croisa le regard de sa chambrière dans le miroir.

— Tu n'as pas besoin de me flatter.

Sally parut sincèrement offensée.

— Ce n'est pas de la flatterie, milady, c'est la vérité ! La vérité vraie. J'aime beaucoup la façon dont vos cheveux bouclent autour de votre visage.

C'est dommage que vous les portiez toujours en chignon.

— Je n'ai pas envie de ressembler à une harpie.

— Une harpie? Mais, milady…

Melisande ferma les yeux. Un nouvel élancement, dans son ventre, menaçait de la plier en deux.

— Ça ne va pas, milady?

— Si, très bien, mentit Melisande. Ne t'inquiète pas.

Sa chambrière paraissait sceptique. Probablement se doutait-elle de quelque chose, puisque c'était elle qui ramassait les sous-vêtements de sa maîtresse. Mais Melisande détestait parler à quiconque de choses aussi intimes.

— Voulez-vous que je vous fasse monter une brique chaude? proposa Sally.

Melisande voulut refuser, mais un nouveau pic de douleur la fit se raviser. Elle hocha la tête. Après tout, une brique chaude enveloppée dans un linge la soulagerait peut-être.

Sally s'éclipsa pour chercher la brique, et Melisande gagna son lit. Tandis qu'elle se lovait sous les draps, elle eut l'impression que la douleur lançait ses tentacules jusque dans ses cuisses. Mouse grimpa sur les couvertures et posa la tête contre son épaule.

— Oh, Mouse, murmura-t-elle, lui caressant le museau. Tu es mon plus loyal compagnon.

Sally revint avec la brique enveloppée dans de la flanelle.

— Voilà, milady, dit-elle, glissant la brique sous les draps. On va voir si ça vous fait du bien.

— Merci.

Melisande pressa le linge chaud sur son ventre. Un nouvel élancement lui fit se mordre les lèvres.

— Désirez-vous autre chose? s'enquit Sally, qui se tenait au pied du lit, le regard soucieux. Du thé chaud avec du miel? Une couverture supplémentaire?

— Non, répondit Melisande, le plus gentiment qu'elle put. Merci, ce sera tout pour ce soir.

Sally s'inclina et referma doucement la porte derrière elle.

Melisande, paupières closes, tentait d'ignorer la douleur. Elle sentit Mouse s'insinuer sous les couvertures, pour s'allonger contre ses hanches. Il soupira, puis ce fut le silence dans la chambre.

Quelques secondes plus tard, cependant, Melisande entendit frapper à la porte communiquant avec les appartements de lord Vale. Sans attendre de réponse, celui-ci poussa le battant et entra.

Melisande garda les yeux fermés. Pourquoi fallait-il qu'il eût choisi ce soir pour honorer son devoir conjugal ? Il avait gardé ses distances depuis leur nuit de noces, sous le prétexte de la laisser récupérer, et voilà qu'il revenait alors qu'elle n'était absolument pas en état de le recevoir. Mais comment le lui dire ?

— Vous êtes déjà couchée ? commença-t-il.

Il fut interrompu par Mouse, qui surgit des couvertures pour lui aboyer dessus.

Lord Vale recula d'un pas. Mouse, perdant l'équilibre, tomba sur le ventre de Melisande, qui ne put retenir un gémissement.

— Il vous a fait mal ? s'inquiéta lord Vale, s'approchant du lit.

Ce qui eut pour effet de redoubler les aboiements du chien.

— Mouse, tais-toi ! gémit la jeune femme.

Lord Vale jeta au terrier un regard glacial. Puis, avant que Melisande ait pu protester, il l'attrapa par la peau du cou et alla l'enfermer dans le dressing.

— Où avez-vous mal ? questionna-t-il, revenant vers le lit.

Melisande n'en revenait toujours pas qu'il ait expulsé Mouse de la sorte.

— Nulle part.

Il fronça les sourcils.

— Ne me racontez pas d'histoires. Votre chien vous a fait mal quelque part. Dites-moi…

— Ce n'est pas Mouse, le coupa Melisande, fermant les yeux, car elle se sentait incapable de le regarder pour préciser : J'ai… j'ai mes règles.

Le silence fut tel qu'elle rouvrit les yeux. Lord Vale la contemplait avec des yeux ronds.

— Vous… Ah, d'accord.

Il regarda autour de lui, comme s'il cherchait l'inspiration. Melisande attendait qu'il s'en aille.

— Avez-vous… (Il s'éclaircit la gorge.) Avez-vous besoin de quelque chose ?

— Non, rien, merci.

— Dans ce cas…

— J'aimerais que…

Leurs phrases s'étaient télescopées. Il s'interrompit et, d'un geste gracieux de la main, invita Melisande à terminer la sienne.

— J'aimerais que vous fassiez revenir Mouse.

— Oui, bien sûr.

Il alla rouvrir la porte du dressing. Mouse bondit aussitôt sur le lit et recommença d'aboyer contre lord Vale, comme si l'intermède du dressing n'avait même pas eu lieu.

Lord Vale s'approcha.

— Pardonnez-moi, mais je crois qu'il est préférable que nous réglions cette affaire maintenant, dit-il à Melisande.

Son geste fut aussi rapide que tout à l'heure. Mais cette fois, il referma la main sur la gueule du terrier pour le bâillonner. Mouse, surpris, couina très fort.

Melisande ouvrit la bouche pour protester, mais lord Vale, d'un regard, la réduisit au silence. Après tout, il était chez lui. Et il était son mari.

Sans lâcher la gueule de Mouse, il se pencha vers lui et le fixa droit dans les yeux.

— *Non !* assena-t-il d'une voix sèche.

L'homme et le chien s'observèrent un moment, puis l'homme secoua fermement la gueule du chien, avant de le relâcher. Mouse s'assit alors contre Melisande, et se lécha le museau.

Lord Vale reporta son attention sur la jeune femme.

— Bonne nuit, madame.

— Bonne nuit, murmura-t-elle.

Et il regagna ses appartements.

Mouse leva les yeux vers sa maîtresse, qui lui caressa le crâne.

— Franchement, tu l'avais bien mérité, lui dit-elle.

Mouse soupira bruyamment, puis gratta le bord des couvertures. Melisande les souleva pour qu'il puisse reprendre sa place, tout contre elle.

Après quoi, la jeune femme ferma les yeux. Ah, les hommes ! Comment lord Vale avait-il pu conquérir tant de maîtresses et ne pas savoir quoi faire de son épouse ? Melisande avait beau très peu fréquenter le grand monde, elle avait toujours été avertie, par la rumeur, lorsque Vale se liait avec une nouvelle femme. Et, chaque fois, c'était comme si un petit morceau de verre lui avait égratigné le cœur, pour le faire saigner en silence. Maintenant, lord Vale était à elle. Rien qu'à elle. Mais il se révélait posséder la sensibilité… d'un gros balourd.

D'une certaine manière, c'était assez comique. L'homme de ses rêves était fait de plomb ! Cependant, il ne pouvait posséder la réputation d'être un amant hors pair sans de bonnes raisons. Certaines de ses maîtresses étaient restées avec lui plusieurs mois – et elles avaient elles-mêmes la réputation de pouvoir séduire autant d'hommes qu'elles le désiraient.

Cette idée, d'ailleurs, n'avait rien de réjouissant. Son mari était habitué aux maîtresses expertes. Peut-être comptait-il ne rien changer à son mode de vie, et ne se servir de son épouse que pour lui donner des enfants ? Dans ce cas, il devait juger inutile de dépenser de l'énergie pour qu'elle prenne du plaisir au devoir conjugal.

Melisande retourna son oreiller et lui donna une tape impatiente. S'ils continuaient ainsi, elle aurait à subir un mariage sans amour et sans sexe. L'amour, elle pouvait s'en passer – elle *devait* s'en passer, si elle voulait garder toute sa présence d'esprit. Elle n'avait pas plus envie que Vale découvre la nature de ses sentiments à son endroit, que de sauter du toit d'un immeuble. Mais se passer de sexe, c'était une autre histoire. Il lui faudrait parvenir à séduire son mari de manière à être comblée au lit, sans qu'il puisse deviner qu'elle l'aimait comme une folle.

Le lendemain après-midi, Jasper se promenait à cheval dans Hyde Park, avec Matthew Horn. Mais chaque fois qu'il regardait son ami, il éprouvait un sentiment de culpabilité. Se pouvait-il que Matthew ressentît la même chose à son endroit ? C'était probable. Tous les survivants de Spinner's Falls devaient plus ou moins nourrir les mêmes pensées.

— J'ai oublié de te congratuler pour ton mariage, lui dit Horn. J'avais fini par croire que tu resterais éternellement célibataire.

— Tu n'étais pas le seul, répliqua Jasper.

Melisande n'était pas encore levée lorsqu'il avait quitté la maison, et il en avait conclu qu'elle passerait probablement la journée au lit. En vérité, il ne connaissait pas grand-chose aux cycles féminins. Certes, il avait fréquenté beaucoup de maîtresses, mais aucune n'avait jamais abordé ce sujet devant lui. Jasper découvrait que le mariage était plus compliqué, à maints égards, qu'il ne l'avait imaginé.

— Comment t'y es-tu pris ? demanda Horn. As-tu attaché un bandeau aux yeux de la malheureuse pour la conduire jusqu'à l'autel ?

— Non, elle est venue de son plein gré, figure-toi. Mais elle voulait un mariage très discret. Sans quoi, tu aurais été invité, bien sûr.

Ils guidèrent leurs montures pour contourner un attelage à l'arrêt. Son conducteur se grattait le crâne, sous sa perruque, pendant que la femme assise à côté de lui s'était penchée pour échanger quelques potins avec deux ladies à pied. Jasper et Matthew soulevèrent leurs chapeaux en passant. Le gentleman hocha la tête d'un air distrait. Les dames saluèrent poliment, avant de reprendre leurs ragots.

— N'y as-tu pas songé pour toi-même ? s'enquit Jasper.

Horn tourna vers lui un regard interrogateur.

— Au mariage, précisa Jasper.

Horn grimaça.

— J'aurais dû m'y attendre.

— À quoi ?

— Les nouveaux mariés éprouvent toujours le besoin de convertir leur entourage. La prochaine fois, tu voudras me présenter à une créature de ta connaissance, en me faisant valoir tout l'intérêt que j'aurais à lier mon sort au sien.

— Puisque tu en parles, j'ai une cousine vieille fille qui pourrait t'intéresser. Bon, d'accord, elle a dépassé les quarante ans, mais sa dot est considérable.

Horn le dévisagea avec une expression d'horreur.

Jasper s'esclaffa joyeusement.

— Oh, moque-toi de moi ! gronda Horn. Mais pas plus tard que le mois dernier, j'ai reçu une offre de ce genre. Et là, ce n'était pas pour rire.

— Serait-ce par aversion pour le beau sexe que tu as séjourné aussi longtemps sur le continent ?

— Pas du tout. J'ai voyagé en Italie et en Grèce pour visiter les ruines antiques, et rapporter quelques statues.

Jasper haussa les sourcils.

— J'ignorais que tu cultivais un goût pour l'art.

Horn haussa les épaules.

Jasper regarda devant lui. Ils approchaient de l'extrémité du parc.

— As-tu retrouvé Nate Growe ?

Horn secoua la tête.

— Non. Quand je suis retourné dans le café où je pensais l'avoir aperçu, personne ne m'a dit le connaître. J'ai pu me tromper. Ce n'était peut-être pas lui. Je suis désolé, Vale.

— Tu n'as pas à l'être. Au moins, tu auras essayé.

— Qui reste-t-il d'autre, sur la liste ?

— Nous n'étions que huit à avoir été capturés. Toi, moi, Alistair Munroe, Maddock, le sergent Coleman, John Cooper, Growe et Saint Aubyn. Cooper est mort pendant que nous marchions. Coleman et Saint Aubyn ont été tués par les Indiens. Et Maddock a fini par succomber à ses blessures reçues lors de l'embuscade.

— Ce qui ne laisse plus que quatre survivants, compléta Horn. Toi, moi, Munroe et Growe. Munroe ne dira rien, et Growe a disparu.

Jasper regardait d'un air morose l'allée qui s'étirait sous les sabots de leurs chevaux.

Horn soupira.

— Tu as toi-même reconnu que Thornton mentait probablement, reprit-il. Tu ferais mieux de renoncer, Vale.

— Impossible.

Il devait découvrir la vérité. Trop d'hommes – *ses* hommes – étaient morts à Spinner's Falls pour qu'il puisse tirer un trait dessus. Regardant autour de lui, il se demanda ce que les promeneurs de ce parc londonien pouvaient bien connaître des forêts d'Amérique, avec leurs arbres immenses qui cachaient le soleil, et le silence régnant sous leurs ramures. Un silence tellement assourdissant que les cris de terreur de ses hommes s'y étaient noyés. Souvent, la nuit, il se demandait si tout cela n'avait pas été un cauchemar, une hallucination dont il ne parviendrait toujours pas à se débarrasser, des années après. Avait-il vraiment vu son régiment se faire massacrer ? Et son colonel se faire tirer à bas de son cheval, pour être pratiquement décapité ? Saint Aubyn avait-il réellement péri crucifié vivant ? La nuit, la réalité se mêlait si bien à ses rêves qu'il n'arrivait plus à déterminer le vrai du faux.

— Vale…

— L'autre jour, tu m'as fait remarquer que seuls les officiers connaissaient notre route, le coupa Jasper.

— Oui, et alors ?

— Alors, concentrons-nous sur les officiers.

— Ils sont tous morts, en dehors de nous deux.

— Nous devrions peut-être essayer de parler à leurs proches – parents, amis… Peut-être existe-t-il une lettre, quelque part, qui nous apprendrait des choses.

Horn le regarda d'un air presque apitoyé.

— Le sergent Coleman était quasiment illettré. Je doute fort qu'il ait pu envoyer une lettre à sa famille.

— Et Maddock ?

Horn soupira.

— Je n'en sais rien. Son frère est lord Hasselthorpe, et…

— *Quoi ?* s'exclama Jasper.

— Lord Hasselthorpe, répéta Horn. Tu n'étais pas au courant ?

— Non, répondit Jasper, secouant la tête.

Il avait été l'invité de Hasselthorpe, à l'automne dernier, mais il ignorait que son hôte était parent de Maddock.

— Je vais lui parler, ajouta-t-il.

— Je ne vois pas comment il pourrait savoir quelque chose, objecta Horn. Hasselthorpe se trouvait également aux colonies, à ce que j'ai cru comprendre. Mais dans un tout autre régiment.

— Quoi qu'il en soit, je veux lui parler.

— Très bien.

Ils avaient atteint les grilles du parc. Horn arrêta son cheval.

— Bonne chance, Vale. N'hésite pas à me faire signe, si tu as besoin de moi.

Jasper acquiesça et serra la main de son compagnon. Il le regarda quelques instants s'éloigner, avant de reprendre lui-même le chemin de la maison. Melisande serait peut-être levée, à présent, et il pourrait s'asseoir un moment avec elle pour converser. La perspective de badiner avec sa femme lui paraissait étrangement plaisante – elle l'aiderait, en tout cas, à chasser ses idées noires.

Mais quand il arriva chez lui, Oaks l'informa que sa femme était sortie. Jasper remercia son majordome et lui confia son tricorne, avant de monter à l'étage.

Un sentiment bizarre l'assaillit. La jeune femme ne vivait ici que depuis une semaine, et elle avait déjà imprimé sa présence sur les lieux. Elle n'avait pourtant rien changé à la décoration, ni remplacé les domestiques. Mais cette maison était désormais indubitablement la sienne. Cela se sentait à des petits détails : son parfum qui flottait dans le salon, le feu qui y était désormais toujours entretenu…

Jasper remonta le couloir en direction de ses appartements, mais il s'arrêta au moment de passer devant la porte de la jeune femme. Ses doigts approchèrent de la poignée, et il poussa la porte sans même réfléchir.

La chambre était si impeccable qu'elle pouvait paraître inhabitée. Bien sûr, tout avait été nettoyé de fond en comble pour l'arrivée de la nouvelle vicomtesse. Mais le mobilier demeurait celui déjà en place du temps de la mère de Jasper. Il réalisa, pour la première fois, que Melisande n'avait rien apporté avec elle en venant vivre ici.

Il ouvrit la penderie, découvrant une pleine rangée de robes aux coloris impersonnels. La table de nuit ne portait qu'un chandelier : nulle trace de livre de chevet. Il repéra, sur la coiffeuse, une petite boîte en ivoire qui devait contenir ses bijoux, et l'ouvrit : quelques épingles à cheveux, un rang de perles, et les pendentifs qu'il lui avait offerts. Il referma la boîte, pour s'intéresser au tiroir de la coiffeuse. Mais il ne renfermait que des rubans, et d'autres épingles à cheveux. Jasper regarda autour de lui : elle devait bien avoir rangé quelque part un objet personnel, qui aurait une valeur particulière à ses yeux.

Si c'était le cas, elle l'avait bien caché. Il fouilla une commode, dont les tiroirs ne contenaient que du linge. Dans le dernier tiroir, cependant, il crut avoir trouvé quelque chose : une petite tabatière en étain, glissée sous des vêtements. Jasper la prit pour l'examiner. Où avait-elle pu dénicher un objet pareil ? Son père et ses frères, s'ils prisaient, devaient posséder des tabatières autrement plus luxueuses.

Il souleva le couvercle. À l'intérieur se trouvaient un minuscule chien en porcelaine, une violette séchée et un bouton. Jasper, intrigué, s'empara du bouton. Il devait lui appartenir – comme semblait l'attester le V gravé dessus – mais il ne se souvenait pas de l'avoir perdu. Les autres objets lui demeuraient mystérieux : il ignorait ce qu'ils pouvaient signifier aux yeux de Melisande, et pourquoi elle les tenait enfermés dans cette boîte. Elle avait raison, au fond : il ne connaissait pas sa femme.

Jasper referma la tabatière et la replaça dans sa cachette. Puis il jeta de nouveau un regard circulaire à la chambre. Il n'en apprendrait pas davantage ici. La seule façon de connaître Melisande était de l'étudier en personne.

Sa décision prise, il quitta la pièce.

6

Ce qui lui arrivait était effroyable, mais Jack n'avait d'autre choix que de poursuivre sa route. Après avoir marché encore toute une journée, il arriva dans une grande et belle ville. À peine en eut-il franchi les portes que les habitants se massèrent sur son passage en riant. Des gamins le suivirent, se moquant de son grand nez et de son menton en galoche.

Jack posa son sac et plaqua les mains sur ses hanches.

— Vous me trouvez drôle ? lança-t-il.

Derrière lui, quelqu'un rit encore, mais cette fois c'était un petit rire à la sonorité délicieuse. Jack se retourna et découvrit la plus belle femme qui se puisse rêver. Elle était auréolée d'une magnifique chevelure blonde.

Elle se pencha vers lui et dit :

— Tu es le petit homme le plus drôle que j'aie jamais rencontré. Veux-tu devenir mon bouffon ?

Et c'est ainsi que Jack devint le bouffon de la fille du roi.

Le lendemain matin, Melisande savourait comme d'habitude ses œufs brouillés et ses toasts, à l'heure habituelle – huit heures trente –, quand quelque chose de tout à fait inhabituel se produisit. Son mari fit son apparition dans la salle à manger.

La jeune femme s'apprêtait à porter sa tasse de chocolat chaud à ses lèvres. Elle suspendit son geste et vérifia l'heure à la pendule. Les aiguilles indiquaient bien huit heures trente-deux.

Finalement, elle but une gorgée de chocolat et reposa sa tasse sur la soucoupe.

— Bonjour, milord.

Lord Vale lui sourit. Les petites rides au coin de ses lèvres se creusèrent, lui donnant cet air qu'elle trouvait irrésistible.

— Bonjour, ma chère et tendre épouse.

Mouse, assis aux pieds de la jeune femme, se redressa, et pendant quelques instants homme et chien se jaugèrent du regard. Puis Mouse accepta sagement de s'incliner, et reprit sa position initiale sans broncher.

Lord Vale s'approcha du buffet, et fronça les sourcils.

— Il n'y a pas de bacon.

— Je sais. C'est parce que je n'en mange pas, répondit Melisande.

Et, faisant signe au valet planté près de la porte :

— Dites à la cuisinière de préparer du bacon, des toasts, du beurre frais et du thé pour lord Vale. Et qu'elle n'oublie pas la marmelade !

Le valet salua et sortit.

Vale revint vers la table et s'assit en face d'elle.

— Bravo ! Vous connaissez mes goûts en matière de petit déjeuner.

— Évidemment. Cela fait partie de mes devoirs d'épouse.

— Vos devoirs, répéta-t-il avec une grimace, comme s'il trouvait le mot parfaitement désagréable. Et est-ce le *devoir* d'un mari de savoir ce qu'aime manger sa femme ?

Comme Melisande venait juste d'engloutir une bouchée d'œufs brouillés, elle ne put répondre.

Il hocha la tête.

— Je suppose que oui. Je vais donc en prendre bonne note. Des œufs brouillés, des toasts, des muffins et du chocolat chaud. Mais pas de confiture ni de miel, apparemment.

— Non, en effet. Contrairement à vous, je n'aime pas spécialement la confiture.

— J'avoue nourrir un penchant pour les douceurs. Étalez du miel sur n'importe quoi, et je le lécherai.

Melisande en frissonna.

— Vraiment ?

— Vraiment. Voulez-vous que je vous énumère tous les endroits où il serait possible d'étaler du miel ?

— Non, merci. Ce ne sera pas nécessaire.

— Dommage.

Melisande se sentait déconcertée. Elle était heureuse qu'il l'ait rejointe, bien sûr, mais elle ne comprenait rien à son humeur enjouée.

— Avez-vous un rendez-vous ?

— Non, pourquoi ?

— Je ne vous avais encore jamais vu vous lever avant onze heures du matin.

— C'est parce que nous ne sommes mariés que depuis une semaine. Qui vous dit qu'il ne m'arrive pas de me lever au chant du coq ?

— Cela vous est déjà arrivé ?

— En fait, non.

— Alors, pourquoi êtes-vous si matinal, aujourd'hui ?

— Peut-être avais-je faim de marmelade.

La jeune femme le considéra en silence.

— Ou peut-être désirais-je simplement prendre mon petit déjeuner en compagnie de mon épouse.

Melisande ignorait si elle devait se réjouir ou s'inquiéter du soudain intérêt qu'il lui portait.

— Pourquoi seriez-vous…

Deux servantes entrèrent au même instant, apportant le petit déjeuner de lord Vale, et la jeune femme ravala sa question. Ils restèrent silencieux pendant que les servantes disposaient les plats et attendaient l'approbation de Melisande. Elle hocha la tête, et elles repartirent.

— Pourquoi… reprit-elle.

Mais il parla en même temps, et ils s'interrompirent tous les deux. Puis il fit signe à Melisande de parler.

— Non, je vous en prie, dit-elle. Continuez votre phrase.

— Je souhaitais simplement m'enquérir de vos projets pour la journée.

Elle s'empara de la théière et lui remplit sa tasse.

— J'avais l'intention de rendre visite à ma grand-tante, Mlle Rockwell.

— Du côté de votre mère ? demanda-t-il en se beurrant un toast.

— Non. C'est la sœur de la mère de mon père. Elle est très âgée, et j'ai appris qu'elle avait fait une chute, la semaine dernière.

— Comme c'est triste. Je vais venir avec vous.

Elle cligna des paupières.

— Quoi ?

Il mordit dans son toast et leva un doigt pour lui signifier de patienter, le temps qu'il avale sa bouchée. Elle le regarda mastiquer, puis avaler une gorgée de thé.

— Ouh, c'est chaud ! s'exclama-t-il. Je crois bien que je me suis brûlé la langue.

— Vous n'étiez pas sérieux en parlant de m'accompagner chez ma tante ? s'enquit Melisande.

— Mais si !

— Comme je vous l'ai dit, elle est très âgée, et…

— J'ai toujours beaucoup aimé les vieilles dames. C'est l'une de mes faiblesses, figurez-vous.

— Vous allez mourir d'ennui.

— C'est impossible, en votre compagnie, répliqua-t-il. À moins, bien sûr, que vous ne désiriez pas ma présence ?

Il mangeait son bacon, confortablement assis dans sa chaise, à la manière d'un chat savourant son repas. Mais une étincelle brillait dans ses yeux, et Melisande avait le sentiment de marcher tout droit dans un piège. S'il était le chat, n'était-elle pas la souris ?

Peut-être, cependant, se faisait-elle des idées.

— Je serais ravie que vous m'accompagniez, murmura-t-elle.

Il sourit.

— Parfait. Nous prendrons mon phaéton.

Et il mordit à nouveau dans son toast.

Melisande plissa les yeux. Elle était certaine, à présent, que son mari mijotait quelque chose.

Ç'aurait pu être pire, songeait Jasper, manœuvrant les rênes du phaéton. Elle aurait pu rendre visite à… Non, tout bien considéré, il n'y avait pas pire qu'une vieille dame. Mais tant pis, ce n'était pas grave. Il avait expédié Pynch se renseigner pour savoir si lord Hasselthorpe était en ville. En attendant, Jasper n'avait rien de pressé à faire. La journée était belle, il avait toujours autant de plaisir à conduire son nouveau phaéton, et sa ravissante épouse était à son côté. Tôt ou tard, elle serait bien obligée de desserrer les dents pour dire quelque chose.

Il coula un regard dans sa direction. La jeune femme était assise raide sur son siège, sa colonne vertébrale ne touchant même pas le dossier, et bien que son expression parût sereine, elle se cramponnait encore au rebord de la portière. Du moins n'affichait-elle plus ce visage douloureux qu'il lui avait vu l'autre nuit.

Jasper détourna le regard. Il s'était rarement senti aussi démuni que cette nuit-là. Comment les autres hommes se débrouillaient-ils avec cette facette du mariage ? Possédaient-ils un remède contre les problèmes féminins de leurs épouses, ou se contentaient-ils de fermer les yeux ?

Un groupe de ladies traversait devant eux. Il ralentit le phaéton.

— Vous avez meilleure mine, ce matin, dit-il.

Elle se raidit, et il comprit tout de suite qu'il avait gaffé.

— Je ne vois pas à quoi vous faites allusion.

— Mais si, vous voyez, assura-t-il, la regardant.

— Je suis en pleine forme.

Un fond de perversité l'empêchait de clore le sujet.

— Vous n'étiez pas en pleine forme, l'autre nuit. Et hier, je n'ai fait que vous apercevoir.

Elle gardait les lèvres serrées.

— C'est toujours comme ça ? demanda-t-il. Je veux dire, je sais que ça se produit tous les mois, mais est-ce toujours aussi douloureux ? Et est-ce que ça dure longtemps ?

Une pensée lui traversant soudain l'esprit, il ajouta :

— J'espère que ce n'est pas à cause de…

— Je vais très bien, je vous assure, le coupa-t-elle d'une voix impatiente. Et, en effet, je suis habituée à subir cela tous les mois.

— Mais au bout de combien de temps la douleur reflue-t-elle ?

Elle lui décocha un regard de pure exaspération.

— Pourquoi voulez-vous le savoir ?

— Parce que, ma chère femme, si je connais la fin de votre période, je saurai à quelle date revenir vous rendre visite dans votre lit.

Cette réponse la laissa silencieuse un long moment. Puis elle murmura :

— D'ordinaire, cela ne dure pas plus de cinq jours.

Jasper réfléchit. On en était au troisième jour. Ce qui voulait dire que d'ici trois nuits, il pourrait de nouveau coucher avec elle. Et pour tout avouer, cette perspective l'enchantait. Il voulait lui montrer toute l'étendue de son savoir en matière charnelle.

— Merci de l'information, dit-il. Mais est-il normal que vous souffriez autant ?

— Je n'en crois pas mes oreilles, marmonna-t-elle. Pourquoi me posez-vous toutes ces questions ?

— Parce que vous êtes ma femme, désormais. Je suis sûr que tous les hommes désirent connaître ces détails auprès de leur épouse.

— J'en doute fort.

— Eh bien, *moi*, j'ai envie de savoir, déclara Jasper.

Leur conversation n'avait rien d'orthodoxe, il en convenait, mais il y prenait sincèrement plaisir.

— Pourquoi ?

— Parce que vous êtes ma femme, répéta-t-il, conscient tout à coup qu'il parlait avec son cœur. Ma femme que je dois protéger. Si quoi que ce soit vous fait du mal, je veux – non : je dois – le savoir.

— Mais ce n'est pas un domaine dans lequel vous pouvez intervenir.

Il haussa les épaules.

— J'ai quand même besoin de savoir. Je ne voudrais pas que vous gardiez le moindre secret pour moi.

— J'ignore si j'arriverai à comprendre les hommes un jour, murmura-t-elle.

— Nous sommes une drôle de race, convint-il, amusé. Les femmes ont bien du mérite de s'intéresser à nous.

Elle leva les yeux au ciel, puis s'adossa à son siège et, sans même en avoir conscience, plaça sa main sur le bras de Jasper :

— Tournez à droite. Ma grand-tante habite dans cette rue.

— Vos désirs sont des ordres, répliqua Jasper, parfaitement conscient, pour sa part, qu'elle lui tenait le bras.

Elle le lâcha cependant au bout de quelques secondes, et il en conçut aussitôt du regret.

— Nous sommes arrivés, dit-elle.

Il immobilisa le phaéton devant une demeure sans prétention, et sauta sur la chaussée. Malgré son empressement, le temps qu'il contourne le véhicule, la jeune femme s'apprêtait déjà à descendre par ses propres moyens.

Il la saisit par la taille et riva son regard au sien :

— Permettez-moi.

Ce n'était pas une sollicitation, plutôt un ordre, pourtant elle acquiesça. À l'instant où Jasper la souleva dans ses bras, il sentit un frisson lui parcourir tout le corps. Les pieds de la jeune femme ne touchant plus terre, elle se retrouvait entièrement en son pouvoir. Il aurait aimé que ce moment dure une éternité.

Mais elle haussa un sourcil interrogateur :

— Pourriez-vous me reposer, à présent ?

Il sourit.

— Bien sûr.

Il la reposa doucement. Dès que ses pieds touchèrent le trottoir, elle recula d'un pas et secoua ses jupes.

— Ma grand-tante est un peu dure d'oreille, prévint-elle. Et elle n'aime pas beaucoup les hommes.

Jasper lui offrit son bras.

— Je sens que nous allons bien nous amuser.

Elle lui fit les gros yeux, mais accepta son bras. Il sentit à nouveau un frisson le parcourir.

Ils gravirent le perron, et Jasper actionna le heurtoir. L'attente fut exagérément longue.

Il se tourna vers la jeune femme :

— Vous m'avez dit qu'elle était dure d'oreille, mais ses domestiques sont-ils également sourds ?

Elle plissa les lèvres – ce qui eut pour effet de lui donner l'envie de l'embrasser.

— Ils ne sont pas sourds mais ils sont âgés, et...

La porte s'entrebâilla enfin. Un œil chassieux apparut.

— Oui ?

— Lord et lady Vale souhaiteraient voir... commença Jasper, avant de murmurer à l'oreille de Melisande : Rappelez-moi son nom, au fait ?

— Mlle Rockwell, répondit la jeune femme.

Et au majordome, elle expliqua :

— Je viens voir ma grand-tante.

— Ah, mademoiselle Fleming ! fit le vieil homme en souriant. Entrez donc.

— C'est lady Vale, corrigea Jasper.

Le majordome plaça une main derrière son oreille :

— Je vous demande pardon ?

— Lady Vale ! cria Jasper. Ma femme !

Le majordome ouvrit grande la porte.

— Oui, monsieur, certainement, dit-il avant de tourner les talons.

— Je ne crois pas qu'il m'ait compris, grommela Jasper.

— Chut ! fit Melisande, lui tirant la manche.

Ils entrèrent.

Mlle Rockwell détestait sans doute user des chandelles. Ou elle possédait un don pour voir dans l'obscurité, car le hall était quasiment plongé dans le noir.

— Où a-t-il disparu ? chuchota Jasper.

— Par là, répondit Melisande, qui avançait avec la sûreté de quelqu'un connaissant parfaitement les lieux.

Après une enfilade de couloirs et une volée de marches, ils arrivèrent devant une pièce éclairée.

— Qui est là ? bougonna une voix.

— Mlle Fleming, accompagnée d'un gentleman, répliqua le majordome.

— Lady Vale ! gronda Jasper tandis qu'ils pénétraient dans la pièce.

— Quoi ? fit une vieille dame couverte de rubans et à moitié allongée sur une méridienne.

Elle plaquait contre son oreille un cornet en laiton, qu'elle pointa dans leur direction :

— Quoi ? répéta-t-elle.

Jasper se pencha pour parler dans le cornet :

— Lady Vale.

Mlle Rockwell abaissa son cornet dans un geste d'impatience.

— Melisande, ma chérie, je suis bien contente de te voir. Mais qui est ce monsieur ? Il prétend être une lady. C'est impossible.

Jasper sentit un tremblement parcourir Melisande, comme si elle réprimait un éclat de rire. Il n'en avait que plus envie de l'embrasser.

— C'est mon mari, lord Vale, expliqua-t-elle.

— Ton mari ? répéta la vieille femme, qui ne semblait pas particulièrement enchantée par cette nouvelle. Pourquoi l'as-tu amené avec toi ?

— Je voulais faire votre connaissance, déclara Jasper, irrité qu'on parle de lui comme s'il n'était pas là.

— Quoi ?

— Je me suis laissé dire que vous aviez de très bons gâteaux ! cria-t-il.

— Mes chapeaux ! s'exclama la vieille dame, caressant les rubans de celui qu'elle portait. Qui vous en a parlé ?

— Oh, tout le monde, répondit Jasper.

Il s'installa sur un canapé et attira Melisande pour qu'elle s'asseye à son côté.

— Ma cuisinière fait de très bons gâteaux, se vanta Mlle Rockwell, avant de faire un signe à son majordome qui comprit l'ordre.

— Magnifique ! approuva Jasper, croisant les jambes. Et maintenant, je compte sur vous pour me raconter toutes les sottises que faisait ma femme lorsqu'elle était petite fille.

— Lord Vale ! se récria Melisande.

Il la regarda. Ses joues avaient rosi, ses yeux brillaient d'irritation. Il la trouva ravissante. Absolument ravissante.

— Je m'appelle Jasper, lui dit-il.

Elle plissa les lèvres.

— Jasper, insista-t-il.

Ses lèvres tremblaient légèrement. Jasper remercia son veston de masquer son érection.

— Jasper, murmura-t-elle dans un souffle.

À cet instant, il sut qu'il était perdu. Perdu sans aucun espoir de retour, et cependant il n'en avait cure. Il voulait tout connaître de cette femme. Percer le moindre de ses secrets. Découvrir ce que cachait son cœur.

Et chérir tout cela comme le plus précieux des trésors.

Minuit avait depuis longtemps sonné quand Melisande entendit son mari rentrer, cette nuit-là. Elle avait fini par s'assoupir dans son lit, à force de l'attendre, mais un bruit de voix provenant du hall la réveilla. Elle se redressa, impatiente et nerveuse, alors que Mouse extirpait la tête de sous les couvertures.

— Ne bouge pas, lui intima sa maîtresse.

Elle sortit du lit et se saisit du peignoir posé sur un fauteuil. Il était en satin violet, taillé sur le modèle des peignoirs masculins, sans les rubans et les nœuds qui ornaient d'ordinaire leur version féminine. Melisande l'enfila par-dessus sa chemise de nuit. À chacun de ses mouvements, le satin prenait des nuances différentes de violet. Puis elle alla à sa coiffeuse pour appliquer une goutte de parfum sur sa gorge. Le liquide froid termina sa course entre ses seins, la faisant frissonner, tandis qu'une fragrance d'orange amère s'évaporait dans l'air.

Ainsi parée, elle se dirigea vers la porte communiquant avec les appartements de son mari, et l'ouvrit. Elle ne s'était encore jamais aventurée dans le domaine de lord Vale. La première chose qu'elle remarqua fut l'immense lit, couvert d'une courte-pointe d'un rouge si foncé qu'il paraissait presque noir. Puis elle vit M. Pynch. Le valet de son mari se tenait, immobile, près du lit.

Melisande ne lui avait jamais adressé la parole – elle n'en avait pas eu l'occasion.

— Vous pouvez disposer, lui dit-elle.

Pynch ne bougea pas.

— Milord aura besoin de moi pour se déshabiller.

— Non, je ne crois pas.

Les yeux de Pynch brillèrent d'une sorte d'amusement. Puis il s'inclina, et s'éclipsa.

Melisande sentit un poids s'ôter de ses épaules. Le premier obstacle était franchi. Vale l'avait peut-être surprise ce matin, mais elle était bien décidée à lui retourner la pareille.

Elle s'intéressa au reste de la chambre, chauffée par un grand feu qui crépitait dans la cheminée. L'abondance des chandelles la surprit : il faisait presque aussi clair qu'en plein jour. Quelle dépense extravagante ! Melisande s'avança dans la pièce, soufflant au passage quelques mèches. Une odeur de fumée et de cire brûlée monta dans l'air, mais elle ne réussit pas à recouvrir un autre parfum, plus excitant. Melisande ferma les yeux et inspira à pleins poumons. *Vale*. L'odeur de son mari emplissait la pièce. Un mélange de bois de santal, de citron, de brandy et de tabac.

Elle essayait de maîtriser sa nervosité quand la porte s'ouvrit. Vale entra, se défaisant de son manteau tout en marchant.

— As-tu commandé l'eau chaude ? demanda-t-il, jetant le manteau sur un fauteuil.

— Oui.

Il pivota au son de la voix de Melisande, le visage indéchiffrable, mais les yeux en alerte. Si elle n'avait pas rassemblé tout son courage, la jeune femme se serait probablement enfuie sur-le-champ. Il était si grand, si large, si intimidant…

Mais, tout à coup, il sourit.

— Ma chère femme. Pardonnez-moi, je ne m'attendais pas à votre présence.

Melisande se contenta de hocher la tête.

Vale lança un regard vers son dressing.

— Pynch n'est pas là ?

— Non.

Sprat apparut au même instant, portant un broc d'eau fumante. Une servante le suivait avec un plateau garni de pain, de fromage et de fruits.

Les domestiques se défirent de leur fardeau, puis Sprat se tourna vers Melisande :

— Milady ?

— Ce sera tout, merci.

Ils ressortirent de la pièce, qui sombra un moment dans le silence.

Puis Vale désigna le plateau :

— Comment avez-vous su ?

Melisande n'avait eu aucune peine à apprendre des domestiques qu'il aimait dévorer un petit en-cas lorsqu'il rentrait tard le soir. Elle haussa les épaules.

— Je ne voulais pas vous contrarier dans vos habitudes.

— C'est... euh...

Il semblait avoir perdu le fil de sa phrase – peut-être parce que Melisande avait commencé de lui déboutonner sa veste. Elle se concentrait sur sa tâche, s'efforçant d'ignorer les emballements de son pouls. Vale était si près d'elle qu'elle pouvait sentir la chaleur de son corps. Mais une pensée lui traversa soudain l'esprit : combien de femmes, avant elle, avaient eu le privilège de le dévêtir ?

Elle leva les yeux.

— Oui ?

Il s'éclaircit la gorge.

— Euh... c'est très gentil à vous.

Melisande reporta son attention sur les boutons. Avait-il été voir une autre femme, ce soir ? Il était réputé pour son grand appétit sexuel – un appétit qu'elle ne pouvait satisfaire en ce moment.

Le dernier bouton se dégagea de sa boutonnière.

— S'il vous plaît...

Il écarta les bras pour l'aider à faire glisser la veste sur ses épaules. Puis Melisande s'attaqua au nœud de cravate. Son haleine sentait un peu l'alcool. Elle ignorait où il se rendait lorsqu'il disparaissait ainsi toute une soirée. Sans doute fréquentait-il un club, où il pouvait retrouver d'autres gentlemen avec qui boire et jouer aux cartes. Mais il n'était pas exclu qu'il hante des lieux moins recommandables... et mixtes. Melisande s'aperçut qu'elle en éprouvait de la jalousie. Et cette découverte la stupéfia. Elle savait, bien avant de l'épouser, qui il était – et quelle était sa réputation. Elle s'était imaginé qu'elle se satisferait de l'attention, grande ou petite, qu'il voudrait bien lui accorder. Quant aux autres femmes, elle les ignorerait.

Mais c'était impossible. Elle le voulait pour elle, rien que pour elle.

La cravate dénouée, elle passa aux boutons de la chemise. La chaleur de son épiderme traversait l'étoffe et se communiquait à ses doigts. Son odeur – il sentait le savon au citron – lui emplissait les narines.

Sa voix résonna soudain dans le silence :

— Je ne vous oblige pas à...

— Je sais, coupa-t-elle.

Le dernier bouton atteint, il se courba, afin qu'elle puisse faire passer sa chemise par-dessus sa tête. Quand il se redressa, Melisande faillit en oublier de respirer. Il était merveilleusement bâti. Avec sa chemise, on aurait pu le croire un peu maigrichon. Sans elle, l'erreur n'était plus possible. Melisande savait qu'il montait à cheval tous les jours, ou presque, et le résultat se voyait ! Une fine toison, plus claire que ses cheveux, courait sur ses pectoraux, s'arrêtait au niveau de ses abdominaux et reprenait après son nombril. Elle mourait d'envie de suivre, du bout des doigts, le tracé de cette ligne qui disparaissait dans son pantalon...

Elle releva les yeux et constata qu'il la regardait avec solennité. Pour une fois, toute grimace ironique avait disparu de son expression.

— Asseyez-vous, dit-elle, désignant la chaise de la table de toilette.

Il s'assit, les yeux rivés sur le broc d'eau chaude.

— Auriez-vous décidé de jouer les barbiers ?

Elle trempa un linge dans l'eau chaude.

— Laissez-vous faire.

Il ne répondit rien, et Melisande commença de lui frictionner les joues avec le linge humide. Elle avait appris, par Sprat, que Vale aimait se faire raser le soir – et aussi prendre son bain. Elle ne se sentait pas encore mûre pour le bain, mais elle était capable de le raser. Quand son père était malade, elle était la seule, vers la fin, à pouvoir l'approcher pour s'occuper de sa toilette – c'était d'autant plus étrange qu'il ne lui avait jamais porté une très grande affection.

Elle ouvrit le tiroir où Pynch renfermait le nécessaire à rasage, prit le rasoir et en testa le tranchant avec son pouce.

— J'ai eu l'impression que vous avez beaucoup aimé les histoires de ma grand-tante.

— Oui. Notamment lorsqu'elle a raconté comment vous aviez coupé tous vos cheveux, à quatre ans.

— Ah oui ?

Melisande avait reposé le rasoir, le temps d'ouvrir le pot de savon et d'y tremper un autre linge, pour lui barbouiller le visage. Une odeur de citron embauma l'air.

— Hmm, fit-il, les yeux fermés, la tête légèrement renversée en arrière, comme un chat qui se laisserait caresser. Et aussi l'histoire avec l'encre.

Melisande avait dessiné à l'encre sur son bras, et elle était restée tatouée un mois entier.

— Je suis ravie de vous avoir procuré une source d'amusement, dit-elle.

Il ouvrit un œil. Elle lui sourit, et approcha le rasoir de sa joue.

— Je me suis souvent demandé où vous alliez le soir.

— Je… commença-t-il.

Mais elle posa un doigt sur ses lèvres :

— Chut ! Vous ne voudriez pas que je vous coupe ?

Jasper ferma la bouche.

Elle donna le premier coup de lame.

— Je me demandais si vous alliez voir des femmes, quand vous sortez ainsi.

Il voulut encore répondre, mais Melisande lui bascula la tête en arrière pour attaquer son cou. Elle pouvait le voir déglutir, sa pomme d'Adam tressautant dans sa gorge. Mais son regard prouvait qu'il n'avait pas peur.

— Je ne fais rien de spécial, déclara-t-il lorsqu'elle éloigna le rasoir pour frotter la lame sur le cuir d'affûtage. Sinon me rendre à des bals, des soirées… Vous pourriez m'accompagner, si vous le souhaitiez. Je crois me rappeler vous avoir parlé du bal masqué de lady Graham, demain soir.

— Hmm.

Sa réponse avait quelque peu apaisé la jalousie de Melisande. Elle se concentra sur son menton – la partie la plus délicate. Elle détestait les réceptions, car il fallait constamment sourire et avoir une repartie sur le bout de la langue.

— Vous devriez m'accompagner de temps en temps, insista-t-il. Ne serait-ce que pour vous montrer.

— Pourquoi ne resteriez-vous pas plutôt à la maison, avec moi ?

— Non, répliqua-t-il avec un sourire un peu triste. Je suis sans doute trop superficiel pour trouver du plaisir à contempler toute une soirée le feu dans la cheminée. J'ai besoin de voir de l'animation, d'entendre des gens rire autour de moi.

Tout ce qu'elle détestait, en somme.

— Mais je ne vais pas rendre visite à d'autres femmes, précisa-t-il.

— Non ? fit Melisande en passant de nouveau le rasoir sur sa peau.

— Non, confirma-t-il, soutenant son regard sans ciller.

116

Elle reposa le rasoir. Ses joues étaient parfaitement lisses, à présent. Et il ne restait plus qu'un peu de mousse à la commissure de ses lèvres, qu'elle essuya avec son pouce.

— Vous m'en voyez ravie, milord. Bonne nuit.

Elle plaqua un baiser furtif sur ses lèvres. Jasper voulut l'attirer dans ses bras, mais elle lui échappa comme une anguille.

7

La princesse était magnifique. Sa beauté dépassait l'entendement : ses yeux brillaient comme des étoiles, et sa peau était aussi douce que la soie. Mais elle était pleine de morgue, et n'avait pas encore trouvé l'homme qu'elle consentirait à épouser. L'un était trop vieux, l'autre trop jeune, celui-ci parlait trop fort, celui-là avait tel défaut...

Alors qu'elle s'apprêtait à fêter ses vingt et un ans, la princesse était donc toujours célibataire et le roi, son père, perdit patience. Il décida d'organiser une série d'épreuves en l'honneur de l'anniversaire de la princesse, et décréta que celui qui les remporterait toutes gagnerait également la main de sa fille.

Le lendemain matin, Melisande fut très déçue de prendre son petit déjeuner en solitaire. Vale avait déjà quitté la maison, prétextant quelque affaire importante, et probablement ne rentrerait-il qu'à la nuit tombée.

La jeune femme se résigna donc à vaquer à ses propres occupations. Elle discuta avec la gouvernante et la cuisinière pour veiller au bon fonctionnement de la maisonnée, déjeuna sur le pouce, partit ensuite faire les magasins et, pour finir, se rendit à la garden-party de sa belle-mère. Où, contre toute attente, elle retrouva lord Vale.

— Je ne crois pas me souvenir d'avoir jamais vu mon fils assister à l'un de mes thés, lui expliqua la vicomtesse douairière. C'est probablement votre influence qui l'aura attiré jusqu'ici. Étiez-vous au courant qu'il viendrait ?

Melisande secoua la tête. Elle-même n'en revenait pas que son mari ait décidé d'honorer de sa présence une garden-party parfaitement ennuyeuse. Elle en éprouvait une grande excitation, qu'elle s'efforçait cependant de cacher sous un masque de sérénité.

Elle était assise, avec sa belle-mère, dans le grand jardin de cette dernière, magnifique écrin de verdure en pleine ville qui resplendissait de toute sa luxuriance estivale. La vicomtesse douairière avait fait disposer des tables et des chaises sur la terrasse, afin que ses invités puissent jouir de la vue. Ceux-ci s'étaient rassemblés par petits groupes. La plupart avaient atteint la soixantaine.

Vale était resté debout. Il discutait avec trois messieurs – âgés, eux aussi. Melisande le vit rire à une plaisanterie que fit l'un des trois hommes, et son cœur se serra d'émotion. Dans mille ans, elle s'extasierait toujours autant de le voir rire avec une telle spontanéité.

Cependant, elle détourna prestement le regard pour qu'il ne puisse la surprendre à le couver des yeux.

— Votre jardin est ravissant, milady.

— Merci. Il peut, avec l'armée de jardiniers que j'emploie !

Melisande masqua son sourire derrière sa tasse de thé. Elle aimait déjà la mère de Vale avant son mariage. La vicomtesse douairière était une toute petite femme : son fils passait pour un géant, à côté d'elle. Pourtant, elle ne semblait éprouver aucune difficulté à lui imposer son autorité d'un seul regard – et c'était vrai également avec n'importe quel autre gentleman. Ses yeux étaient du même bleu turquoise que ceux de son fils, et il était facile de deviner qu'elle avait été très belle dans sa jeunesse. Elle en avait d'ailleurs gardé une superbe assurance.

Lady Vale contemplait les petits-fours disposés sur un plateau, devant elles. La voyant se pencher vers la table, Melisande crut qu'elle allait en prendre un, mais la vicomtesse douairière détourna finalement le regard.

— J'ai été très contente que Jasper choisisse de vous épouser, plutôt que Mlle Templeton, dit-elle. Elle était mignonne, certes, mais un peu trop frivole. Elle n'aurait jamais su tenir mon fils. Jasper se serait vite ennuyé avec elle.

Et, baissant la voix, elle ajouta sur le ton de la confidence :

— Je crois qu'il s'était surtout amouraché de sa poitrine.

Melisande réprima l'envie de jeter un coup d'œil à sa propre poitrine – qui n'avait pas l'opulence, loin s'en fallait, de celle de Mlle Templeton.

Lady Vale lui tapota la main.

— Ne vous inquiétez pas pour cela. Une belle poitrine ne dure pas. Au contraire d'une conversation attrayante. C'est dommage que si peu de gentlemen en soient conscients.

Melisande ne trouva pas quoi répondre à cela – mais pareil verdict n'appelait peut-être pas de commentaire.

Lady Vale tendit la main vers le plateau des petits-fours, mais elle se ravisa une nouvelle fois et préféra reprendre sa tasse de thé.

— Savez-vous que le père de Mlle Templeton a fini par lui donner sa permission pour qu'elle épouse son vicaire ?

Melisande secoua la tête.

— Non, je n'étais pas au courant.

La vicomtesse douairière reposa sa tasse sans avoir bu.

— Pauvre homme. Elle va ruiner sa vie.

120

— Oh, quand même pas, répliqua Melisande, distraite par Vale qui venait de quitter ses interlocuteurs et s'approchait.

— Je vous fiche mon billet que si, assura la vicomtesse douairière, qui finalement s'empara d'un petit-four.

Elle le posa dans son assiette et le contempla un instant, avant d'accrocher le regard de Melisande :

— Mon fils a besoin de réconfort. Il n'est plus le même, depuis qu'il est rentré des colonies.

Melisande n'eut qu'une petite seconde pour enregistrer cette information : Vale les rejoignait.

— Ma chère mère, dit-il avec un grand sourire, puis-je vous emprunter ma femme, le temps d'une promenade dans le jardin ? Je voudrais lui montrer les iris.

— Quelle drôle d'idée : voilà un moment que les iris ne sont plus en fleur, ironisa lady Vale. Mais c'est d'accord. Je vais en profiter pour faire la conversation avec lord Kensington.

— Vous êtes la gentillesse personnifiée, la remercia Vale, offrant son bras à Melisande.

Ils descendirent de la terrasse et s'engagèrent dans une allée gravillonnée.

— Votre mère considère que je vous ai sauvé d'un sort funeste. Elle aurait été très chagrinée de vous voir épouser Mlle Templeton.

— Ma mère a toujours été pleine de bon sens. J'avoue que je ne comprends pas bien ce que j'ai pu trouver à Mlle Templeton.

— Votre mère croit savoir que vous étiez attirée par sa poitrine.

— Ah… fit-il, et Melisande sentit son regard peser sur elle, bien qu'elle-même ne quittât pas l'allée des yeux. Nous sommes, nous les hommes, de malheureuses créatures terrestres, faciles à égarer. J'ai bien peur qu'en effet, une poitrine rebondie suffise à me distraire l'esprit.

Melisande songeait aux maîtresses dont il avait fait collection. Avaient-elles toutes possédé une « poitrine rebondie » ?

— Je ne serais pas le premier à confondre quantité et qualité, enchaîna-t-il, se penchant vers son oreille. Et à lorgner sur un gros gâteau sucré alors qu'un adorable petit-four serait plus à mon goût.

Elle tourna la tête vers lui. Il la regardait avec un sourire amusé.

— Dois-je comprendre que vous me comparez à un petit-four ?

— Prenez-le comme un compliment, répliqua-t-il, avant de s'immobiliser devant un parterre. Voici les iris. Ma mère avait raison, ils ne sont plus en fleur.

Melisande contempla les plantes ornant le parterre.

— Ce sont des pivoines, dit-elle. Et les iris sont là-bas.

— Vous êtes sûre ? Comment pouvez-vous le savoir, puisqu'il n'y a plus de fleurs ?

— Par la forme du feuillage.

— Diable ! Mais c'est quasiment de la divination ! Quels autres talents m'avez-vous cachés ? Chantez-vous comme un rossignol ? J'ai toujours rêvé d'épouser une femme sachant chanter.

— Alors, vous auriez dû me poser la question avant le mariage. Je n'ai qu'un tout petit filet de voix.

— Tant pis. Je surmonterai ma déception.

Melisande coula un regard vers lui. À quoi s'amusait-il ? À lui faire la cour ? Mais pourquoi irait-il courtiser sa femme ? Elle craignait de s'imaginer trop de choses. Si elle commençait à croire qu'il la désirait, la déception n'en serait que plus terrible lorsqu'il lui tournerait le dos.

— Peut-être préférez-vous la danse ? reprit-il. Savez-vous danser ?

— Bien sûr.

— Me voilà rassuré. Et le piano ? Savez-vous jouer du piano ?

— Pas très bien, hélas.

— Mes rêves de soirées musicales au coin du feu s'écroulent. Je vous ai vue broder – c'était assez joli, d'ailleurs. Savez-vous dessiner ?

— Un peu ?

— Et peindre ?

— Également.

Ils étaient arrivés près d'un banc. Il sortit un mouchoir de sa poche pour en essuyer la surface, avant d'inviter Melisande à s'asseoir.

La jeune femme s'exécuta, sur la défensive. Un grand rosier poussait près du banc : lord Vale voulut cueillir une rose.

— Ouille ! fit-il, s'étant piqué à une épine.

Il porta son pouce à ses lèvres, et Melisande préféra détourner le regard de ce spectacle troublant.

— C'est bien fait, marmonna-t-elle. Vous ne devez pas chaparder les roses de votre mère.

— Cela en valait la peine, rétorqua-t-il, s'asseyant à côté d'elle, la rose à la main. Les piqûres d'épines n'en rendent les roses que plus attrayantes.

Elle pivota vers lui. Il lui caressa la joue avec la rose. La douceur des pétales fit frissonner la jeune femme.

— Pourquoi faites-vous cela ?

— Quoi ?

Melisande lui prit la main.

— Vous vous conduisez comme si vous cherchiez à me courtiser.

— Moi ? répliqua-t-il, ses lèvres à quelques centimètres des siennes.

— Je suis déjà votre femme. Vous n'avez pas besoin de me faire la cour, murmura-t-elle.

Il libéra aisément sa main.

— Oh, je crois au contraire que c'est tout à fait indispensable.

Ses lèvres avaient la même texture que les pétales de rose, songeait Jasper, qui promenait la fleur sur la joue de la jeune femme. Si douces, si tendres... Il brûlait d'envie d'y goûter de nouveau. Cinq jours, avait-elle dit. Ce qui laissait encore un jour d'attente.

La scène du rasage, hier soir, avait constitué pour lui une révélation. La créature qui avait envahi son domaine avec autant d'autorité aurait fait rêver n'importe quel homme. Où donc avait-elle appris à se montrer si sensuelle et désirable – Jasper n'en était toujours pas revenu de la façon dont elle lui avait glissé entre les mains, lorsqu'il avait essayé de l'attirer à lui.

Il ne comprenait pas comment il avait pu ignorer cette jeune femme alors qu'il l'avait si souvent croisée, des années durant, dans les bals et les réceptions. Certes, il n'était pas le seul dans ce cas : les autres gentlemen s'étaient montrés tout aussi idiots. Pas un seul n'avait pris le temps de s'intéresser à elle.

Mais maintenant, elle était à lui. Et à lui seul.

Il s'obligea à surveiller son sourire, qu'il redoutait trop carnassier. Qui se serait douté que courtiser sa propre femme pourrait se révéler aussi excitant ?

— J'ai tous les droits de vous faire la cour, reprit-il. Après tout, nous n'avons pas eu le temps avant de nous marier. Alors, rattrapons-nous maintenant.

— Pourquoi se donner ce souci ? rétorqua-t-elle.

Jasper lui chatouillait les lèvres avec la rose.

— Pourquoi s'en priver ? Un mari se doit de connaître la femme qu'il chérit et possède.

Elle sursauta à ce mot.

— Parce que vous me possédez ?

— Légalement, oui. Et charnellement. Mais je ne suis pas sûr de vous posséder moralement. Qu'en pensez-vous ?

Il éloigna la rose pour la laisser répondre.

— Non, en effet. Et je ne crois pas que vous y parviendrez jamais, répliqua-t-elle, soutenant son regard en manière de défi.

Jasper hocha la tête.

— Sans doute. Mais cela ne m'empêchera pas d'essayer.

Elle fronça les sourcils.

124

— Je ne...

Il promena son pouce sur ses lèvres.

— Quels secrets me cachez-vous?

— Je n'ai pas de secrets, dit-elle, ses lèvres effleurant son pouce comme un baiser tandis qu'elle parlait. Vous aurez beau regarder, vous ne trouverez rien.

— Vous mentez, assura-t-il d'une voix douce. Et je me demande bien pourquoi.

Elle baissa les paupières, voilant son regard. Jasper pouvait sentir sa langue contre son pouce. Il retint son souffle.

— Seriez-vous une fée, venue d'un autre monde?

— Mon père était un Anglais tout simple. Il ne croyait pas aux contes de fées.

— Et votre mère?

— C'était une Prussienne. Elle était encore plus pragmatique que lui. Détrompez-vous, je n'ai rien d'une créature romantique.

Jasper n'en était pas convaincu.

— Où avez-vous grandi? À Londres, ou à la campagne?

— Principalement à la campagne. Mais nous venions à Londres au moins une fois par an.

— Aviez-vous des amies?

— Emeline.

Emeline vivait en Amérique, à présent.

— Elle vous manque?

— Beaucoup.

Jasper promenait distraitement la rose sur le cou de la jeune femme.

— Pourtant, vous ne l'avez connue qu'assez tard, n'est-ce pas? Notre propriété familiale était voisine de la leur. Emeline, son frère Reynaud et moi avons pratiquement grandi ensemble. Je me souviendrais de vous, si vous aviez été avec Emeline dès cette époque-là.

— Vraiment? s'enquit-elle, les prunelles luisant soudain de colère.

Mais elle enchaîna avant qu'il ait eu le temps de se défendre :

— J'ai connu Emeline quand j'avais quatorze ans.

Jasper descendit la rose jusqu'à la naissance de sa gorge.

— Et avant ? Qui étaient vos camarades de jeu ? Vos frères ?

Melisande haussa les épaules. La rose la chatouillait un peu, mais elle s'abstint de la repousser.

— Mes frères sont plus âgés que moi. Ils étaient déjà partis à l'école quand j'étais à la nursery.

— Alors, vous étiez toute seule, dit-il, soutenant son regard tandis que la rose s'approchait de ses seins.

— J'avais une nounou.

— Ce n'est pas la même chose qu'une camarade de jeu.

— Sans doute, concéda-t-elle.

Elle respira. Ses seins se pressèrent contre la rose. Heureuse fleur !

— Vous étiez une enfant calme, devina-t-il.

Les histoires racontées hier par sa grand-tante ne changeaient rien à sa certitude : elle avait été une fillette solitaire et silencieuse. En grandissant, elle était demeurée effacée : sa voix ne portait jamais très haut, elle ne se mettait pas au premier plan... Que s'était-il passé, durant son enfance, pour qu'elle s'ingénie ainsi à ne pas se faire remarquer ?

Jasper se pencha vers elle et, bien que l'odeur de la rose embaumât l'air, il put sentir une note d'orange amère – son parfum.

— Vous étiez une fillette qui gardait soigneusement ses pensées pour elle.

— Qu'en savez-vous ? Vous ne me connaissez pas.

— Non, en effet. Mais je ne demande qu'à vous connaître. J'aimerais que le fonctionnement de votre esprit me devienne aussi familier que le mien.

Elle se recula, comme effrayée.

— Je ne...

Il posa un doigt sur ses lèvres, mais l'ôta presque aussitôt et se redressa : il avait entendu des voix dans l'allée. La seconde d'après, un couple apparaissait au détour d'un bosquet.

— Pardon, Vale, fit Matthew Horn. J'ignorais que tu étais ici.

Jasper eut un sourire ironique.

— J'ai toujours trouvé très instructif de me promener dans le jardin de ma mère. Cet après-midi, par exemple, j'ai pu enseigner à ma femme la différence entre des iris et des pivoines.

Une exclamation étouffée fit écho à ces paroles. Horn s'approcha.

— C'est ta femme, n'est-ce pas ?

— Oui, répondit Jasper, se tournant vers Melisande. Ma chère, permettez-moi de vous présenter Matthew Horn, un ancien officier, comme moi, du 28e régiment. Horn, voici mon épouse, lady Vale.

Melisande tendit la main, et Horn s'inclina pour la baiser. Dans le plus pur respect des convenances. Cependant, Jasper se crut obligé de poser une main sur l'épaule de la jeune femme, comme pour signifier qu'elle lui appartenait.

Matthew Horn se redressa.

— Puis-je vous présenter Mlle Béatrice Corning ? Mademoiselle Corning, lord et lady Vale.

Jasper baisa la main de la jeune femme en réprimant difficilement un sourire. Il n'était nul besoin d'être grand clerc pour deviner que Matthew avait les mêmes raisons que lui de se trouver dans ce bosquet : il voulait lutiner la demoiselle.

— Habitez-vous Londres, mademoiselle Corning ? demanda-t-il.

— Non, milord. Je reste la plupart du temps à la campagne, chez mon oncle. Vous devez le connaître, car je crois que nous sommes plus ou moins voisins. C'est le comte de Blanchard.

Elle ajouta autre chose, mais Jasper n'y prêta pas attention. Blanchard était le titre de famille de

Reynaud – celui dont il aurait dû hériter à la mort de son père. Mais Reynaud avait été capturé et tué par les Indiens, après l'attaque de Spinner's Falls.

Jasper observa la jeune femme, qui bavardait à présent avec Melisande. Elle avait l'allure d'une belle campagnarde, les cheveux d'une jolie couleur ambrée et les joues mangées par des taches de rousseur. Elle-même ne possédait aucun titre, mais cela n'empêchait pas Matthew de viser haut en la courtisant. Les Horn étaient certes une très ancienne famille, mais ne disposant d'aucun titre. Alors que les Blanchard se transmettaient leur comté depuis des générations. Et cette jeune femme était la nièce de l'actuel comte. Elle avait même précisé vivre sous son toit.

Dans la demeure de Reynaud, donc.

Jasper sentit sa poitrine se contracter, et il détourna le regard de Mlle Corning. Pourtant, la pauvre n'y était pour rien. Elle devait encore être au collège quand Reynaud avait succombé aux tortures des Indiens. Ce n'était pas sa faute si son oncle avait hérité du titre, et qu'elle habitait maintenant le manoir qui aurait dû revenir à Reynaud.

Il prit le bras de Melisande, interrompant la conversation des deux femmes.

— Venez. Nous avons un rendez-vous qui nous attend.

Ils dirent au revoir à Matthew Horn et Mlle Corning. Quoique Jasper prît bien garde à ne pas se tourner vers Melisande, il était conscient qu'elle le regardait avec curiosité. Aucun rendez-vous ne les attendait – elle le savait parfaitement. Jasper réalisait tout à coup qu'en voulant percer les secrets de la jeune femme, il risquait d'exposer les siens. Et cela, c'était tout bonnement inenvisageable.

Il l'entraîna à sa suite, serrant sa main dans la sienne, dans un geste qui aurait pu sembler très banal entre un mari et sa femme, mais qu'il savait instinctif. Une façon de se rassurer. Il n'était pas question qu'il lui parle de Reynaud, ni de ce qui s'était passé dans les forêts d'Amérique, et comment il en était revenu brisé. En revanche, il tenait à la garder près de lui.

Et il s'y emploierait.

— ... J'peux vous dire qu'il avait fière allure, avec les fesses à l'air ! s'exclama Mme Moore, la gouvernante de lord Vale, en frappant du poing sur la table de la cuisine.

Les trois soubrettes gloussèrent à l'unisson. Les deux valets riaient, M. Oaks s'esclaffa sobrement et même la cuisinière, d'ordinaire si sévère, s'autorisa un sourire.

Sally Suchlike était ravie. Le personnel de lord Vale n'avait vraiment rien à voir avec celui de M. Fleming. Les domestiques étaient certes beaucoup plus nombreux, mais ils étaient aussi – grâce à l'autorité bienveillante de M. Oaks et de Mme Moore – plus proches les uns des autres. Au point de constituer comme une petite famille. En seulement quelques jours de service, Sally avait réussi à se lier d'amitié avec Mme Moore et avec la cuisinière – qui, sous ses dehors revêches, cachait une grande timidité. Ses craintes de ne pas être aimée, ni même acceptée, s'étaient envolées.

Lord et lady Vale avaient déjà dîné. C'était maintenant au tour des domestiques de partager leur repas.

— Et que s'est-il passé ensuite, madame Moore ? s'enquit Sally.

— Eh bien, commença la gouvernante, qui n'attendait qu'un encouragement pour terminer son histoire grivoise.

Mais elle fut interrompue par l'arrivée de M. Pynch. Aussitôt, M. Oaks se recomposa une attitude très digne, les valets se redressèrent sur leur siège, l'une des soubrettes pouffa – mais ses deux consœurs lui intimèrent le silence – et Mme Moore piqua un fard.

Sally ne put réprimer un soupir de frustration. L'entrée de M. Pynch avait eu, comme d'habitude, l'effet d'une douche froide.

— Désirez-vous quelque chose, monsieur Pynch? demanda le majordome.

— Non, merci. Je suis simplement venu chercher Mlle Suchlike. Sa maîtresse la réclame.

Son ton solennel fit encore glousser la soubrette. Elle s'appelait Gussy, et c'était le genre de fille à pouffer pour un rien. Elle s'arrêta net, cependant, en voyant M. Pynch darder sur elle un regard glacial.

Un vrai tyran! songea Sally, se levant de table.

— Merci, madame Moore, pour cette histoire délectable, dit-elle.

Mme Moore rougit, cette fois de plaisir.

Sally salua tout le monde d'un sourire, avant de courir derrière M. Pynch. Car bien sûr, il ne l'avait pas attendue.

Elle le rattrapa dans l'escalier.

— Pourquoi êtes-vous toujours si désagréable?

— Je ne vois pas à quoi vous faites allusion, mademoiselle Suchlike, rétorqua-t-il sans même se retourner.

Sally roula des yeux, exaspérée.

— Vous ne mangez jamais avec les autres domestiques, et quand vous vous montrez à l'office, on croirait que vous faites exprès de plomber l'ambiance.

Pynch s'immobilisa si brusquement sur une marche que Sally manqua lui rentrer dedans et perdit l'équilibre. Il la rattrapa par le bras.

— Et moi, je trouve que vous usez d'un langage un peu trop leste, mademoiselle Suchlike, lâcha-t-il. Et que vous vous montrez trop familière avec le reste du personnel.

Puis il reprit son ascension.

Sally se retint de lui tirer la langue dans son dos. Malheureusement, M. Pynch avait raison. En tant que chambrière de lady Vale, elle devrait se placer au-dessus des autres serviteurs – à l'exception de M. Oaks et de Mme Moore. En d'autres termes, elle ferait mieux de s'abstenir de manger avec eux et de rire à leurs plaisanteries. Mais alors, elle se retrouverait bien seule, sans personne à qui parler. M. Pynch se satisfaisait peut-être de vivre comme un ermite, mais Sally ne se voyait pas du tout partager son sort.

— Vous pourriez au moins vous montrer un tout petit peu plus chaleureux, marmonna-t-elle alors qu'ils atteignaient le palier.

Pynch soupira.

— Mademoiselle Suchlike, une jeune fille comme vous ne devrait pas...

— Je ne suis pas si jeune que cela, coupa Sally.

Il s'immobilisa de nouveau et, cette fois, elle lut de l'amusement dans ses yeux. C'était presque un exploit !

— J'aurai bientôt vingt ans, figurez-vous, ajouta-t-elle fièrement.

Il se retenait presque de sourire !

— Et vous, quel âge avez-vous, grand-père ? railla-t-elle.

— Trente-deux ans.

Sally recula vivement, feignant d'être choquée.

— Mon Dieu ! C'est un miracle que vous teniez encore debout !

Il secoua la tête, débonnaire :

— Allez voir votre maîtresse, jeune insolente.

Sally se retint de répliquer, et courut vers la porte de sa maîtresse.

Un peu plus tard ce soir-là, à son arrivée au bal masqué de lady Graham, Melisande enfouit les mains dans les replis de sa toilette pour cacher leur tremblement. La jeune femme avait dû rassembler tout son courage pour venir. Et encore, elle s'était décidée à la dernière minute. Elle détestait ce genre de mondanités, où une foule compacte d'invités se pressaient pour s'épier ou échanger les derniers ragots. Elle s'y était toujours sentie exclue. Vale, en revanche, s'y mouvait comme un poisson dans l'eau. Mais Melisande devait l'affronter sur son terrain, si elle voulait lui démontrer qu'elle pouvait remplacer le cortège habituel de ses maîtresses.

Le fait que cette soirée soit un bal masqué l'aidait à surmonter sa nervosité. Elle arborait un loup de satin pourpre, si foncé qu'il paraissait presque noir. Cela ne suffisait pas à cacher son identité – d'ailleurs, ce n'était pas le propos – mais elle en retirait une plus grande assurance.

La plupart des dames, ayant préféré se montrer dans des robes chatoyantes, se contentaient d'ailleurs d'un loup. Mais quelques-unes, dont Melisande, s'étaient enveloppées dans un domino. Le sien était pourpre également, et la soie qui le composait bruissait à chacun de ses mouvements tandis qu'elle se frayait un chemin dans la foule, à la recherche de Vale. Elle ne l'avait plus revu depuis la garden-party chez sa mère : ils s'étaient séparés au moment de partir, lui sur son cheval, elle en voiture. Mais, pour avoir discrètement questionné M. Pynch, elle savait que son mari portait lui aussi un domino – noir. Comme à peu près la moitié des hommes présents à cette réception.

Une lady la dépassa, la bousculant légèrement à l'épaule. Se retournant, l'inconnue lui jeta un regard dédaigneux. Melisande batailla contre l'envie de s'enfuir. D'abandonner la soirée et se réfugier dans sa voiture. Mais si Vale avait pu braver une assemblée de vieilles dames prenant le thé pour la retrouver chez sa mère, alors elle devait être capable d'affronter sa terreur des bals.

Elle le reconnut à son rire, avant de l'avoir repéré visuellement. Ce n'était pourtant pas très difficile : il dépassait d'une bonne tête tous ceux qui l'entouraient – en l'occurrence, un petit groupe de gentlemen et de ladies. Tous étaient très beaux, parfaitement sûrs de la place qu'ils occupaient dans le monde. Melisande redoutait de s'inviter parmi eux : et s'ils lui tournaient le dos en riant ?

Elle était sur le point de renoncer quand la femme à gauche de Vale, une blonde à la poitrine généreuse, posa la main sur la manche de celui-ci. Melisande reconnut Mme Redd, l'une des anciennes maîtresses de Jasper.

Mais à présent, il était son mari. *Et l'homme qu'elle aimait*. Elle rassembla son courage et se dirigea vers le groupe.

Vale la vit approcher, et se raidit. Ses yeux bleus étaient parfaitement reconnaissables, derrière son loup de satin noir. Melisande accrocha son regard. Les autres s'écartèrent sur son passage, jusqu'à ce qu'elle se retrouve devant lui.

— M'inviterez-vous à danser ? s'enquit-elle d'une voix qu'elle aurait aimée plus assurée.

Il s'inclina.

— Ma chère femme. Pardonnez mon impardonnable négligence.

Melisande accepta le bras qu'il lui tendait, toute triomphante d'avoir supplanté Mme Redd aussi facilement. Jasper l'entraîna jusqu'à la piste de danse, où ils prirent leurs places dans le rang réservé à chaque sexe.

L'orchestre attaqua les premières mesures. Lorsque le mouvement les obligea à se rapprocher, Jasper lui murmura :

— Je n'espérais pas vous voir ici.

— Non ?

— Je crois que vous préférez le jour.

— Vraiment ?

La danse les sépara, et Melisande eut tout loisir de réfléchir. Dès qu'ils furent de nouveau proches, elle répliqua :

— Peut-être confondez-vous habitude et préférence ?

Ses yeux, derrière son loup, marquèrent la surprise.

— Expliquez-vous.

— Mes sorties ont plutôt lieu le jour, c'est vrai. Les vôtres, la nuit. Mais cela ne veut pas forcément dire que vous aimez la nuit, et moi le jour.

Il fronça les sourcils.

— Peut-être vivez-vous davantage la nuit parce que vous y êtes habitué, précisa-t-elle. Alors qu'au fond de vous-même, vous préférez le jour.

— Et vous ? demanda-t-il avant qu'ils ne soient encore séparés.

— Je crois que mon vrai domaine est la nuit, lâcha-t-elle dans un souffle.

Ils exécutèrent leurs figures, puis revinrent l'un vers l'autre, et Jasper se saisit de sa main, la faisant frissonner.

Il sourit, comme s'il savait l'effet que produisait son geste.

— Que comptez-vous faire de moi, ma reine de la nuit ? questionna-t-il alors qu'ils se contournaient, se tenant seulement par le bout des doigts. M'apprendre les mystères nocturnes ? M'ensorceler ?

Puis, comme ils revenaient face à face, il se pencha pour lui chuchoter à l'oreille :

— Auriez-vous l'intention de séduire un pécheur tel que moi ?

Melisande sentit sa respiration s'accélérer. Mais elle s'obligea à rester sereine.

— Et vous, milord, vous laisseriez-vous séduire par votre épouse ?

L'orchestre s'arrêta. La danse était finie. Melisande s'inclina devant son mari, puis se redressa, les yeux rivés aux siens. Il lui prit la main et la baisa :

— Avec grand plaisir.

Ils quittèrent le parquet de danse. Un gentleman en domino rouge vint se placer au côté de Melisande.

— Qui est cette délectable créature, Vale ?

— Ma femme, répondit Jasper, en faisant adroitement passer Melisande à son autre bras. Et je vous serais reconnaissant de vous en souvenir, Fowler.

Fowler éclata de rire, et s'éloigna. Melisande sentait d'autres regards peser sur elle. En revanche Mme Redd avait disparu, ce dont elle ne pouvait que se féliciter. Mais maintenant qu'elle avait eu le courage d'aller trouver Vale et qu'elle avait dansé avec lui, elle n'avait plus qu'une envie : rentrer à la maison.

Vale, cependant, l'entraînait à travers la foule des invités.

— Où allons-nous ? demanda la jeune femme.

— Lord Hasselthorpe vient d'arriver, et je voudrais m'entretenir avec lui. Ça ne vous dérange pas ?

— Bien sûr que non.

Ils rejoignirent un groupe de gentlemen à l'entrée de la salle de bal.

— Hasselthorpe ! s'exclama Vale. Quelle surprise de vous trouver ici !

Lord Hasselthorpe était un homme de taille moyenne, le visage entaillé par des rides profondes et affublé de grosses paupières qui retombaient lourdement sur ses yeux. Il avait la posture un peu solennelle commune à tous les membres éminents du Parlement. À côté de lui se tenait le duc de Lister, grand, corpulent et coiffé d'une perruque grise. Un peu en retrait, sa maîtresse de longue date, Mme Fitzwilliam, semblait s'ennuyer à cette réception.

— Bonsoir, Vale, répondit Hasselthorpe. Serait-ce votre femme ?

— Précisément. La nouvelle vicomtesse Vale.

Hasselthorpe baisa la main de Melisande, mais sans cesser de regarder Vale, comme si elle n'était pas là. Et Vale, tout à coup, ne souriait plus. Melisande comprit qu'ils avaient à parler de choses importantes – et qui ne la concernaient pas.

Elle sourit à son mari :

— Je crains d'être fatiguée, milord. M'en voudrez-vous si je rentre tôt ?

Vale parut hésiter, mais finalement il inclina la tête.

— Je serai terriblement déçu, ma chère. Mais rassurez-vous, je ne vous en voudrai pas.

— Dans ce cas, bonsoir, répliqua-t-elle, avant de saluer Hasselthorpe et le duc.

Puis elle chuchota à l'oreille de Vale :

— Souvenez-vous, milord, plus qu'une nuit !

Et elle tourna les talons. Mais tandis qu'elle s'éloignait, elle entendit quelques mots résonner sinistrement dans la conversation qui s'était engagée entre les trois hommes :

Spinner's Falls.

8

Comme on pouvait s'y attendre, la proclamation du roi eut un retentissement considérable. Une foule de prétendants arrivant des quatre coins du royaume, et même au-delà, se présenta bientôt au palais. Quelques-uns étaient des princes de haut rang, accompagnés d'une escouade de gardes et de laquais. D'autres étaient des chevaliers sans fortune, qui cherchaient à redorer leur blason. Mais il y avait aussi de simples particuliers, venus à pied, et même des mendiants.

Tous partageaient l'espoir de remporter les épreuves et d'épouser en récompense la princesse.

Pour une reine de la nuit, son épouse était plutôt matinale, constata Jasper le lendemain, en se présentant encore tout ensommeillé à la porte de la salle à manger des petits déjeuners. Certes, la jeune femme avait quitté le bal assez tôt – mais pas avant une heure du matin. Or, elle était déjà levée, et mangeait de grand appétit. Pour sa part, il était resté environ une heure de plus, à discuter avec lord Hasselthorpe. En vain. Celui-ci avait rejeté violemment l'idée que le régiment de son frère ait pu être trahi. Jasper avait donc décidé d'attendre quelques jours, avant de lui en reparler.

Il pénétra dans la pièce.

— Bonjour, ma chère femme, dit-il.

137

Elle était assise droite sur sa chaise, les cheveux sagement noués en chignon sur son crâne. Personne n'aurait pu deviner qu'il s'agissait de la même femme qui était apparue hier soir, nimbée de mystère et vêtue d'un domino pourpre, au bal de lady Graham.

— Bonjour, répondit-elle avec un hochement de tête.

Son petit chien sortit de ses jupes, prêt à aboyer. Mais Jasper fixa l'animal, qui battit promptement en retraite sous la chaise. Ce chien de toute évidence le détestait, mais au moins ils étaient tombés d'accord sur la question de savoir qui était le maître dans cette maison.

— Avez-vous bien dormi ? demanda Jasper, se dirigeant vers le buffet.

— Oui. Et vous ?

Il contemplait les plats étalés devant lui, en songeant à sa paillasse posée sur le plancher de son dressing.

— Comme un mort.

Il remplit une assiette, et revint vers la table.

— Avez-vous des projets pour aujourd'hui, ma chère femme ?

— Oui, mais aucun susceptible de vous intéresser.

Bien entendu, une telle réponse eut pour effet de piquer sa curiosité. Il s'assit en face d'elle.

— Vraiment ?

Melisande lui servit une tasse de thé.

— J'ai prévu de faire les magasins avec ma chambrière.

— Magnifique !

Melisande s'interrogea. Simulait-il son enthousiasme ?

— Vous n'envisagez quand même pas de m'accompagner, dit-elle, et c'était davantage un constat qu'une question.

Il sourit.

— Je ne vois pas divertissement plus merveilleux qu'une matinée de shopping.

— Et moi, je ne connais pas beaucoup d'hommes qui prétendraient cela.

— C'est bien la preuve que vous avez beaucoup de chance de m'avoir épousé, non ?

Au lieu de répondre, elle reprit une tasse de chocolat chaud.

— Ce fut un plaisir de vous voir au bal, hier soir, enchaîna-t-il, se beurrant un toast.

— Je n'avais encore jamais rencontré votre ami, Matthew Horn. Êtes-vous très proches ?

— J'ai connu Horn à l'armée. C'était un très bon ami, à l'époque. Mais nos chemins ont un peu divergé, depuis.

— Vous ne m'avez jamais parlé de votre séjour à l'armée.

Il haussa les épaules.

— J'en suis sorti il y a déjà six ans.

— Combien de temps avez-vous servi sous les drapeaux ?

— Sept ans.

— Vous étiez capitaine, n'est-ce pas ?

— En effet.

— Vous avez donc vu de l'action.

Jasper ne savait quoi répondre à cela. *De l'action ?* Un bien faible mot pour décrire le carnage de Spinner's Falls. Le vacarme de la fusillade, la fumée, les cris, le sang, les cadavres répandus par terre… Pour ça, oui, il avait vu de l'action.

Il but une gorgée de thé pour faire passer le goût de cendre qui lui était monté dans la gorge.

— Un jour, dit-il, je raconterai à nos petits-enfants ma première impression de Québec, lorsque nous avons atteint cette ville.

Elle détourna le regard.

— Ce n'est pas là que le frère d'Emeline – lord Saint Aubyn – est mort.

— Non. Mais croyez-vous que ce soit une conversation plaisante pour un petit déjeuner ?

— Une femme ne doit-elle pas tout connaître de son mari ?

— Ma personnalité ne se résume pas à mes sept années passées dans l'armée.

— Certes. Mais je suis convaincue que c'est une partie importante de votre existence.

De nouveau, Jasper ne sut quoi répondre. Elle avait raison, bien sûr. Probablement avait-elle deviné qu'il était revenu changé d'Amérique. Il n'avait pourtant pas l'impression de lui avoir donné le moindre indice. Mais peut-être portait-il les stigmates de Spinner's Falls en évidence sur le front ? Et peut-être, aussi, soupçonnait-elle ce dont il avait le plus honte ?

Non, c'était impossible. Car, dans ce cas, elle ne manquerait pas de le mépriser, et cela se verrait à son regard.

Il baissa les yeux sur son toast.

— Voulez-vous toujours m'accompagner ce matin ? s'enquit-elle.

Jasper releva les yeux. Sa femme était décidément redoutable.

— Il en faut plus pour m'effrayer qu'une matinée à courir les boutiques.

Il y eut un silence. Puis elle demanda :

— Pourquoi ne voulez-vous pas me parler de l'armée ?

— Parce qu'il n'y a pas grand-chose à en dire, mentit Jasper. J'étais capitaine au 28ᵉ régiment des colonies.

— Lord Saint Aubyn également. J'imagine que vous l'avez bien connu ?

— Oui, répliqua sobrement Jasper.

— Pour ma part, je ne l'ai rencontré qu'une ou deux fois. Comment était-il ?

Jasper termina son toast, dans l'espoir de gagner du temps. Il songeait au sourire de Reynaud, à ses beaux yeux noirs.

— Reynaud savait qu'il hériterait un jour du titre de comte, et il se préparait depuis toujours à cette échéance.

— Qu'entendez-vous par là ?

— Petit garçon, il était un peu trop sérieux. Comme s'il portait déjà le fardeau des responsabilités sur ses épaules. Richard était pareil.

— Votre frère aîné?

— Oui. Richard et Reynaud partageaient beaucoup de points communs. C'est même étonnant que Reynaud m'ait pris comme ami, plutôt que mon frère.

— Peut-être aimait-il chez vous un trait de caractère qu'il aurait aimé posséder?

Il sourit.

— Quoi, par exemple?

— Votre joie de vivre.

Jasper n'en revenait pas. Comment pouvait-elle encore discerner chez lui de la joie de vivre, après ce qu'il avait vécu?

— Ma joie de vivre? Vous dites n'importe quoi. Vous ne me connaissez même pas.

Elle se leva de table.

— Ah oui? Vous seriez surpris de voir à quel point je vous connais. Dans dix minutes, c'est bon?

Il sursauta.

— Quoi?

Elle sourit.

— Je serai prête dans dix minutes.

Et elle quitta la pièce, le laissant plus dérouté que jamais.

Melisande attendait devant la voiture, avec Sally, quand Vale sortit de la maison. Il dévala le perron pour les rejoindre.

— Nous pouvons y aller? s'enquit Melisande.

Il lui offrit son bras.

— Je suis tout à vous, ma chère femme.

Et, se tournant vers Sally, il lui lança:

— Vous pouvez disposer.

La chambrière rougit, et interrogea Melisande du regard. D'ordinaire, Sally l'accompagnait toujours pour faire les magasins, car elle l'aidait à choisir ses robes et à porter les paquets.

141

Vale l'observait, attendant lui aussi sa réponse. Finalement, elle hocha la tête et sourit à sa chambrière:

— Tu en profiteras pour faire un peu de couture, Sally.

Celle-ci salua et rentra dans la maison.

Lorsque Melisande reporta son attention sur Vale, il observait Mouse qui se tenait dans ses jupes. Elle prit les devants, afin qu'il ne congédie pas également son chien:

— Mouse m'accompagne partout.

— Ah.

Ce point établi, elle monta en voiture, et Mouse bondit à côté d'elle. Vale prit la banquette d'en face. L'habitacle avait d'abord paru immense à la jeune femme, mais la stature de son mari eut tôt fait de réduire l'espace.

Il frappa contre la paroi pour donner au cocher le signal du départ.

Melisande regarda par la vitre de la portière. Elle éprouvait un vague malaise à se retrouver dans cette voiture en sa compagnie. C'était trop intime. Pourtant, elle avait couché avec lui, dansé avec lui, et elle avait même eu l'audace de lui enlever sa chemise et de le raser. Mais tout cela s'était passé la nuit, à la lumière vacillante des chandelles. La pénombre lui avait donné du courage. Peut-être était-elle vraiment cette « reine de la nuit » qu'il avait évoquée la veille au soir?

Mais lui, quel était donc son royaume? La nuit ou le jour?

Melisande l'observa à la dérobée. Elle s'apercevait, tout à coup, qu'il lui consacrait l'essentiel de son temps durant la journée. Il disait aimer fréquenter les bals, les réceptions ou les clubs de jeu, mais c'était pendant la journée qu'il s'ingéniait à vouloir percer les secrets de la jeune femme. Parce qu'il la sentait alors plus vulnérable? Ou parce qu'il se sentait lui-même plus fort à ce moment-là?

Ou bien les deux?

— L'emportez-vous partout ?

Elle sursauta.

— Quoi donc ?

— Votre chien, dit-il en désignant, du menton, Mouse lové sur la banquette à côté d'elle. Vous suit-il où que vous alliez ?

— Oui, j'emmène sir Mouse partout où cela lui plaît d'aller.

Vale haussa les sourcils.

— Parce que les chiens aiment faire du shopping ?

— Il aime les promenades en voiture, précisa Melisande qui caressait le museau du terrier. N'avez-vous jamais eu d'animal ?

— Non. Enfin si, un chat, lorsque j'étais petit garçon. Mais il ne venait jamais quand je l'appelais, et il griffait quand il n'était pas content. Le problème, c'est qu'il était souvent de mauvaise humeur.

— Comment s'appelait-il ?

— Le Chat.

Son visage était impassible, mais une lueur diabolique illuminait ses yeux bleus.

— Et vous ? enchaîna-t-il. Aviez-vous des animaux ?

— Non, répliqua Melisande, reportant son regard vers la vitre.

Elle n'avait aucune envie d'évoquer son enfance solitaire. Sans doute avait-il deviné son aversion car, pour une fois, il n'insista pas. Après un silence, il murmura :

— En fait, ce chat appartenait à Richard.

Elle se tourna vers lui, intriguée.

Les lèvres de Vale s'ourlèrent légèrement, comme s'il se moquait de lui-même.

— Ma mère ne nourrissait pas d'affection particulière pour les chats, mais comme Richard était souvent malade, le jour où il a ramené un chaton des écuries, elle a fait une exception pour lui.

— Votre frère était beaucoup plus âgé que vous ?

— Non, de deux ans seulement.

— Il est mort jeune…

— Avant d'avoir pu fêter ses trente ans, acquiesça Vale, qui ne souriait plus. Il était demeuré fragile, même en grandissant, et il souffrait de problèmes respiratoires. Pendant mon séjour dans les colonies, il a contracté une mauvaise fièvre qui a fini par l'emporter. Quand je suis rentré, ma mère est restée plus d'un an sans sourire une seule fois.

— Je suis désolée.

Vale examinait ses mains.

— C'était il y a longtemps.

— Votre père était déjà mort, à cette époque ?

— Oui.

— Cela a dû être très dur pour vous.

— Je n'avais jamais pensé devenir vicomte, malgré la santé précaire de Richard, répliqua-t-il, la fixant dans les yeux. Tout le monde, dans la famille, croyait qu'il vivrait assez longtemps pour engendrer un héritier. Mon frère n'avait peut-être pas le corps solide, mais il avait l'âme bien trempée. Et il se comportait comme un vrai vicomte. Il était capable de commander à des hommes.

— Comme vous, lui rappela Melisande.

Il secoua la tête.

— Pas de la même façon. Richard était un meilleur chef que moi. Reynaud aussi, d'ailleurs.

Melisande avait du mal à le croire. Vale se conduisait parfois en plaisantin, mais les autres hommes l'écoutaient. Dès qu'il entrait dans une pièce, sa présence physique s'imposait à toute l'assistance – féminine aussi bien que masculine. Cependant, Melisande préféra ne pas relever ce point. Elle avait trop peur de dévoiler du même coup ce qu'elle ressentait à son égard.

La voiture ralentit. Un coup d'œil par la vitre de la portière informa la jeune femme qu'ils étaient arrivés dans Bond Street.

Dès que l'attelage se fut immobilisé, Vale ouvrit la portière, sauta à terre et se retourna pour offrir son bras à son épouse. Elle l'accepta volontiers, cette fois, et elle descendit de voiture, sa main reposant sur celle de Vale. Mouse bondit dans son sillage.

La rue était bordée de magasins à la mode, et des attroupements de gentlemen et de ladies en admiraient les vitrines.

— Par où voulez-vous commencer ? demanda Vale. Ouvrez la marche et je vous suivrai, ma chère femme.

— Par là, répondit-elle, partant vers la droite. Je voudrais d'abord aller chez un buraliste, acheter du tabac à priser.

— Auriez-vous pris l'habitude de priser, pour imiter notre reine ?

Elle grimaça à cette idée.

— Oh non, pas du tout ! C'est pour Harold. Je lui offre toujours une boîte de son tabac préféré pour son anniversaire.

— Ah, il est bien gâté, ce Harold.

Elle se tourna vers lui.

— Aimez-vous priser ?

Il sourit.

— Non. Je voulais simplement dire que Harold avait beaucoup de chance d'avoir une sœur aussi prévenante. Si j'avais su…

Il fut interrompu par les aboiements de Mouse. Le terrier traversait la rue encombrée de circulation.

— Mouse ! cria Melisande, qui s'apprêtait à se lancer à sa poursuite.

Vale la retint par le bras.

— Restez ici !

La jeune femme tentait de libérer son bras.

— Lâchez-moi ! Il va lui arriver malheur !

Vale la tira en arrière, juste au moment où un chariot de marchandises surgissait à vive allure.

— Mais à vous aussi, et je ne préfère pas.

Mouse aboyait toujours. Cependant, des grognements sinistres couvraient presque ses aboiements. Melisande plaqua la main sur la poitrine de Vale.

— Mais, Mouse…

Vale grommela quelque chose d'inintelligible, avant de lâcher :

— Je vais vous le chercher.

Il laissa passer une voiture, avant de traverser. Melisande apercevait Mouse sur le trottoir d'en face : il se battait avec un mastiff gros quatre fois comme lui. Plusieurs badauds – principalement des hommes ou des jeunes garçons – s'étaient arrêtés pour regarder, et quelques-uns criaient même des encouragements au mastiff.

— Mouse ! appela Melisande, avant de traverser à son tour, en prenant soin de guetter les véhicules qui roulaient dans les deux sens.

Vale arriva sur les lieux alors que le mastiff refermait ses mâchoires sur la nuque de Mouse. Melisande, horrifiée, vit l'horrible chien commencer à secouer le terrier. Elle voulut crier, mais aucun son ne sortit de sa gorge. S'il continuait ainsi, le mastiff allait rompre le cou de Mouse.

Vale tapa violemment du poing le museau du mastiff. Lequel recula d'un pas, sans pour autant lâcher prise.

— Oh ! lui cria Vale. Lâche-le, sale brute !

Il le frappa de nouveau, et cette fois le mastiff relâcha Mouse. L'espace d'un instant, on aurait pu croire qu'il allait changer de proie et s'attaquer à Vale. Mais celui-ci lui décocha un coup de pied dans le flanc, qui sonna définitivement l'issue du combat. Le mastiff détala en courant, à la grande déception des badauds. Mouse voulut s'élancer à ses trousses, mais Vale le rattrapa par l'encolure.

— Oh non, pas question, espèce d'imbécile !

Melisande les rejoignait. À son grand effroi, elle vit Mouse se retourner vers Vale et lui mordre la main.

— Mouse, non ! protesta-t-elle, voulant se saisir du terrier.

Vale l'en empêcha avec son autre main.

— Ne vous en mêlez pas. Il est fou de rage, et il pourrait vous mordre aussi.

— Mais…

Elle s'interrompit. Le bleu de ses yeux s'était assombri, virant presque au cobalt. Elle ne lui avait jamais vu un visage aussi dur. Elle songea qu'il affichait sans doute la même expression lorsqu'il combattait en Amérique.

— Écoutez-moi bien, dit-il d'une voix aussi froide que la mer Baltique, alors que Mouse tenait toujours sa main dans sa mâchoire. Vous êtes ma femme, et il n'est pas question que je vous laisse vous blesser, même si cela vous déplaît. J'ajoute qu'aucun compromis n'est possible sur le sujet.

La jeune femme déglutit et hocha la tête.

Il la dévisagea un instant.

— Parfait. Maintenant, reculez et laissez-moi faire.

Melisande croisa les mains, pour ne pas être tentée de s'emparer de Mouse. Elle adorait son chien, même si elle était consciente qu'il avait mauvais caractère et que personne, en dehors d'elle, ne l'aimait. Mouse était *à elle*, et il lui retournait son adoration. Mais Vale était son mari, et elle ne pouvait décemment contredire l'autorité de ce dernier.

Vale posa son pouce, resté libre, sur la gorge du chien, et pressa. Mouse lâcha aussitôt prise. D'un geste vif comme l'éclair, Vale lui emprisonna alors la gueule dans sa main. Mouse se mit à grogner furieusement. Mais Vale l'empoigna à l'encolure avec l'autre main.

— Venez, dit-il à Melisande, tenant le chien.

Les badauds, déçus, se dispersèrent. Vale repartit vers la voiture.

Un valet se précipita.

— Êtes-vous blessé, milord ?

— Ce n'est rien. Y a-t-il une boîte, ou un sac, à l'intérieur ?

— Il y a un panier sous le siège du cocher.

— Il ferme ?

— Oui, milord.

— Apportez-le-moi.

Le valet courut vers la voiture.

— Qu'allez-vous faire ? s'inquiéta Melisande.

— Rien de grave. Il a besoin d'être maté, jusqu'à ce qu'il se soit calmé.

Mouse ne grognait plus. Mais il gigotait pour tenter de se libérer.

Quand ils arrivèrent à la voiture, le valet tenait déjà le panier grand ouvert.

— Fermez le couvercle dès que je l'aurai mis dedans, lui ordonna Vale. Prêt ?

— Oui, milord.

Ce fut fait en un clin d'œil. Mouse se retrouva enfermé dans le panier.

— Replacez-le sous le siège du cocher, dit Vale au valet.

Puis, prenant la main de Melisande :

— Et maintenant, rentrons à la maison.

Le trajet de retour commença sous les pires auspices. Jasper redoutait d'avoir heurté la jeune femme. Peut-être même le haïssait-elle, à présent. Mais cela avait été plus fort que lui. Elle se tenait raide sur sa banquette, sans rien dire. Vale profita de ce qu'elle gardait obstinément les yeux baissés pour l'observer. Ce n'était pas ce qu'on pouvait appeler une belle femme – il était parfaitement lucide sur ce point. Et elle s'habillait sans grâce, portant des robes quelconques. Tout au long de sa vie amoureuse, il avait eu maintes fois l'occasion de coucher avec des femmes beaucoup plus séduisantes.

Et cependant, il désirait plus que jamais percer les mystères de son épouse. La forteresse derrière laquelle elle avait barricadé son âme l'intriguait, et il n'avait de cesse de monter à son assaut. Même si c'était folie de sa part, elle le fascinait comme une créature venue d'un monde surnaturel.

— À quoi pensez-vous ? s'enquit-elle soudain, brisant le silence.

— Je me demandais si vous n'étiez pas une sorte de fée.

Elle haussa délicatement un sourcil.

— Vous moqueriez-vous de moi ?

— Hélas, non.

Elle le dévisagea quelques instants, avant de baisser les yeux sur sa main. Il avait enroulé un mouchoir sur la morsure dès qu'ils s'étaient installés dans la voiture.

— Ça vous fait mal ?

Il secoua la tête, bien que sa main eût commencé d'enfler.

— Pas du tout.

— J'aimerais que M. Pynch vous fasse un bandage plus convenable, à notre arrivée. Les morsures de chien peuvent être redoutables. Assurez-vous qu'il nettoie bien la plaie.

— C'est entendu.

Elle regarda par la vitre de la portière.

— Je suis navrée que Mouse vous ait mordu.

— S'en est-il déjà pris à vous ? questionna Jasper, qui était prêt à étrangler l'animal en cas de réponse positive.

La jeune femme écarquilla les yeux.

— Oh, non ! Mouse est très affectueux avec moi. Pour tout vous avouer, il n'avait encore jamais mordu personne.

Jasper eut un sourire ironique.

— Alors, je devrais me sentir honoré d'être le premier.

— Qu'allez-vous faire de lui ?

— Le laisser mariner un peu dans son panier.

Elle ne fit aucun commentaire. Mais Jasper savait à quel point ce chien comptait pour elle. Il avait deviné qu'il était son seul véritable ami.

— Comment l'avez-vous eu ?

Elle garda le silence si longtemps qu'il crut qu'elle ne répondrait pas. Mais elle finit par soupirer.

— Il appartenait à une portée découverte dans les écuries de mon frère. Le palefrenier voulait les noyer. Il avait glissé toute la portée dans un sac, le temps de remplir un baquet d'eau. Je suis arrivée dans les écuries juste au moment où les chiots se sont échappés du sac. Ils se sont éparpillés dans toutes les directions, et Mouse a couru droit vers moi, pour mordiller le bas de ma robe.

— Vous lui avez sauvé la vie.

Elle haussa les épaules.

— Je ne me voyais pas faire autrement. Mais Harold n'était pas très content.

Jasper pouvait comprendre que l'austère Harold n'ait pas apprécié d'avoir un tel monstre sous son toit. Mais Melisande avait dû superbement ignorer ses récriminations, et le pauvre Harold avait fini par capituler. Jasper réalisait que sa femme pouvait se montrer terriblement obstinée, lorsqu'elle avait une idée en tête.

— Nous sommes arrivés, dit-elle.

Il jeta un coup d'œil par la vitre. L'attelage s'immobilisa presque au même instant.

— Je vais demander au valet de porter le panier à l'intérieur, dit-il, accrochant le regard de la jeune femme. Ne touchez pas Mouse, ou ne le laissez pas vous toucher tant que je ne vous en aurai pas donné l'autorisation.

Elle hocha la tête avec la dignité d'une reine, avant d'ouvrir la portière et descendre de voiture sans attendre son aide. Puis elle gravit le perron, le dos toujours très raide.

Jasper la suivit en marmonnant un juron dans sa barbe. Il avait peut-être gagné une bataille, mais il n'était pas sûr d'avoir remporté la guerre.

9

La princesse était montée sur les remparts du château pour assister à l'arrivée des prétendants. Jack le Rieur se tenait à son côté. Elle l'avait pris en amitié, et il l'accompagnait où qu'elle aille. À cause de sa petite taille, il avait dû grimper sur une pierre qui dépassait.

— Pauvre de moi ! soupira la jeune fille.

— Quelque chose vous troublerait-il, noble princesse ? s'enquit Jack.

— Oui. J'aurais aimé que mon père me laisse choisir un mari à ma convenance. Hélas, cela me paraît désormais impossible.

— Aussi impossible que le rêve d'un bouffon qui voudrait épouser une belle princesse, admit Jack le Rieur.

Mouse aboyait.

Melisande, assise devant sa coiffeuse et livrée aux bons soins de Sally, grimaça. Le bruit lui parvenait étouffé, car il provenait de deux étages plus bas. Vale avait enfermé le terrier dans une petite pièce de la cave. Mouse s'était mis à aboyer presque aussitôt – sans doute dès qu'il avait compris qu'il ne sortirait pas tout de suite de sa prison. Cela datait de la fin de la matinée. Nous étions maintenant le soir, et il n'avait pratiquement pas cessé d'aboyer, ne s'interrompant que de temps à autre pour écouter si quelqu'un venait à son secours. À chaque heure qui passait, Melisande avait l'impression que ses aboiements résonnaient plus violemment.

— Pour un petit chien, il fait beaucoup de bruit, commenta Sally, qui ne semblait pas spécialement troublée par le vacarme.

— Il n'avait encore jamais été enfermé, expliqua Melisande.

— Alors, la punition devrait lui faire de l'effet, répliqua Sally. M. Pynch dit qu'il va devenir fou, avec ces aboiements.

À son ton, on aurait pu jurer que Sally se délectait de cette perspective.

— Lord Vale est-il rentré?

— Oui, milady. Il y a environ une demi-heure.

Sally piqua une dernière épingle dans la chevelure de sa maîtresse, recula pour juger de l'effet, puis elle entreprit de ranger le dessus de la coiffeuse.

Melisande se leva. Au même instant, Mouse cessa d'aboyer. La jeune femme retint son souffle.

Mais il reprit ses aboiements.

Vale lui avait interdit de descendre voir son chien, mais si ce supplice devait durer encore longtemps, elle n'était pas sûre de ne pas désobéir. La détresse du terrier était trop dure à supporter.

On frappa à la porte.

— Entrez, dit Melisande.

Vale poussa le battant. Il n'était pas rentré depuis longtemps, mais il avait eu le temps de se laver – à en juger par ses cheveux humides – et de se changer.

— Bonsoir, ma chère femme. Souhaitez-vous m'accompagner pour rendre visite au prisonnier?

Melisande lissa les plis de sa robe.

— Oui, s'il vous plaît.

Les aboiements se firent plus sonores dès qu'ils descendirent les marches.

— J'aurais une faveur à vous demander, milady.

— Laquelle?

— Que vous restiez en arrière, pour me laisser m'occuper de votre chien.

Melisande s'inquiéta. Mouse lui avait toujours obéi. Cependant, il n'était pas exclu qu'il veuille encore mordre Vale. Son mari semblait assez tolérant, mais sa gentillesse pourrait avoir des limites.

— Melisande?

Elle se retourna. Il s'était arrêté dans l'escalier, attendant sa réponse.

Elle hocha la tête.

— Si vous voulez.

En bas de l'escalier, Vale lui prit la main pour la conduire vers les cuisines.

C'était le quartier des domestiques. La cuisine elle-même était une vaste pièce dominée, sur tout un mur, par une arche de brique qui abritait la cheminée. Deux fenêtres, ouvrant sur l'arrière de la maison, apportaient la lumière du jour. Mais à cette heure-ci, les chandelles étaient allumées.

La cuisinière, ses aides, le majordome et les valets s'activaient aux préparatifs du dîner. À leur entrée, la cuisinière lâcha sa cuiller de bois, qui tomba dans un chaudron de soupe, et tous les autres serviteurs se figèrent. Les aboiements de Mouse résonnèrent dans le silence.

— Milord... commença Oaks.

— Je vous en prie, ne vous interrompez pas dans votre tâche, le coupa Vale. Je viens juste voir le chien de milady. Ah, Pynch...

Le valet s'était levé d'une chaise installée face à la cheminée.

— M'avez-vous trouvé un morceau de viande? lui demanda Vale.

— Oui, milord. La cuisinière a bien voulu me donner un reste du rôti de bœuf d'hier soir.

Melisande s'éclaircit la voix.

— En fait...

Vale se tourna vers elle:

— Oui, ma chère?

— Si c'est pour Mouse, il préfère le fromage, expliqua-t-elle sur le ton de l'excuse.

—Je m'en remets à votre science, répliqua Vale, qui interpella la cuisinière. Auriez-vous du fromage à nous donner ?

—Bien sûr, milord. Annie, va me chercher la tomme que j'ai rangée dans la réserve.

Une fille de cuisine s'éclipsa quelques instants, et revint avec une tomme au diamètre conséquent. Elle la déposa sur la table et déplia soigneusement le linge qui l'enveloppait.

La cuisinière s'empara d'un grand couteau pour trancher un morceau.

—Cela suffira-t-il, milord ?

—Ce sera parfait, merci, répondit Vale, avec un sourire qui fit rosir les joues de la cuisinière. Maintenant, si vous voulez bien nous ouvrir la cave, Oaks ?

Le majordome les fit traverser la réserve, puis descendre une volée de marches qui conduisaient à une porte en chêne.

—Faites attention à votre tête, milady, la mit en garde Vale, qui était lui-même obligé de se courber presque en deux dans l'escalier.

Le majordome leur ouvrit la porte.

—Merci, Oaks. Vous pouvez disposer.

La cave, voûtée, était humide. Les murs étaient couverts d'étagères supportant des bouteilles de vin. Dans un coin, une autre porte, plus petite, les séparait de Mouse. Il avait cessé d'aboyer en les entendant, et Melisande se le représentait, guettant derrière la porte, les oreilles dressées.

Vale pivota vers elle et posa un doigt sur ses lèvres, pour lui recommander de se taire.

Elle acquiesça.

Vale tira le verrou de la petite porte et entrouvrit le battant. Aussitôt, un museau apparut. Vale rompit un morceau de fromage entre ses doigts.

—Maintenant, sir Mouse, dit-il, approchant le fromage du museau, avez-vous bien médité vos péchés ?

Le museau remua, puis Mouse prit doucement le fromage entre ses crocs, et disparut dans sa prison.

Melisande pensait que Vale ouvrirait la porte en grand, mais il resta à attendre tranquillement, comme s'il avait tout son temps.

Moins d'une minute plus tard, le museau réapparut. Vale prit un autre morceau de fromage, mais cette fois, il le tint à quelques centimètres de l'entrebâillement de la porte.

Melisande retint son souffle. Mouse pouvait se montrer très obstiné. Toutefois, il adorait le fromage. Le museau poussa sur le battant, pour l'écarter. Le chien et Vale s'observèrent quelques instants. Sortant de sa prison, Mouse s'empara du fromage qu'il lui tendait, puis recula aussitôt et se tourna pour le manger.

Vale, pendant ce temps, prépara un autre morceau. Il le posa sur sa paume et s'accroupit. Mouse hésita un peu, avant de finalement s'avancer vers lui.

Dès qu'il se saisit du morceau de fromage, Vale lui caressa le crâne. Mouse, occupé à manger, ne parut pas s'offusquer de ce geste – ni même vraiment le remarquer. Puis Vale sortit une corde de sa poche. L'une des extrémités formait une boucle. Tandis que Mouse terminait d'avaler le fromage, il passa la boucle à son cou. Après quoi, il présenta au chien un nouveau morceau de fromage.

Quand il eut utilisé tout le fromage donné par la cuisinière, Mouse se laissait caresser sur tout le corps.

Vale se releva.

— Suis-moi, dit-il au chien.

Et il partit vers l'escalier.

Mouse jeta un regard interloqué à Melisande mais, comme Vale tirait sur la corde, il fut bien obligé de suivre.

Melisande, estomaquée, ferma la marche. Vale retraversa la réserve, puis la cuisine. Il sortit dans le jardin par la porte de derrière, et laissa courir assez de corde pour que Mouse puisse faire ses besoins.

L'opération terminée, il tira de nouveau sur la corde et se tourna vers Melisande :

— Si nous dînions, à présent ?

La jeune femme ne pouvait qu'acquiescer. Vale avait dressé Mouse sans lui faire de mal. Bien peu d'hommes auraient réussi un tel exploit sans se croire obligés de frapper le chien. L'attitude de Vale ne réclamait pas seulement de l'intelligence et de la patience, mais aussi de la compassion. De la compassion pour un chien qui l'avait mordu quelques heures plus tôt. Melisande se sentait éperdue de gratitude envers son mari. Si elle ne l'avait pas déjà follement aimé, elle serait tombée amoureuse aussitôt.

Mouse était couché sous la table aux pieds de Jasper, sa laisse toujours autour du cou, l'autre extrémité accrochée au poignet de Jasper. Le terrier avait tenté deux ou trois fois de s'approcher de sa maîtresse, mais il avait dû renoncer, faute d'une longueur de corde suffisante. Il s'était donc allongé, la tête posée entre ses pattes de devant, et il se contentait de pousser de temps à autre un soupir théâtral. Jasper s'amusait de ce petit cirque, et il comprenait maintenant pourquoi Melisande aimait autant son chien.

— Avez-vous l'intention de sortir ce soir, milord ? demanda Melisande, assise à l'autre bout de la table.

Il haussa les épaules d'un air détaché.

— C'est possible, dit-il, baissant les yeux sur la tranche de rôti dans son assiette.

Que pouvait-elle imaginer ? s'interrogeait-il. Le prenait-elle pour un ivrogne avide de soûleries ? Quelle perspective peu réjouissante ! D'autant qu'il ne prenait plus aucun plaisir aux réceptions ou aux parties de cartes. La vérité, c'est qu'il n'arrivait pas à trouver le sommeil.

— Vous pourriez rester à la maison, lui suggéra Melisande.

Il releva les yeux. Elle beurrait un morceau de pain, le visage indéchiffrable.

— Aimeriez-vous que je reste ? s'enquit-il.

Elle haussa les sourcils, les yeux rivés sur son morceau de pain.

— Peut-être.

Sa réponse toute simple contenait une invitation qui n'échappa pas à Jasper. Il en frissonna d'excitation.

— Et que ferions-nous, ma chère femme, si je restais ici avec vous ?

Elle haussa les épaules.

— Oh, nous pourrions faire beaucoup de choses.

— Mais encore ?

— Nous pourrions jouer aux cartes.

— Jouer aux cartes, à deux ? La partie ne serait pas très intéressante.

— Alors, nous pourrions jouer aux petits chevaux. Ou aux échecs.

Jasper se contenta de lever un sourcil.

— Nous pourrions aussi parler, ajouta Melisande.

Jasper but une gorgée de vin. Bizarrement, la perspective de passer la soirée en sa compagnie, à parler, le mettait mal à l'aise. Peut-être parce que ses fantômes revenaient surtout le hanter après le coucher du soleil.

— Et de quoi voudriez-vous parler ?

Un valet apporta un plateau garni de fromage et de fraises du jardin, qu'il déposa sur la table. Melisande ne bougea pas – elle affichait, comme d'habitude, un dos aussi raide que celui d'un militaire –, cependant Jasper eut l'impression qu'elle était attirée par les fraises.

— Vous pourriez me raconter votre jeunesse.

— J'ai peur qu'il n'y ait pas grand-chose à raconter. Sauf, peut-être, la fois où Reynaud et moi avons failli nous noyer dans l'étang des Saint Aubyn.

Elle n'avait toujours pas touché aux fraises.

— J'aimerais beaucoup entendre cette histoire, assura-t-elle.

— Nous étions très jeunes à cette époque, commença Jasper. Onze ans, pour être précis. C'était notre dernier été avant d'être envoyés au collège.

— Ah? fit-elle, sélectionnant une fraise pour la déposer dans son assiette.

Elle n'avait pris ni la plus grosse ni la plus petite, mais son choix s'était porté sur une fraise d'un rouge uniforme, et bien mûre. Elle la caressa du bout du doigt, comme si elle anticipait le plaisir de la manger.

Jasper but une autre gorgée de vin: sa bouche était devenue brusquement sèche.

— Ce jour-là, j'avais échappé à la surveillance de mon tuteur.

— Échappé? Comment cela?

— Mon tuteur était un homme âgé. Il me suffisait de courir un peu vite pour le semer.

— Pauvre homme, murmura-t-elle, avant de mordre dans la fraise.

Jasper la regardait, hypnotisé, incapable de la moindre pensée logique. Finalement, il s'éclaircit la gorge.

— Euh, sans doute, dit-il, la voix légèrement enrouée. D'autant que Reynaud avait également faussé compagnie au sien.

— Que s'est-il passé?

— Le malheur a voulu que nous nous soyons retrouvés au bord de l'étang.

— Le malheur? Ce n'était pas prémédité?

Jasper grimaça.

— En fait, nous avions projeté de construire un radeau, avoua-t-il.

Après s'être coupé un morceau de fromage avec la pointe de son couteau, et l'avoir avalé, il continua:

— Nous avons vite réalisé que construire un radeau avec des branches d'arbres était plus compliqué que nous ne l'avions imaginé.

— Je sens la tragédie arriver, dit-elle d'une voix grave, mais les yeux pétillant d'humour.

— En effet.

Il prit une fraise, qu'il fit tournoyer entre ses doigts par la queue.

— À la fin de l'après-midi, nous avions quand même réussi, au prix de beaucoup d'efforts, à construire une vague plate-forme d'environ un mètre sur un mètre.

— Et… ? demanda-t-elle.

Jasper, sans lâcher la fraise, posa son coude sur la table et afficha une expression solennelle.

— Avec le recul, je suis à peu près persuadé que notre esquif aurait été incapable de flotter par lui-même. Mais évidemment, l'idée de l'essayer d'abord tout seul sur l'eau, avant de grimper dessus pour naviguer avec, ne nous avait même pas effleurés.

Elle souriait à présent, et Jasper en éprouva un frisson de ravissement.

— L'issue était inévitable, enchaîna-t-il, tendant le bras afin d'approcher la fraise de ces lèvres souriantes.

Elle les écarta légèrement pour mordre dans le fruit, et Jasper sentit ses sens s'échauffer.

— Le désastre fut très rapide, ajouta-t-il, mais l'instabilité de notre radeau nous a en quelque sorte sauvés.

— Comment cela ?

Il reposa la queue de la fraise sur la table et croisa les bras.

— Nous ne nous étions même pas éloignés d'une dizaine de mètres du rivage quand nous avons coulé. Nous avons fini dans les roseaux. L'eau nous arrivait à la poitrine.

— C'est tout ?

Jasper sourit à son tour.

— L'histoire se serait arrêtée là, si Reynaud n'avait pas eu la mauvaise idée d'atterrir sur le nid d'une oie.

— Bonté divine !

— Comme vous dites. Le jars était si furieux de notre intrusion qu'il nous a pourchassés jusqu'à Vale Manor. C'est alors que mon tuteur m'a aperçu, et il m'a donné une telle correction que je suis resté huit jours sans pouvoir m'asseoir. Depuis, je déteste manger de l'oie.

Les yeux de la jeune femme riaient toujours. Jasper les contemplait, fasciné. Il avait le sentiment de se trouver au bord d'un précipice, mais il n'aurait pas su en préciser la nature exacte : un tournant dans son existence ? une nouvelle façon de sentir les choses ? de penser ? ou un mélange de tout cela ? Ce dont il était sûr en revanche, c'est que ce précipice se trouvait bel et bien sous ses pieds. Et qu'il n'avait qu'à faire un pas pour y sombrer.

Melisande recula sa chaise et se leva.

— Je vous remercie, milord, pour cette plaisante histoire, dit-elle, et elle se dirigea vers la porte.

Jasper cligna des yeux.

— Me quittez-vous si tôt ?

Elle s'immobilisa, lui tournant le dos.

— J'ai pensé que vous pourriez me rejoindre à l'étage.

Et, lui jetant un regard par-dessus son épaule, elle précisa :

— Ma période est terminée.

Là-dessus, elle sortit et referma doucement la porte derrière elle.

Melisande entendit un juron doublé d'un aboiement ulcéré, tandis qu'elle s'éloignait de la salle à manger. Elle sourit. Vale avait de toute évidence oublié la laisse de Mouse attachée à son poignet.

La jeune femme monta rapidement l'escalier. Elle était convaincue que son mari allait la suivre.

Elle ne s'était pas trompée. À peine fut-elle dans le couloir qu'elle entendit un pas résonner sur les marches. Il devait monter l'escalier quatre à quatre. Elle atteignit sa porte le cœur battant, la respiration saccadée par l'excitation. Pénétrant dans sa chambre, elle se dirigea tout droit vers la cheminée, puis se retourna.

Vale entra la seconde d'après.

— Qu'avez-vous fait de Mouse ? demanda-t-elle, s'obligeant à garder une voix détachée.

— Je l'ai confié à un valet.

Il ferma la porte à clé et la considéra, le regard interrogatif. Il semblait attendre qu'elle fasse le premier pas.

Melisande prit une profonde inspiration et se porta à sa rencontre.

— Il est habitué à dormir avec moi, dit-elle, écartant les pans de son veston pour le faire glisser sur ses bras.

— Dans cette chambre ?

— Dans mon lit.

Elle posa le veston sur un fauteuil.

— Ah... murmura-t-il, comme si cette information l'avait plongé dans un abîme de réflexion.

Melisande lui dénoua sa cravate. Ses mains tremblaient.

— Dans votre lit... répéta-t-il.

— Oui.

Elle s'attaqua à sa chemise.

— Je me disais... commença-t-il avant de s'interrompre, comme s'il avait perdu le fil de sa pensée.

— Oui ? le pressa Melisande en le débarrassant de sa chemise, qui rejoignit le veston sur le fauteuil.

Il s'éclaircit la gorge.

— Nous pourrions peut-être nous asseoir.

— Pour quoi faire ? s'enquit-elle, lui dégrafant à présent son pantalon.

— Euh...

— Oui ? le pressa-t-elle encore, tandis que son pantalon s'ouvrait.

— Ah...

Elle glissa une main dans ses sous-vêtements, et trouva son membre érigé, prêt à l'honorer. Elle en frissonna : cette nuit, il serait à lui. Et il n'était pas question qu'elle laisse les choses se dérouler comme lors de leur nuit de noces.

Il ferma les yeux, manifestement à l'agonie.

Melisande enfonça un peu plus la main dans les profondeurs de ses sous-vêtements. Bizarrement, elle ne tremblait plus, maintenant qu'elle touchait la partie la plus intime de son anatomie. Elle poursuivit son exploration avec délectation, s'émerveillant de le sentir aussi dur sous ses doigts.

— Par Dieu... murmura Vale d'une voix presque implorante.

Elle sourit – un sourire de triomphe, purement féminin.

— Embrassez-moi, ordonna-t-elle, sans lâcher son membre.

Il rouvrit les yeux. Son regard avait quelque chose de sauvage. Et tout à coup, il l'attira dans ses bras et l'embrassa avec un mélange de fougue et de désespoir – exactement ce qu'elle espérait. Leurs langues se mêlèrent fiévreusement, et Melisande sentit un gémissement de plaisir monter dans sa gorge.

Vale rompit soudain leur étreinte.

— Nous devrions...

Non. Elle lui baissa son pantalon et ses sous-vêtements, se repaissant du spectacle de son membre tendu.

— Melisande...

Elle posa un doigt sur l'extrémité de son sexe, là où la peau paraissait le plus sensible.

— Quoi ? dit-elle, refermant les lèvres sur son téton gauche.

Il sursauta sous cette caresse inattendue. Melisande, relâchant sa prise, le poussa dans un fauteuil. Il se débarrassa de ses chaussures, de ses chaussettes, et enfin de son pantalon et de ses sous-vêtements.

Désormais entièrement nu, il parut s'apercevoir qu'elle était encore tout habillée.

— Mais…

— Chut ! dit-elle, plaquant un doigt sur les lèvres de Vale pour le réduire au silence.

Puis elle recula d'un pas, et entreprit de dégrafer sa robe. Vale la regardait faire. Un silence impressionnant régnait dans la pièce, à peine troublé par le crépitement des bûches dans l'âtre, et le bruit de leurs respirations. La lueur dansante du feu de cheminée soulignait la musculature de son corps. Ses larges épaules couvraient tout le dossier du fauteuil, et ses longs doigts s'accrochaient aux accoudoirs, comme s'il avait besoin de s'agripper à quelque chose. Et plus bas…

Ses cuisses puissantes encadraient son membre fièrement érigé. Ce spectacle fascinait tellement Melisande qu'elle faillit trébucher en s'extirpant de ses jupes. À présent, elle ne portait plus qu'une fine camisole de soie. Elle s'approcha de Vale, qui voulut se lever, mais elle posa une main sur son épaule.

— Me laisserez-vous faire ? demanda-t-elle.

— Si… si vous voulez, répondit-il, se raclant la gorge.

Melisande releva sa camisole jusqu'à la taille et grimpa sur le fauteuil pour s'asseoir à califourchon sur Vale, puis elle laissa retomber les pans de la camisole et savoura la chaleur des cuisses de son mari contre ses fesses.

— M'embrasserez-vous encore ? dit-elle, nouant les bras à son cou.

— Avec grand plaisir, ma chère femme.

Il l'attira contre son torse, ses bras puissants se refermant sur le dos de la jeune femme. Et il s'empara de ses lèvres avec la ferveur d'un homme affamé qui goûterait à son premier mets depuis des semaines. En même temps, il la caressait avec une telle fougue qu'elle se demanda si elle n'aurait pas des bleus le lendemain matin.

Elle remua légèrement les hanches pour se rapprocher de son membre. Il se raidit, sans relâcher ses lèvres, comme s'il attendait de voir ce qu'elle allait faire.

Melisande commença à se frotter sur son membre, fermant les yeux de plaisir au contact de sa verge contre sa féminité.

Vale rompit leur baiser et tenta d'immiscer une main.

— Non, dit-elle, rouvrant les paupières.

Il plaça les deux mains sur ses seins et lui caressa les tétons. Elle s'arqua de plaisir.

— Alors, vas-y complètement, gronda-t-il.

Elle se redressa pour s'empaler sur lui. Mais son membre glissa de côté. Melisande le rattrapa par la main, et l'empoigna fermement pour le diriger vers sa cible.

Vale, pendant ce temps, tira sur sa camisole afin de libérer ses seins. Puis il emprisonna l'un de ses tétons entre ses lèvres humides, tandis qu'il lui caressait le dos. Melisande chavira de plaisir, mais ce n'était pas suffisant : son désir de le sentir en elle devenait chaque seconde plus urgent.

Sans qu'ils aient besoin d'échanger un mot, Vale se chargea de l'exaucer. L'empoignant par la taille, il la souleva légèrement pour la positionner juste au-dessus de son membre. Melisande accrocha son regard : il était implacable. Toujours sans un mot, Vale la fit doucement asseoir sur sa verge. Elle s'empala dessus avec un sentiment aigu de libération.

Leurs regards restaient rivés l'un à l'autre, et la jeune femme se demandait ce qu'il pouvait bien penser. Mais peut-être n'était-il pas plus capable qu'elle de la moindre pensée cohérente. De toute façon, il n'aurait servi à rien de penser. Seules comptaient, à cet instant précis, les sensations charnelles.

Une goutte de sueur perla sur le front de Vale, entre les sourcils. Melisande tendit la langue pour la laper.

Elle avait presque envie de rire, de chanter. Elle était enfin libre de faire l'amour avec l'homme de ses rêves !

Les mains accrochées aux solides épaules de son amant, la jeune femme ondulait au rythme de ses coups de reins, tandis que leurs lèvres se mêlaient, se séparaient, se mêlaient de nouveau.

Soudain, tous les muscles de Vale se raidirent. Il serra les dents, et Melisande sentit le jet chaud de sa semence l'envahir. Puis il eut un soubresaut, et encore un autre, avant d'expirer violemment comme si ses poumons se vidaient d'un coup.

Melisande fit courir une traînée de baisers sur le visage de son mari. Le corps de celui-ci se relâchait graduellement, et il bascula la nuque sur le dossier du fauteuil. La jeune femme continua de l'embrasser – dans le cou, sur l'épaule, l'oreille. Des petits baisers saccadés. *Vale. Vale. Vale.* Si elle ne pouvait prononcer à voix haute ce que ressentait son cœur, au moins pouvait-elle l'imprimer avec ses lèvres.

Elle ne s'était jamais sentie aussi heureuse de sa vie. Comme libérée et pacifiée. Elle aurait pu rester ainsi une éternité.

Mais Vale se redressa et leurs corps, encore soudés l'un à l'autre, se séparèrent. La jeune femme voulut protester, mais il la portait déjà vers le lit. Il l'allongea dans les draps et posa un baiser sur ses lèvres. Puis il se détourna et quitta la chambre par la porte qui communiquait avec ses appartements.

Il ne vit même pas le bras qu'elle tendait désespérément vers lui.

10

*Le jour prévu pour le début des épreuves, des cen-
taines de prétendants s'étaient massés, emplis d'espérance, devant les murailles du château. Une estrade
avait été construite pour le roi, afin que tous puissent
l'entendre. De cette estrade, le souverain expliqua ce
qui allait se passer.*

*Il y aurait trois épreuves en vue de sélectionner celui
qui remporterait la main de la princesse. La première
épreuve consistait à trouver et rapporter un anneau de
bronze. Cet anneau gisait au fond d'un lac glacé. Et
dans ce lac vivait un serpent géant...*

Melisande se réveilla seule dans son lit. Enfin,
pas tout à fait seule. Sally avait dû laisser entrer
Mouse durant la nuit, car le terrier était lové à ses
pieds. La jeune femme, perdue dans ses pensées,
contempla un moment d'un œil vide le dais du baldaquin. Leur étreinte de cette nuit avait été merveilleuse – du moins l'avait-elle vécue ainsi. Mais
alors, pourquoi Jasper avait-il déserté sa couche ?
Peut-être avait-il été choqué par son audace ? Ou
bien il ne s'agissait pour lui que d'un acte purement physique, et il n'avait pas éprouvé le besoin de
rester dormir avec son épouse. Après tout, Melisande
n'aurait pas dû s'en plaindre : n'était-ce pas ce
qu'elle avait désiré – partager avec Vale l'aspect

charnel du mariage, sans engager ses émotions ? Pourtant, elle ressentait une vague frustration. La vérité, c'est qu'elle ne savait plus très bien ce qu'elle voulait.

Mouse s'étira et s'approcha d'elle. Melisande lui caressa les oreilles.

— Et toi, qu'en penses-tu, sir Mouse ?

Pour toute réponse, le terrier s'ébroua, puis sauta à bas du lit et partit gratter à la porte.

Melisande soupira, et rejeta ses couvertures.

— De toute façon, ce n'est pas en restant au lit que je trouverai les réponses à mes questions.

Elle sonna Sally, et se débarbouilla avec le broc d'eau froide posé sur sa table de toilette. Sa chambrière l'aida ensuite à s'habiller, puis elle descendit avec Mouse, qu'elle confia à Sprat. Après quoi, elle se dirigea vers la salle à manger des petits déjeuners, s'armant de courage pour affronter Vale.

La salle à manger était déserte. La table avait été vidée, mais quelques miettes oubliées sur la nappe attestaient que son mari était déjà passé. Pourquoi ne l'avait-il pas attendue ?

— Désirez-vous que je vous apporte votre chocolat, milady ? demanda Sprat, de retour avec Mouse.

— Oui, s'il vous plaît, murmura-t-elle par automatisme, avant de se retourner vers le valet. Non. Faites-moi plutôt avancer la voiture, s'il vous plaît.

— Bien, milady, acquiesça le valet, surpris.

— Et dites à Sally de me retrouver dans le hall.

Le valet salua et s'éclipsa. Melisande s'approcha du buffet, prit quelques muffins qu'elle enveloppa dans une serviette, avant de ressortir, Mouse sur ses talons.

Sally l'attendait déjà dans le hall.

— Où allons-nous, milady ?

— J'ai pensé qu'une promenade dans Hyde Park nous ferait du bien, répondit Melisande.

Et, avisant Mouse qui la regardait d'un air d'innocence, elle ajouta pour Sprat :

167

— Je crois que nous aurons besoin de sa laisse.

Le valet s'empressa d'aller quérir la laisse dans la cuisine et, la minute d'après, Melisande, Sally et le terrier roulaient vers Hyde Park.

— C'est une belle journée, vous ne trouvez pas, milady? commenta Sally. Du grand soleil dans un ciel bleu. M. Pynch dit que nous devrions en profiter, car il va bientôt pleuvoir. (Elle fronça les sourcils.) De toute façon, M. Pynch annonce toujours du mauvais temps.

Melisande, amusée, regarda sa chambrière.

— C'est un homme bien austère, n'est-ce pas?

— Austère?

— Sombre et sévère.

— Oh pour ça, il est sombre, oui. Et il regarde toujours les gens de haut, si vous voyez ce que je veux dire.

Melisande hocha la tête.

— Il ne se prend pas pour rien, c'est ça?

— C'est exactement ça, milady! s'exclama Sally. On jurerait que personne n'est à sa hauteur. Ou que quelqu'un de plus jeune en sait forcément moins long que lui.

Sally continua de déblatérer sur M. Pynch et ses airs supérieurs. Melisande l'écoutait avec intérêt, car Sally était une fille au grand cœur, toujours portée à la générosité. Elle ne l'avait encore jamais vue dénigrer quelqu'un avec autant de ferveur.

— Nous voici à Hyde Park, fit remarquer la chambrière, s'interrompant dans ses récriminations.

Melisande jeta un regard par la vitre de la portière. Ils venaient en effet de passer les grilles du parc. À cette heure matinale, les allées n'étaient pas encore encombrées par le flot d'attelages qui viendraient parader plus tard. Pour l'instant, il n'y avait que deux ou trois voitures, quelques cavaliers et une poignée de promeneurs à pied.

La voiture s'immobilisa, et un valet ouvrit la portière.

— Cet endroit vous convient-il, milady?

Ils s'étaient arrêtés à quelque distance d'une petite mare. Melisande hocha la tête.

— C'est parfait. Dites au cocher de nous attendre ici, pendant que nous marcherons un peu.

— Bien, milady.

Le valet aida Melisande à descendre en premier, puis Sally. Mouse bondit joyeusement du véhicule, et commença par lever la patte sur un buisson.

— Allons-nous vers la mare ? suggéra Melisande.

— Comme vous voudrez, milady, répliqua Sally qui marchait deux pas derrière sa maîtresse.

Melisande soupira. Certes, les convenances imposaient à sa chambrière de la suivre, plutôt que d'avancer de front avec elle. Malheureusement, cela ne facilitait pas les conversations. Mais la journée était effectivement magnifique, et Melisande avança d'un pas déterminé. Pourquoi rester à attendre à la maison un mari qui menait sa propre vie de son côté ? Non, elle profiterait de cette belle journée, savourerait cette promenade en plein air, et ne penserait pas *une seule fois* à Vale – et surtout, elle s'interdirait de se demander pourquoi il n'avait pas pris son petit déjeuner avec elle.

Mais la jeune femme découvrit bientôt qu'il n'était pas évident de vouloir garder l'esprit serein en se promenant avec Mouse. Le terrier tirait sur sa laisse, traînant des quatre fers, et manquait s'étrangler à force de regimber.

— Quel idiot ! s'exclama Melisande en le voyant tousser théâtralement. Si tu arrêtais de tirer, tu respirerais mieux !

Mouse, trop occupé à se battre avec sa laisse, ne daigna même pas lever les yeux sur elle.

Melisande soupira. Cette partie du parc était pratiquement déserte, à l'exception d'une femme et deux enfants au bord de la mare. Or, Mouse adorait les enfants. Elle se pencha pour lui retirer sa laisse.

L'animal, collant son museau au sol, se mit aussitôt à courir en dessinant de grands cercles.

— Mouse ! l'appela Melisande.

Il s'immobilisa et se tourna vers elle, les oreilles dressées.

— C'est bien, le félicita la jeune femme avec un sourire.

Le terrier remua la queue, et partit explorer le pied d'un grand chêne.

— Il a l'air d'apprécier la liberté, commenta Sally.

— Oui, cela faisait longtemps qu'il n'avait pas été ainsi à la fête.

Melisande marchait beaucoup plus facilement, maintenant que Mouse n'entravait plus ses mouvements. Elle ouvrit la serviette enveloppant les muffins et en offrit un à Sally.

— Merci, milady.

Mouse revint vers elle, et eut droit à sa part de gâteau, avant de repartir explorer un autre bosquet.

Les deux enfants s'amusaient au bord de la mare, ou plutôt l'un des deux remuait un bâton dans la vase tandis que l'autre le regardait faire. La femme qui les accompagnait se tenait un peu en retrait.

Mouse, apercevant un canard, fila vers la mare en aboyant joyeusement. Le canard s'envola, mais le terrier bondit en l'air, comme s'il espérait pouvoir l'attraper.

Les enfants avaient assisté au spectacle, et l'un d'eux cria quelque chose. Prenant cela pour une invitation, Mouse trotta dans leur direction pour faire connaissance.

Comme Melisande s'approchait également, elle constata que les deux enfants étaient un garçon et une fille. Le garçon devait avoir cinq ou six ans, et la fillette huit ans. Le garçon portait un très joli costume, mais il s'était agenouillé pour serrer Mouse contre lui, et Melisande grimaça à l'idée que son chien allait le salir. La fillette se montrait moins enthousiaste envers le terrier – et c'était tant mieux, car elle avait une robe blanche.

— Madame! Madame! la héla le garçon. Comment s'appelle votre chien?

— Tu ne devrais pas crier, commenta sa sœur sur le ton de la réprobation.

Melisande leur sourit.

— Il s'appelle Mouse.

Mouse partit, museau au ras du sol, vers le bord de la mare. Le garçon lui emboîta le pas.

Melisande hésita. Elle n'avait pas beaucoup d'expérience avec les enfants, mais sans doute convenait-il tout bonnement de commencer par les présentations?

— Et toi, comment t'appelles-tu? demanda-t-elle à la fillette.

Cette dernière rougit et baissa les yeux.

— Abigail Fitzwilliam, murmura-t-elle à ses orteils.

— Ah, fit Melisande qui, jetant un regard discret en direction de la mère de la fillette, se souvint qu'elle l'avait aperçue l'autre soir au bal masqué de lady Graham.

Helen Fitzwilliam était la maîtresse du duc de Lister. Le duc était un personnage puissant, mais dans ce genre de situation, quelle que soit la personnalité du protecteur, sa maîtresse était toujours une disgraciée sociale.

— Je suis lady Vale, répondit-elle à la fillette, avec un grand sourire. Tu passes une bonne matinée?

La fillette fixait toujours ses pieds.

— Abigail, intervint sa mère. Fais la révérence à la dame, s'il te plaît.

La fillette s'exécuta avec grâce. Melisande jeta un nouveau regard à la mère. C'était une magnifique blonde aux yeux bleus, avec des lèvres sensuelles. Elle devait être un peu plus âgée que Melisande, mais elle était capable d'éclipser des femmes plus jeunes. Le duc de Lister avait bien choisi sa maîtresse.

Melisande savait qu'elle aurait dû s'éloigner sans adresser la parole à la courtisane, ni même daigner lui accorder un regard. Et, à en juger par la raideur de Mme Fitzwilliam, cette dernière s'attendait visiblement à ce qu'elle l'ignore avec ostentation. Quant à la fillette, elle contemplait obstinément ses pieds. Combien de fois avait-elle vu sa mère se faire mépriser?

— Comment allez-vous? demanda Melisande à la femme. Je suis Melisande Renshaw, vicomtesse Vale.

Le visage de Mme Fitzwilliam refléta d'abord la surprise, puis la gratitude.

— Oh! s'exclama-t-elle, marquant une révérence appuyée. C'est un honneur de vous rencontrer, milady. Je suis Helen Fitzwilliam.

Melisande lui retourna sa révérence. Quand elle se redressa, elle constata que la fillette avait relevé les yeux.

— Comment s'appelle ton frère?

La fillette jeta un coup d'œil à son frère. Il remuait, avec un bâton, quelque chose que reniflait Mouse. Melisande se demanda ce qu'ils pouvaient bien avoir trouvé.

— Jamie, répondit Abigail. Il aime tout ce qui est sale et qui sent mauvais.

— Hmm, fit Melisande. Mouse aussi, j'en ai peur.

— Je peux aller voir, mère? s'enquit Abigail.

— Oui, acquiesça Mme Fitzwilliam. Mais évite de te salir comme ton frère.

Abigail parut offensée.

— Oh, certainement pas! répliqua-t-elle, avant de rejoindre le bord de la mare.

— C'est une belle enfant, commenta Melisande.

D'ordinaire, elle détestait discuter avec des inconnus, mais si elle ne faisait pas d'effort, Mme Fitzwilliam prendrait son silence pour une rebuffade.

— Oui, n'est-ce pas? Je sais qu'une mère est toujours mauvais juge, mais je la trouve vraiment ravissante. Ils sont la lumière de ma vie, tous les deux.

Melisande hocha la tête. Elle ignorait depuis quand Mme Fitzwilliam était la maîtresse de Lister, mais ces enfants étaient probablement ceux du duc. Une maîtresse n'avait jamais droit qu'à une demi-vie. Lister était marié officiellement, et il avait eu une bonne demi-douzaine de garçons et de filles avec son épouse légitime. Consentirait-il un jour à reconnaître Abigail et Jamie comme ses héritiers ?

— Ils adorent le parc, continua Mme Fitzwilliam. J'essaie de les y conduire le plus souvent possible, mais ce n'est pas toujours facile. Je n'aime pas venir lorsqu'il y a trop de monde.

Elle avait dit cela très simplement, sans la moindre trace d'amertume.

— Je me demande bien pourquoi les petits garçons et les chiens aiment autant jouer dans la boue, déclara Melisande, regardant vers la mare.

Abigail gardait ses distances, mais Jamie et Mouse s'en donnaient à cœur joie – Mouse aboyant pour témoigner de sa satisfaction.

— Et pourquoi les petites filles détestent autant ça, ajouta Mme Fitzwilliam avec un sourire.

Melisande se surprit à rêver d'inviter Mme Fitzwilliam à prendre le thé. La maîtresse de Lister n'était pas du tout comme elle l'avait imaginée. Elle ne réclamait aucune compassion, ne semblait pas se plaindre de son sort, et elle paraissait avoir de l'esprit. Elle aurait pu devenir une excellente amie.

Malheureusement, il était tout à fait exclu d'inviter une courtisane à prendre le thé.

— Je crois savoir que vous êtes mariée depuis peu, reprit Mme Fitzwilliam. Permettez-moi de vous féliciter.

— Merci, murmura Melisande, qui s'assombrit en repensant à la manière dont Jasper l'avait quittée, hier soir.

— Je me dis souvent qu'il doit être difficile de vivre au quotidien avec un homme, commenta Mme Fitzwilliam.

Melisande la regarda.

Mme Fitzwilliam rougit.

— J'espère que je ne vous ai pas offensée?

— Oh, pas du tout.

— Les hommes sont parfois si distants, reprit Mme Fitzwilliam. Comme s'ils redoutaient toute intrusion dans leur vie. Mais tous les hommes ne sont peut-être pas identiques?

— Je n'en sais rien, répondit Melisande. Je n'ai qu'un mari.

— Bien sûr, acquiesça Mme Fitzwilliam, les yeux baissés. Mais je me demande s'il est vraiment possible qu'un homme et une femme puissent partager une authentique intimité sur le plan spirituel. Nous venons de planètes tellement différentes!

Melisande se sentait partagée. D'un côté, elle avait envie d'approuver le cynisme de Mme Fitzwilliam sur le mariage. Mais de l'autre, elle voulait s'y opposer fermement.

— J'ai déjà vu des couples très amoureux, assura-t-elle. Ils étaient si proches qu'ils devinaient mutuellement leurs pensées.

— Avez-vous un tel lien avec votre mari? s'enquit Mme Fitzwilliam.

La question était osée, à la limite de l'inconvenance, mais Mme Fitzwilliam semblait sincèrement curieuse.

— Non, avoua Melisande.

N'était-ce pas ce qu'elle désirait, au fond? Elle avait été amoureuse une fois, et en avait récolté un tel chagrin qu'elle n'avait aucune envie de revivre pareille expérience. Cependant, la tristesse la submergea soudain. Elle réalisait qu'elle ne connaîtrait jamais un mariage d'amour.

— Ah, fit simplement Mme Fitzwilliam.

Les deux femmes s'abîmèrent dans le silence, à contempler les enfants et Mouse.

Puis Mme Fitzwilliam se tourna vers Melisande et lui sourit. Son sourire était si magnifique que la jeune femme en eut le souffle coupé.

— Merci de les avoir laissés jouer avec votre chien.

Comme Melisande allait répliquer, elle entendit une voix crier dans son dos :

— Ma chère femme ! Quelle joie de vous trouver ici !

Elle se retourna. Vale arrivait à cheval, en compagnie d'un autre cavalier.

De loin, Jasper avait aperçu Melisande converser avec une jeune femme. Cette dernière s'éloignait déjà, mais il eut le temps de reconnaître Mme Fitzwilliam, la maîtresse du duc de Lister depuis bientôt une dizaine d'années.

Que faisait donc Melisande avec cette courtisane ?

— Votre épouse a de drôles de relations, commenta lord Hasselthorpe, son compagnon. Certaines jeunes ladies s'imaginent qu'elles seront à la mode en flirtant avec les limites de la respectabilité. Vous feriez mieux de la mettre en garde, Vale.

Jasper ravala la réplique cinglante qu'il avait sur les lèvres. Ce n'était pas le moment de se fâcher avec Hasselthorpe.

— Merci du conseil, se contenta-t-il de répondre.

— De rien, fit Hasselthorpe, arrêtant son cheval avant qu'ils aient rejoint Melisande. Je vais vous laisser ici, pour que vous puissiez discuter tranquillement avec votre femme. Vous m'avez donné assez de grain à moudre comme cela.

— Est-ce à dire que vous consentez à nous aider à démasquer le traître ? le pressa Jasper.

Hasselthorpe hésita.

— Votre hypothèse est plausible, Vale. Mais je déteste me décider à la légère. Si mon frère Thomas a bel et bien été massacré à cause d'un traître, je vous aiderai, soyez-en sûr. Cependant, je préfère réfléchir avant de m'engager.

— Très bien. Puis-je vous revoir demain ?

— Plutôt après-demain.

Jasper hocha la tête, bien qu'il pestât contre ce délai supplémentaire. Il serra la main de Hasselthorpe, avant de pousser son cheval en direction de Melisande. La jeune femme l'attendait, les mains croisées sur ses jupes, le dos aussi raide qu'à l'accoutumée. Elle ne ressemblait plus à la nymphe qui l'avait séduit hier soir avec beaucoup d'expérience.

Mouse, l'apercevant, se rua vers lui en aboyant. Heureusement, Belle n'était pas facilement impressionnable, et elle ignora superbement le chien qui s'agitait entre ses sabots.

— Mouse ! Assis ! ordonna Jasper.

Par miracle, le terrier posa son derrière dans l'herbe.

Jasper descendit de sa jument et fit un pas en direction du chien. Mouse remua la queue. Jasper riva son regard sur lui jusqu'à ce qu'il baisse la tête, sa queue remuant toujours si vigoureusement que tout son arrière-train bougeait avec. Finalement, Mouse se coucha à plat ventre, les babines avachies dans une attitude de soumission.

— Je n'en demandais pas tant, marmonna Jasper.

Un spectateur non averti aurait pu jurer que le chien venait de se faire battre.

Mouse interpréta ces paroles comme une permission pour se relever. Il trotta jusqu'à lui et s'assit à ses pieds.

Un gloussement alerta Jasper. Il releva les yeux et vit que Melisande, une main devant sa bouche, se retenait d'éclater de rire.

— Je crois qu'il vous aime, déclara-t-elle.

— Mais moi, est-ce que je l'aime ?

Elle s'approcha.

— Ce n'est pas la question. Il vous aime, et cela lui suffit.

— Hmm… fit Jasper.

Le chien, à présent, penchait la tête de côté comme s'il attendait ses instructions.

— Va te promener ! gronda-t-il.

Mouse émit un aboiement et se mit à courir en cercle autour de Jasper, Melisande et la jument.

La jeune femme se pencha pour ramasser un bout de bois.

— Tenez, dit-elle, le tendant à Jasper.

Le morceau de bois était couvert de boue. Jasper haussa les sourcils.

— Votre générosité me confond, milady.

Melisande leva les yeux au ciel.

— Ce n'est pas pour vous, idiot! Lancez-le à Mouse.

— Pour quoi faire?

— Il adore aller chercher les bouts de bois, expliqua-t-elle patiemment, comme si elle parlait à un enfant.

— Ah.

Jasper s'empara du bâton. Mouse cessa aussitôt de courir, tous ses sens en alerte. Jasper jeta le bâton aussi loin qu'il put.

Mouse s'élança. Il ramassa le bâton dans sa gueule, le secoua vigoureusement, et partit vers le bord de la mare.

Jasper fronça les sourcils.

— Je pensais qu'il me l'aurait ramené.

— J'ai dit qu'il adorait ramasser les bouts de bois. Pas qu'il les rapportait.

Jasper contempla sa femme. La brise matinale avait donné de la couleur à ses joues ordinairement pâles; ses yeux brillaient d'un éclat particulier et... elle était tout simplement ravissante.

— Il ne va quand même pas le manger?

— Non, ce n'est pas son genre.

— Ah, fit encore Jasper, et il ne sut pas quoi ajouter – ce qui lui arrivait rarement.

Il aurait aimé lui demander ce dont elle avait parlé avec Mme Fitzwilliam, mais il butait sur la bonne manière de poser la question. « Avez-vous pris des leçons de séduction auprès de cette courtisane? » ne lui semblait pas la formulation la plus appropriée. Et puis, Mme Fitzwilliam et ses enfants paraissaient avoir quitté le parc. Du moins, il ne les voyait plus.

— Pourquoi ne m'avez-vous pas attendue pour le petit déjeuner ? s'enquit-elle, rompant le silence.

Ils marchaient autour de la mare, Jasper tirant son cheval par les rênes.

— Je n'en sais trop rien. J'ai pensé qu'après cette nuit...

Quoi ? Qu'elle aurait désiré un peu de solitude ? Non. C'était plutôt lui qui avait éprouvé le besoin d'être seul. Mais s'il l'avouait, il craignait de trop en révéler sur lui-même.

— Vous ai-je choqué, milord ?

Il fut si surpris par sa question qu'il s'arrêta. Pourquoi s'imaginait-elle une chose pareille ?

— Non, pas du tout. Vous ne pourriez pas me choquer, même si vous le vouliez.

Elle l'observait attentivement, comme si elle cherchait à s'assurer de sa sincérité.

— Vous m'intriguez, lui chuchota-t-il à l'oreille. Vous me tentez. Vous m'incendiez les sens. Mais me choquer, jamais de la vie, ma chère femme.

— Cependant... vous ne vous attendiez pas à cela, j'imagine ?

Jasper se rappela avec quelle assurance elle s'était saisie de son membre. Et la détermination qu'il avait lue dans ses yeux.

— Certes, convint-il d'une voix rauque. Je ne m'attendais pas à cela. Mais, Melisande...

Une détonation retentit au loin. Jasper attira instinctivement la jeune femme dans ses bras. Mouse se mit à aboyer avec frénésie. Puis on entendit des cris, et le galop d'un cheval. Mais les arbres leur cachaient ce qui se passait.

— Qu'est-ce que ça peut être ? s'étonna Melisande.

— Je n'en sais fichtre rien.

Un gentleman chevauchant un cheval noir surgit au galop de l'endroit d'où provenaient les bruits.

Jasper se plaça devant Melisande.

— Eh, vous là ! Que se passe-t-il ?

L'homme ralentit à peine.

— Je vais chercher un docteur ! Je n'ai pas le temps de m'arrêter.

— Quelqu'un a reçu une balle ?

— On a voulu tuer lord Hasselthorpe ! cria l'homme en éperonnant son cheval.

— Pourquoi quelqu'un aurait-il voulu tuer lord Hasselthorpe ? s'enquit Melisande, dans la soirée.

Après le coup de feu, Vale l'avait poussée jusqu'à la voiture et avait ordonné au cocher de la ramener à la maison, tandis que lui-même partait vers la scène du drame. Il était resté absent depuis, et n'était rentré qu'après le dîner. Voilà pourquoi la jeune femme n'avait pu lui poser la question plus tôt.

— Je l'ignore.

Son mari l'avait retrouvée dans sa chambre, où il faisait les cent pas à la manière d'un animal en cage.

— Peut-être s'agit-il d'un accident, reprit-il. Un quelconque imbécile aura voulu s'entraîner au tir.

— Dans Hyde Park ?

— Je n'en sais rien ! s'exclama-t-il brutalement, avant de lui jeter un regard de contrition. Pardonnez-moi, ma chère femme. Mais si c'était un assassin, il est sacrément mauvais tireur. Hasselthorpe n'a qu'une vilaine égratignure au bras. Il sera vite rétabli.

— C'est au moins une bonne nouvelle, soupira Melisande.

Elle s'assit dans l'un des deux fauteuils faisant face à la cheminée – très précisément celui dans lequel ils avaient fait l'amour la nuit précédente.

— Vous ne me parlez jamais de la guerre, lui dit-elle.

— Non ? répliqua-t-il d'un ton vague.

Vêtu d'un peignoir noir passé sur son pantalon et sa chemise, il se tenait devant la coiffeuse, tapotant du doigt un pot d'épingles à cheveux.

— Il n'y a pas grand-chose à dire, éluda-t-il.

— Pourtant, vous avez servi six ans sous les drapeaux.

— Sept.

Il se dirigea vers la penderie et l'ouvrit, inspectant l'intérieur comme s'il pensait découvrir les secrets du cosmos au milieu de ses robes.

— Pourquoi vous étiez-vous engagé ?

Il pivota vers elle, le regard indécis, avant d'éclater de rire.

— Pour devenir un homme. Du moins, c'était l'ambition de mon père. Il me trouvait trop paresseux, trop alangui. Et comme je ne servais à rien à la maison...

— Votre meilleur ami, Reynaud Saint Aubyn, s'est engagé en même temps que vous, n'est-ce pas ?

— Oui. Nous étions très excités à l'idée de rejoindre le 28e régiment. Qu'il repose en paix.

Il referma la penderie et s'approcha de la fenêtre, l'air méditatif.

Peut-être aurait-elle dû ne pas insister. Le laisser garder ses secrets. Cependant, elle ne parvenait pas à s'y résoudre. Le moindre aspect de sa vie la fascinait – et, plus encore, ce qu'il s'ingéniait à cacher. Elle se leva de son fauteuil avec un soupir. Elle portait un peignoir de satin par-dessus sa camisole, dont elle se défit pour le poser sur le dossier du fauteuil.

— Aimiez-vous la vie de garnison ? demanda-t-elle à son reflet qu'elle pouvait voir, grâce à la nuit, sur la vitre de la fenêtre.

Il haussa les épaules.

— Oui et non. Beaucoup se plaignent de la nourriture exécrable, des longues marches, de la vie sous les tentes. Mais il y a aussi de bons moments autour des feux de camp. Et de franches rigolades quand on s'essaie à la cuisine.

Melisande avait retiré sa camisole, tout en l'écoutant. Il se tut brusquement. Elle s'avança, nue, et posa les mains sur son dos. Ses muscles étaient raides comme du granit.

— Et les batailles ?

— C'était un avant-goût de l'enfer, murmura-t-il.

180

La jeune femme lui caressa le dos. *Un avant-goût de l'enfer*. Elle souffrait pour lui de ce qu'il avait vécu.

— Avez-vous participé à beaucoup de batailles ?

— Quelques-unes, soupira-t-il.

Elle lui tapota l'épaule.

— Ôtez ceci.

Il se défit de son peignoir et de sa chemise, mais quand il voulut se retourner, elle l'obligea à rester dans la même position et entreprit de lui masser le dos, décrivant avec ses pouces des cercles concentriques autour de sa colonne vertébrale. Il se laissa faire, s'appuyant même au cadre de la fenêtre pour être plus détendu.

— Vous étiez à Québec, dit-elle.

— Oui. Ce fut notre seule vraie bataille, en fait. Le reste tenait davantage de l'escarmouche. Certaines ne duraient que quelques minutes.

— Et Spinner's Falls ?

Ses épaules se raidirent brusquement, comme si elle l'avait frappé, mais il ne dit pas un mot. Melisande savait que Spinner's Falls avait été un massacre. Elle était auprès d'Emeline, et elle l'avait réconfortée lorsque son amie avait appris que Reynaud n'avait pas survécu. Melisande aurait pu pousser Jasper dans ses derniers retranchements – elle avait compris avoir touché là son point faible –, mais elle s'interdisait cette brutalité.

C'est pourquoi elle préféra lui prendre la main et l'entraîner vers le lit. Il se laissa faire tandis qu'elle le débarrassait de ses derniers vêtements. Puis elle l'invita à monter sur le lit et le suivit, s'allongeant à son côté et lui caressant le torse.

Elle entendait savourer ce moment, et faire de lui tout ce qu'elle désirait.

Elle le caressa sur tout le corps, ignorant ses gémissements – de protestation ou d'encouragement, elle n'aurait su le dire. Mais son véritable objectif était sa virilité, lourde, épaisse, et parfaitement dressée. Elle en taquina l'extrémité avec son doigt puis, approchant ses lèvres, elle y déposa un baiser.

Il lui tira légèrement les cheveux, pour l'obliger à le regarder.

— Ne te sens pas obligée, dit-il. Je ne le mérite pas.

Je ne le mérite pas. Quelle étrange expression. Melisande l'enregistra dans un coin de sa mémoire pour l'examiner plus tard, à tête reposée. Dans l'immédiat, elle avait d'autres priorités.

— J'en ai envie, se contenta-t-elle de rétorquer.

Il ne répondit rien, et relâcha sa poigne – peut-être sous l'effet de la surprise. Elle en profita pour prendre son membre dans sa bouche. Il tira de nouveau sur ses cheveux, mais Melisande était prête à parier que cette fois, ce n'était plus pour l'arrêter.

En même temps qu'elle l'avait en bouche, elle caressait la base de son membre. N'ayant pas d'expérience, elle ignorait si elle s'y prenait bien – mais il semblait apprécier, marmonnant des mots incompréhensibles entre ses lèvres. Satisfaite, la jeune femme s'amusa à faire des petits bruits de succion.

Il se redressa soudain.

— Me prendriez-vous pour un jouet, milady ?

— Peut-être, répliqua-t-elle, écartant lascivement les cuisses. Mais le jouet, c'est surtout votre membre, et je…

Elle n'eut pas le temps de terminer sa phrase. Vale l'attira à lui et la pénétra avec force.

— Ma petite sorcière… murmura-t-il.

Elle rit, arquant les reins pour l'inviter plus profondément en elle. Il la chevauchait à présent avec une telle énergie qu'elle eut l'impression de voir des étoiles danser au plafond. Et elle riait encore lorsque le plaisir la submergea en une vague immense.

Mais quand Vale s'écroula dans ses bras, pantelant, elle décela sur son visage un masque de désespoir.

11

Tous les prétendants se lancèrent à la recherche de l'anneau de bronze et la princesse rentra dans le château, le cœur lourd.

Jack, pendant ce temps, s'isola dans un coin tranquille et ouvrit sa petite tabatière en étain. Elle lui fournit ce dont il avait besoin: une armure de vent, et l'épée la plus tranchante du monde. Jack revêtit l'armure et s'empara de l'épée. Whoosh! *En un éclair, il se retrouva au bord d'un lac. Et alors qu'il se demandait s'il s'agissait du bon lac, un énorme serpent surgit de l'eau. Une farouche bataille s'engagea. Le serpent était très grand, et Jack très petit, mais il possédait la meilleure épée au monde, et son armure lui était d'un grand secours. À la fin, le serpent expira, et Jack put mettre la main sur l'anneau.*

Ainsi, il avait épousé une libertine! songeait Jasper, le lendemain matin. Mais loin de s'en offusquer, il s'en félicitait au contraire. Quand la jeune femme était venue lui proposer de l'épouser, dans la sacristie, il avait été loin de se douter qu'il prendrait autant de plaisir à partager avec elle le lit conjugal.

Et pourtant, cela ne l'empêchait pas, une fois de plus, de quitter la maison de bon matin, sans avoir partagé le petit déjeuner avec elle. Cette façon de s'échapper ressemblait de plus en plus à de la couardise. En vérité, il se posait des questions sur son épouse. Il avait beau apprécier leurs étreintes nocturnes, il se demandait où elle avait pu acquérir une telle maîtrise des choses charnelles. Probablement avait-elle déjà eu un amant – sinon plusieurs – mais il préférait ne pas trop s'appesantir sur le sujet. L'image d'un autre homme lui enseignant comment prendre une verge dans sa bouche...

Jasper s'empressa de penser à autre chose, et remonta son col. Le soleil de la veille n'avait pas duré : Londres avait renoué, ce matin, avec un brouillard froid et poisseux.

Sa femme devait le prendre pour un imbécile – ou un lâche. Il l'avait quittée, hier soir, aussitôt après qu'ils avaient fait l'amour, sans même lui souhaiter bonne nuit. Et il avait dormi sur sa paillasse. Sans doute était-il un imbécile, en effet. Mais que faire ? Il avait bien sûr gardé le silence lorsqu'elle lui avait parlé de Spinner's Falls. Elle ignorait quel homme elle avait vraiment épousé, et c'était peut-être aussi bien qu'il lui montre autant de goujaterie. Ainsi, elle n'irait pas espérer quelque chose qu'il était incapable de lui donner.

La maison de Matthew Horn se profila bientôt. Tant mieux. Il allait pouvoir chasser ses idées noires.

La minute d'après, il était introduit dans la bibliothèque de son ami, attendant que le maître de maison descende de ses appartements.

Il venait juste d'ouvrir un gros volume poussiéreux, quand la voix de Horn se fit entendre depuis le seuil :

— Tu cherches une lecture légère ?

— Je me demandais plutôt qui pouvait s'intéresser à une *Histoire des mines de cuivre*.

Horn grimaça.

— Mon père. Mais ça ne lui a pas porté chance. La mine dans laquelle il avait investi a fait faillite.

Il s'installa dans un grand fauteuil et croisa les jambes, avant d'ajouter :

— Les Horn n'ont jamais été réputés pour leur sens des affaires. Bah! N'en parlons plus. Tu veux du thé? Il est un peu tôt pour boire de l'alcool.

— Non, merci, répondit Jasper, qui s'était posté devant une vieille carte du monde encadrée au mur, et contemplait la silhouette caractéristique de l'Italie.

— Tu es revenu me parler de Spinner's Falls? s'enquit Horn.

— Hmm, fit Jasper, observant toujours la carte. Es-tu au courant de ce qui est arrivé à Hasselthorpe?

— Oui, on a tiré sur lui dans Hyde Park. Une tentative d'assassinat, apparemment.

— Le plus étrange, c'est qu'il a reçu ce coup de feu juste après avoir accepté de m'aider.

Il y eut un court silence, rompu par l'éclat de rire de Horn.

— Tu ne vois quand même pas une relation entre ces deux choses?

Jasper haussa les épaules. Il ne pouvait jurer de rien, mais la coïncidence n'en était pas moins troublante.

— Je pense toujours que tu ferais mieux de laisser tomber Spinner's Falls, reprit Horn.

Jasper ne répondit pas.

Son ami soupira.

— Bon, j'y ai aussi réfléchi, de mon côté.

Jasper se retourna vers lui.

— Et alors?

Horn eut un geste vague de la main.

— Ce que je n'arrive pas à comprendre, c'est pourquoi l'un d'entre nous aurait trahi le régiment tout entier. Quel intérêt aurait-il eu à cela? Puisque ceux qui n'ont pas été massacrés tout de suite ont été faits prisonniers, et que même les captifs pouvaient perdre la vie?

Jasper secoua la tête.

— À mon avis, le traître n'imaginait pas être capturé. Il croyait sans doute pouvoir éviter la bataille d'une manière ou d'une autre.

185

— Tous ceux qui ont été capturés s'étaient battus comme de beaux diables.

— C'est vrai, concéda Jasper, reprenant son examen de la carte.

— Alors, quelle raison aurait eue le traître de vouloir se débarrasser du régiment ? Je pense que tu fais fausse route, Vale. Spinner's Falls ne fut que de la malchance, rien de plus.

— Peut-être, fit Jasper, qui regardait la carte de si près que son nez touchait presque le parchemin. Cependant, je vois une bonne raison qui aurait pu motiver le traître.

— Laquelle ?

Jasper pivota vers son ami.

— L'argent. Les Français avaient fait savoir qu'ils étaient prêts à payer cher toute information utile.

— Un espion ? résuma Horn, qui ne paraissait toujours pas convaincu.

— Pourquoi pas ?

Matthew bondit de son siège, comme s'il ne pouvait plus rester assis.

— S'il y avait eu un espion dans nos rangs, nous l'aurions massacré.

— Raison de plus pour qu'il ait désiré ne pas être démasqué.

Matthew regardait à présent par la fenêtre. Il haussa vaguement les épaules.

— Cette idée ne me plaît pas plus qu'à toi, reprit Jasper. Mais si nous avons été trahis par cupidité, nous devons démasquer cet homme et le traduire devant la justice. Qu'il paie enfin pour son crime.

— Et Hasselthorpe ? As-tu pu le voir, depuis son agression ?

— Non, il a refusé. Je lui ai adressé un message, lui demandant un entretien, mais il m'a fait répondre qu'il voulait se retirer à la campagne, le temps de récupérer.

— Zut.

— C'est aussi mon avis, commenta Jasper, qui s'intéressait de nouveau à la carte.

—Tu devrais parler à Alistair Munroe, suggéra Matthew.

Jasper se retourna.

—Tu penses qu'il pourrait être le traître?

Matthew secoua la tête.

—Non. Mais il était là, avec nous. Il se rappelle peut-être quelque chose qui nous aurait échappé.

—Je lui ai écrit, expliqua Jasper sans chercher à cacher sa frustration. Mais il ne m'a pas répondu.

—Dans ces conditions, je crois qu'il faudra que tu te rendes en Écosse.

Melisande vit son mari, ce jour-là, à dîner. Elle commençait sérieusement à se demander s'il ne cherchait pas à l'éviter. Cependant, il paraissait tout à fait détendu en mangeant ses légumes.

—Comment s'est passée votre journée, ma chère femme? osa-t-il même s'enquérir.

—J'ai déjeuné avec votre mère.

Il fit signe à un valet de lui redonner du vin.

—Ah bon?

—Hmm. Nous nous sommes régalées d'artichauts et de viande froide.

Il fronça les sourcils.

—Je n'ai jamais su comment manger des artichauts.

—C'est pourtant très facile.

Il fit la moue.

—Manger des feuilles… Je parierais que les artichauts ont été découverts par une femme.

—Les Romains les adoraient.

—Alors, c'était une Romaine. Elle a dû servir un plat de ces feuilles à son malheureux mari, en lui souhaitant bon appétit. Le pauvre…

Melisande rit.

—Quoi qu'il en soit, les artichauts de votre mère étaient excellents.

— Je suppose qu'elle vous a abondamment parlé de toutes les bêtises que j'ai pu commettre dans mon enfance ?

— Vous supposez bien.

Il grimaça.

— Rien de grave, j'espère ?

— Apparemment, vous baviez beaucoup quand vous étiez bébé.

— Je pense avoir surmonté ce handicap, marmonna-t-il.

— Et vous avez flirté avec une jeune laitière à l'âge de seize ans.

— Ah oui, j'avais complètement oublié cette histoire ! s'exclama Vale. Agnès était ravissante. Agnès… ou Alice ? Non, c'était plutôt Arabella…

— Je doute fort qu'une laitière ait pu s'appeler Arabella.

— Elle avait un teint de pêche, et les plus gros…

Sa phrase se termina dans une quinte de toux.

— Les plus gros pieds ? suggéra Melisande.

— Oui, ses pieds étaient vraiment étonnants.

— Hmm, fit Melisande, qui se retenait cependant d'éclater de rire. Qu'avez-vous fait, aujourd'hui ?

Jasper se coupa un morceau de viande, qu'il mâcha longuement avant de répondre.

— Je me suis rendu chez Matthew Horn. Vous vous souvenez de lui, j'imagine ? Vous l'avez rencontré à la garden-party de ma mère.

— Je m'en souviens.

Melisande avala une bouchée de carottes. Elles étaient excellentes – la cuisinière avait dû y ajouter une note sucrée, sans doute du miel. Elle se promit de la féliciter.

— Et de quoi avez-vous discuté avec M. Horn ?

— Nous avons parlé d'un ami commun, qui vit en Écosse.

Vale semblait parfaitement détaché. Mais la curiosité de la jeune femme était piquée au vif.

— Ah ? Et comment s'appelle-t-il ?

— Alistair Munroe. Il faisait partie de mon régiment, mais il n'était pas soldat. Il avait été envoyé par la Couronne pour rassembler de la documentation sur la faune et la flore américaines.

— Vraiment ? Ce doit être un homme passionnant.

— Il l'est, en effet, si vous aimez parler de plantes pendant des heures.

Melisande goûta à son vin.

— J'adore parler de plantes.

— Quoi qu'il en soit, j'envisage de monter jusqu'en Écosse pour lui rendre une petite visite.

Il y eut un silence. Melisande contemplait son assiette, intriguée. Cherchait-il à la fuir ? Elle aimait vivre dans cette maison, près de lui, même s'il était absent presque toute la journée. Au moins, elle était assurée de le retrouver le soir. Mais s'il partait en Écosse, ce serait terminé.

Vale s'éclaircit la gorge.

— Pour être précis, Munroe vit au nord d'Édimbourg, dit-il, triturant sa nourriture avec le bout de sa fourchette. Le voyage est assez éprouvant. Il dure plus d'une semaine en voiture, et les routes sont mauvaises. Sans parler des auberges qui laissent à désirer, de la nourriture exécrable, et du risque de croiser des bandits de grands chemins.

Melisande restait silencieuse. Pourquoi voulait-il s'engager dans un aussi long voyage afin de rendre visite à un homme que, de son propre aveu, il n'appréciait pas forcément ?

— Malgré tous ces inconvénients, enchaîna-t-il, je me demandais si vous accepteriez de m'accompagner…

La jeune femme était tellement absorbée dans ses pensées, qu'elle mit quelques secondes à comprendre ce qu'il venait de lui proposer. Un immense soulagement libéra alors sa poitrine.

— Quand comptez-vous partir ?

— Demain.

Elle écarquilla les yeux.

— Si vite ?

— Je dois m'entretenir d'un sujet important avec Munroe, et ça ne peut pas attendre. Vous pourrez emmener Mouse. Avec sa laisse, bien entendu. Mais je vous préviens : ce ne sera pas confortable, et vous risquez…

— Oui.

Il cligna des yeux.

— Oui, quoi ?

— Oui, répéta Melisande. J'accepte de vous accompagner.

— Ils partent pour l'Écosse, annonça Bernie, l'un des valets, en rapportant le plat de légumes dans la cuisine.

Sally faillit en lâcher sa cuiller dans son bol de bouillon. L'Écosse ? Cette terre de sauvages ? On racontait que les hommes y portaient des barbes si fournies qu'on pouvait à peine voir leurs yeux. Et tout le monde savait que les Écossais ne prenaient jamais de bains.

La cuisinière paraissait partager son sentiment.

— Dire qu'ils viennent tout juste de se marier ! se lamenta-t-elle, posant une tarte au citron sur un plateau. Quel dommage !

Elle fit signe à Bernie d'emporter le plateau, mais elle le rattrapa par la manche :

— Ont-ils dit combien de temps ils comptaient rester ?

— Non. Mais je suppose que ce sera plusieurs semaines. Sinon, des mois. Et ils partent dès demain.

Sally voulut déglutir, mais elle n'avait plus de salive. Elle serait obligée de suivre lady Vale en Écosse. C'était le rôle d'une chambrière. Tout à coup sa nouvelle position, et l'augmentation des gages qui en découlait, ne lui paraissaient plus aussi merveilleuses. L'Écosse, c'était le bout du monde.

— L'Écosse n'est pas si terrible, déclara M. Pynch, comme s'il avait lu dans ses pensées.

— Y êtes-vous déjà allé, monsieur Pynch ? s'enquit Sally.

Après tout, s'il en était revenu, c'était effectivement la preuve que ce n'était pas si terrible.

— Non, répondit M. Pynch, annihilant tous ses espoirs. Mais j'ai connu des Écossais, à l'armée. Ils sont comme nous, à part qu'ils ont un drôle d'accent.

— Ah.

Sally contempla son bouillon, fait avec les os du gibier préparé par la cuisinière pour le dîner des maîtres. C'était un excellent bouillon, et Sally l'appréciait la minute d'avant. Mais à présent, son estomac se nouait à la vue du gras nageant à la surface. Connaître des Écossais et se rendre en Écosse étaient deux choses différentes, et Sally en voulait à M. Pynch de ne pas le comprendre. Comment savoir comment les Écossais se comportaient sur leurs terres ? Peut-être étaient-ils très friands de jeunes filles blondes arrivées de Londres. Et si elle était kidnappée dans son lit, pour être livrée à…

— Allons, allons, lui dit M. Pynch, s'asseyant en face d'elle.

Sally releva les yeux. Les filles de cuisine s'étaient remises à l'ouvrage pendant qu'elle broyait du noir. Personne ne prêtait attention à eux.

M. Pynch la fixait. Sally réalisa brusquement qu'il avait de très beaux yeux verts.

Le valet posa les coudes sur la table. Il tenait sa pipe en terre à la main.

— L'Écosse n'a rien d'inquiétant. C'est une région comme les autres.

Sally remua son bouillon, qui refroidissait.

— Je n'ai jamais été plus loin que Greenwich, avoua-t-elle.

— Non ? Où êtes-vous née ?

— À Seven Dials, répliqua-t-elle, attendant de voir s'il grimacerait d'apprendre qu'elle avait vu le jour dans l'un des quartiers les plus pauvres de Londres.

Mais il se contenta de hocher la tête, en tirant sur sa pipe.

— Y avez-vous toujours de la famille ?

— Juste mon père. Enfin, je crois. Mais je ne l'ai pas revu depuis des années. Il a pu déménager.

— Votre père vous a maltraitée ?

— Non. Il me battait rarement, et il me nourrissait autant qu'il en avait les moyens. Mais je voulais partir. J'étouffais, là-bas.

Il hocha de nouveau la tête, et tira encore sur sa pipe. Une bouffée de fumée bleutée monta vers le plafond.

— Et votre mère ?

— Morte à ma naissance. Je n'ai ni frères ni sœurs. Du moins, pas que je connaisse.

Il hocha une troisième fois la tête.

— Et vous, monsieur Pynch, d'où venez-vous ?

— Oh, de beaucoup plus loin. Je suis né en Cornouailles.

— C'est vrai ? s'exclama-t-elle. (Les Cornouailles lui semblaient aussi exotiques que l'Écosse.) Pourtant, vous n'avez pas d'accent.

Il haussa les épaules.

— Je suis né dans un village de pêcheurs. Mais quand l'armée est venue enrôler, avec ses tambours et ses uniformes, j'ai cédé à l'appel.

— Quel âge aviez-vous ?

— Quinze ans.

Sally baissa les yeux sur son bouillon. Elle essaya de se représenter l'imposant M. Pynch en jeune homme de quinze ans, mais elle n'y parvint pas. Il était si viril, à présent, qu'on pouvait douter qu'il ait jamais été enfant.

— Avez-vous encore de la famille là-bas ?

— Ma mère, ainsi qu'une demi-douzaine de frères et sœurs. Mon père est mort pendant que j'étais aux colonies. Je ne l'ai appris qu'à mon retour en

Angleterre, deux ans plus tard. Ma mère avait payé un écrivain public pour qu'on m'envoie une lettre, mais elle ne m'est jamais parvenue.

— Ça a dû être bien triste, de rentrer chez vous et de découvrir que votre père n'était plus là.

— C'est la vie. Il faut bien continuer son chemin.

— Sans doute, murmura Sally, qui songeait à une cohorte d'Écossais aux visages mangés par la barbe.

M. Pynch lui tapota la main.

— Vous n'avez rien à redouter de l'Écosse, insista-t-il. Mais si jamais il devait arriver quelque chose, je serais là pour vous protéger.

Sally ne répondit rien. Elle était comme hypnotisée par les yeux verts de M. Pynch. L'idée qu'il puisse la protéger lui réchauffait le ventre.

Voyant qu'il n'était toujours pas venu dans sa chambre à minuit, Melisande partit à la recherche de Vale. Peut-être s'était-il directement couché, sans daigner lui rendre une petite visite nocturne, mais elle en doutait, car elle n'avait entendu aucun bruit dans la chambre de son mari.

Quoi qu'il en soit, elle était fatiguée de l'attendre. Elle quitta sa chambre – en grand désordre depuis que Sally avait commencé de préparer leurs bagages. Jasper n'était pas dans la bibliothèque, ni dans aucun des salons, aussi fut-elle obligée de demander à Oaks s'il savait où se trouvait son époux. Le majordome lui apprit qu'il était sorti, sans songer à la prévenir.

Elle aurait voulu donner un coup de poing dans quelque chose, mais comme une lady n'était pas supposée se conduire avec une telle brutalité, elle se contenta de remercier Oaks et remonta l'escalier. Pourquoi Vale se comportait-il ainsi ? D'abord, il lui proposait de l'accompagner en Écosse, et ensuite il la fuyait ! Dans ces conditions, Melisande redoutait leur voyage. Resterait-il toute la durée du trajet sur le toit de la voiture, avec les bagages, pour ne pas partager l'habitacle avec elle ? C'était décidément bien étrange.

La jeune femme hésita devant sa chambre. Celle de Vale était juste à droite, et la tentation trop grande. Elle se dirigea vers la porte de son mari, et l'ouvrit. La chambre était vide, mais M. Pynch était passé par là : des piles de chemises, de vestons, de cravates étaient posées sur le lit, en attente d'être rangées dans des valises. Melisande entra et referma la porte derrière elle.

Elle gagna d'abord le lit, et posa une main sur la courtepointe de velours. Son mari se glisserait tout à l'heure dessous. Dormait-il sur le dos ou sur le ventre ? Elle l'imaginait se couchant entièrement nu, bien qu'il possédât un plein tiroir de chemises de nuit. Partager sa nuit avec quelqu'un était un acte très intime : toutes vos barrières s'annihilaient et vous laissaient aussi vulnérable qu'un enfant. Melisande espérait que Vale finirait par accepter de dormir avec elle.

Avec un soupir, elle s'approcha d'un guéridon où trônait un portrait encadré de sa mère, puis elle examina le livre sur la table de chevet – *Histoire des rois anglais* –, avant de se planter devant la fenêtre. La vue sur les jardins était la même que dans sa chambre. La jeune femme se retourna, examinant la pièce avec un sentiment de frustration. Divers objets traînaient ici et là, mais rien qui aurait pu lui apprendre quelque chose de significatif sur son mari. C'était idiot, d'ailleurs, d'avoir pensé qu'en s'invitant dans sa chambre, elle pourrait en savoir davantage sur son compte.

C'est alors que son regard tomba sur la porte du dressing. Un dressing n'était pas l'endroit le plus évident pour renfermer des objets intimes, mais après tout, puisqu'elle était là, pourquoi ne pas y jeter un coup d'œil ?

Melisande poussa la porte. Le dressing était meublé, comme c'était prévisible, de tringles sur-

chargées de vêtements, et de tiroirs contenant également-
ment diverses pièces d'habillement – chaussettes,
sous-vêtements… Mais il y avait aussi, dans un coin,
une banquette à une place et, juste à côté, un autre
lit, rudimentaire, et une couverture. La jeune femme
haussa les sourcils. Bizarre. Que faisaient là ces deux
couchettes ? Une seule aurait suffi à M. Pynch. Et
pourquoi ce lit de fortune ? Vale n'aurait pas imposé
à son valet de dormir sur quelque chose d'aussi
inconfortable.

Melisande se glissa dans le dressing et s'approcha
du petit lit. Une chandelle était posée à côté, et le
coin d'un livre pointait sous la couverture froissée.
En revanche, la banquette était nue, dépourvue de
draps et de couvertures, comme si personne ne dormait jamais dessus. La jeune femme souleva la couverture, pour lire le titre du livre. C'était un recueil
de poèmes de John Donne. De plus en plus étrange.
Elle ne s'imaginait pas un valet lisant des poèmes
de John Donne. Puis elle remarqua les cheveux, sur
l'oreiller. Ils étaient d'un brun presque roux.

Quelqu'un, dans son dos, s'éclaircit la gorge.

Melisande se retourna. M. Pynch l'observait, les
sourcils dressés.

— Puis-je vous aider, milady ? Cherchez-vous quelque chose ?

— Non, répondit-elle, cachant le tremblement de
ses mains dans ses jupes.

Dieu merci, ce n'était pas Vale qui l'avait découverte ! Elle redressa le menton et s'apprêta à sortir,
mais elle se ravisa.

— Vous servez mon mari depuis longtemps, n'est-
ce pas, monsieur Pynch ?

— Oui, milady.

— A-t-il toujours dormi sur ce petit lit ?

— Oui, milady. Depuis que je le connais, du moins.

— Savez-vous pourquoi ?

— Certains hommes n'ont pas besoin de beaucoup
de confort.

Melisande le regardait avec insistance. Il soupira.

— Parfois, les soldats ont du mal à s'endormir. Surtout aux pires heures de la nuit.

— Aurait-il peur du noir?

Pynch grimaça.

— J'ai reçu une balle dans la jambe, durant la guerre.

Melisande ne s'attendait pas à ce qu'il change aussi brutalement de sujet.

— Je suis désolée.

Le valet eut un geste vague de la main.

— Ce n'est rien. Ma blessure se rappelle à moi lorsque le temps est très humide. Mais le jour où je l'ai reçue, j'ai bien failli y passer. La balle m'avait jeté à terre, et un Français était prêt à m'achever avec sa baïonnette, quand lord Vale a chargé. Il y avait plein de Français prêts à tirer, qui s'interposaient entre lui et moi. Mais cela ne l'a pas arrêté. Il a foncé dans le tas. Comment il a réussi à passer entre les balles, c'est un mystère. Ce que je sais, c'est qu'il les a tous anéantis, milady. Il n'en restait plus un seul debout.

Melisande expira bruyamment.

— Je vois.

— De ce jour-là, j'ai décidé que je suivrais lord Vale où qu'il aille. Et même jusqu'en enfer, s'il me le demandait.

Melisande repassa dans la chambre.

— Merci de m'avoir raconté cette histoire, monsieur Pynch. Et soyez gentil d'informer lord Vale que je serai prête à partir, dès huit heures du matin.

Pynch s'inclina.

— Oui, milady.

Melisande regagna sa chambre, au comble de la perplexité. Tout le temps que M. Pynch était resté avec elle, il s'était tenu dans une posture quasi militaire, comme s'il gardait jalousement le dressing de son maître.

12

*Quand Jack rentra au château, il fit une chose bien
étrange. Reprenant ses hardes de bouffon, il se rendit
aux cuisines. Les domestiques s'affairaient pour préparer le souper royal. Profitant de l'agitation, Jack
s'approcha d'un marmiton qui touillait une soupe
au-dessus du feu.*

*— Je te donnerai une pièce d'argent si tu me laisses
m'occuper de la soupe de la princesse, lui dit Jack.*

*Le marmiton accepta le marché avec enthousiasme.
Il eut à peine le dos tourné que Jack jeta l'anneau de
bronze dans la soupe.*

L'attelage roula dans un nid-de-poule et tangua
violemment. Melisande tangua elle aussi, ayant
appris dès la première journée de leur périple qu'il
était préférable d'accompagner les mouvements de
la voiture, plutôt que de vouloir rester le dos droit.
Au bout du troisième jour, elle commençait à être
habituée.

Sally, assise contre elle, s'était assoupie. Mouse,
couché sur la banquette d'en face, dormait également. De temps en temps, il lâchait même un ron-
flement.

Melisande regarda par la fenêtre. Ils étaient au
milieu de nulle part. Des collines verdoyantes ondu-
laient à l'horizon, la lumière du jour déclinait.

— N'aurions-nous pas déjà dû nous arrêter ? demanda-t-elle à son mari.

Vale était à moitié allongé sur la banquette opposée. Bien qu'il eût les yeux fermés, il répondit immédiatement.

— Vous avez raison. Nous étions censés nous arrêter à Birkham, mais l'auberge était fermée. Le cocher a donc continué sa route jusqu'à la suivante, mais je me demande s'il ne s'est pas égaré.

Vale ouvrit les yeux et jeta un regard par la vitre. Il ne semblait pas spécialement anxieux de voir la nuit tomber, alors qu'ils avaient peut-être perdu leur chemin.

— Nous avons quitté la route principale, observa-t-il. Mais qui sait ? L'auberge se trouve peut-être au milieu d'une pâture ?

Melisande soupira et reposa le conte qu'elle avait emporté avec elle, pour en achever la traduction. Elle avait pratiquement terminé, à présent. Le soldat revenu de la guerre avait été transformé en nain et en bouffon – mais un nain très courageux. Il n'avait pas précisément le profil d'un héros de conte de fées, mais aucun des héros du livre d'Emeline n'était conforme à la tradition. Melisande reprendrait sa traduction demain : il faisait trop sombre pour écrire.

— Ne ferions-nous pas mieux de rebrousser chemin ? suggéra-t-elle. Une auberge close constituera toujours un meilleur abri que des collines inhabitées.

— Vous avez encore raison, ma chère femme. Mais je crains que nous ne puissions retourner à Birkham avant la nuit complète. Mieux vaut poursuivre.

Et il referma les yeux.

La jeune femme regarda de nouveau par la vitre, jeta un coup d'œil à Sally, toujours assoupie, et risqua en baissant la voix :

— J'avais promis à Sally que nous ne voyagerions pas de nuit. Elle n'avait encore jamais quitté Londres.

— Dans ce cas, son voyage sera très instructif, rétorqua Vale sans rouvrir les paupières. Et ne craignez rien. Le cocher et les valets sont armés.

Melisande croisa les bras et décida de changer de sujet.

— Que savez-vous de M. Munroe ?

Elle avait déjà tenté à plusieurs reprises, depuis leur départ, de découvrir pourquoi son mari voulait absolument s'entretenir avec cet Écossais. À chaque fois, il avait dévié la conversation.

— Sir Alistair Munroe, corrigea-t-il.

Il avait dû deviner son exaspération car, sans rouvrir les yeux, il esquissa un sourire.

— Munroe a été anobli pour services rendus à la Couronne, enchaîna-t-il. Son livre sur la faune et la flore du Nouveau Monde fait autorité. C'est un gros volume, difficile à manier, mais les gravures sont d'une qualité exceptionnelle. Elles ont toutes été coloriées à la main, d'après ses dessins. Le roi George était tellement impressionné qu'il a invité Munroe à prendre le thé.

Melisande ne l'était pas moins. Ce n'était pas tous les jours qu'un naturaliste buvait le thé avec le roi.

— Il a dû séjourner longtemps dans les colonies, afin de réunir les matériaux nécessaires à son livre. Était-il attaché à votre régiment ?

— Non. Il passait d'un régiment à l'autre, en fonction de nos ordres de marche. En tout, il n'est pas resté plus de trois mois avec le 28e. Il nous avait rejoints avant notre départ pour Québec.

Vale semblait sur le point de s'endormir, ce qui alerta Melisande. Par deux fois, déjà, il s'était dérobé à ses questions en simulant le sommeil.

— Quel genre d'homme est-il ?

— Oh, très écossais. Taciturne, ne parlant jamais beaucoup. Ce qui ne l'empêchait pas d'avoir un solide sens de l'humour. Et même, de l'humour noir.

Il y eut un silence. Melisande contempla les collines qui se paraient de teintes pourpres avec le couchant.

— Je me souviens, reprit Vale, qu'il possédait une grosse malle en cuir avec des armatures de fer, confectionnée spécialement sur ses ordres. Elle était divisée en dizaines et dizaines de compartiments. C'était très ingénieux. Il y avait des petites boîtes ou des fioles de verre pour héberger des insectes, des presses pour sécher les feuilles des plantes ou les fleurs. Il l'avait ouverte une fois devant nous. Vous auriez dû voir tous ces soldats aguerris, que plus rien n'étonnait, tourner autour de sa malle comme des gamins à la foire !

— Ce devait être un beau spectacle, murmura Melisande.

— Oui, confirma-t-il, d'une voix de plus en plus lointaine.

— Peut-être acceptera-t-il de me la montrer quand nous serons chez lui ?

— C'est impossible. Les Indiens la détruisirent lorsqu'ils nous attaquèrent. La malle fut réduite en pièces, et tous les beaux spécimens qu'elle contenait se retrouvèrent dispersés aux quatre vents.

— Mon Dieu, le pauvre homme ! Ça a dû être terrible de voir sa collection anéantie !

Pas de réponse.

— Jasper ? le pressa Melisande.

La voix de Jasper résonna soudain sinistrement dans l'habitacle gagné par l'obscurité.

— Il n'a rien vu. Ses blessures… Il n'est jamais retourné sur le lieu du massacre. Moi non plus, d'ailleurs. Je n'ai appris ce qui était arrivé à sa malle que plusieurs mois plus tard.

— Je suis navrée, murmura Melisande, mais elle n'aurait su dire pour quoi elle exprimait le plus de compassion : la malle détruite, le massacre, ou le fait qu'aucun des survivants de Spinner's Falls n'ait plus jamais été le même homme. Quel âge a sir Alistair ?

Vale hésita.

— Un peu plus âgé que moi, je pense. Vous…

— Regardez ! l'interrompit Melisande, qui croyait avoir vu un mouvement par la vitre de la portière.

Une détonation retentit au-dehors. Melisande tressaillit. Sally se réveilla en sursaut et cria. Mouse bondit sur ses pattes et se mit à aboyer.

— La bourse ou la vie ! hurla une voix menaçante. Et l'attelage s'immobilisa.

— Damnation ! s'exclama Vale.

Jasper redoutait cela depuis la tombée de la nuit. Il savait qu'ils traversaient un territoire dangereux. La perte de sa bourse ne l'inquiétait pas outre mesure, en revanche il n'était pas question qu'il laisse un bandit toucher à un cheveu de Melisande.

— Que se… ? commença-t-elle, mais il s'empressa de lui couvrir la bouche de sa main.

C'était une femme intelligente, et elle comprit aussitôt qu'il était préférable de se taire. Attirant Mouse dans son giron, elle lui cloua le museau pour qu'il cesse d'aboyer.

La chambrière pressait une main sur sa bouche, les yeux affolés et ronds comme des soucoupes. Elle n'émettait aucun son mais Jasper, par prudence, plaça un doigt sur ses propres lèvres afin de la réduire au silence.

Pourquoi le cocher n'avait-il pas tenté d'accélérer, pour échapper aux bandits ? se demanda-t-il. Mais la réponse lui vint presque aussitôt : avec l'obscurité, il avait craint de faire verser l'attelage dans une ornière.

— Sortez de là ! cria une autre voix.

Ils étaient donc au moins deux. Sans doute davantage. De son côté, Jasper pouvait aligner deux valets de pied, le cocher et deux cavaliers, dont Pynch. Six hommes en tout, avec lui. Mais combien de brigands en face ?

— Vous m'avez entendu ? Sortez de là ! répéta la deuxième voix.

Son complice devait tenir le cocher en joue. Le troisième, s'il y en avait un, aurait probablement la charge de les délester de leurs objets de valeur.

— Nom de Dieu ! Sortez de là, ou c'est moi qui entre. Et si j'entre, je tire !

La chambrière de Melisande laissa échapper un gémissement de terreur. Mouse se débattait, mais sa maîtresse tenait bon.

Un bandit malin commencerait par tuer les domestiques à l'extérieur, avant de forcer les occupants de la voiture à sortir. Mais celui-ci devait être assez stupide pour…

La portière de la voiture s'ouvrit à la volée, et un homme armé d'un pistolet fit irruption. Jasper attrapa le canon de son arme, et tira violemment. Le pistolet alla voltiger à l'autre bout de l'habitacle. La chambrière hurla. L'homme bondit pour récupérer son arme, mais Jasper fut plus rapide et s'en empara.

— Ne regardez pas, conseilla-t-il à Melisande.

Il abattit la crosse du pistolet sur la tempe de l'agresseur. Et il répéta son geste trois fois, avec férocité, pour s'assurer que sa victime était morte, puis il jeta le pistolet. Il détestait brandir une arme.

Un cri retentit à l'extérieur, suivi d'une détonation.

— Couchez-vous ! ordonna Jasper à Melisande et sa domestique, car une balle pouvait traverser la paroi du véhicule.

Les deux femmes s'aplatirent sur la banquette.

Puis on entendit quelqu'un courir en direction de la voiture. Jasper se plaça devant les deux femmes, pour faire rempart.

— Milord ! s'exclama Pynch, passant la tête dans l'habitacle. Vous n'êtes pas blessés ?

— Je crois que non, répondit Jasper. Tout va bien, ma chère femme ?

— Ou… oui, fit-elle, se redressant.

Sa chambrière tremblait violemment. Melisande lâcha son chien et l'attira dans ses bras, lui tapotant le dos pour la réconforter.

— C'est fini, dit-elle. Lord Vale et M. Pynch nous ont sauvé la vie.

Mouse sauta sur le plancher de la voiture et gronda après le cadavre du bandit.

— Nous avons capturé l'un de ses comparses, milord. Le troisième s'est enfui.

Jasper hocha la tête avec un sourire reconnaissant.

— Aide-moi à sortir celui-ci de la voiture. Melisande, restez à l'intérieur pour l'instant, tant que les abords ne sont pas sûrs.

Elle acquiesça.

— Entendu.

Malgré la présence de deux témoins – Pynch et la chambrière –, Jasper ne put résister à l'envie de lui donner un baiser. Tout s'était passé tellement vite ! Si les choses avaient mal tourné…

Jasper sauta hors de la voiture, impatient de se confronter au gredin qui avait mis la vie de sa femme en danger. Mais d'abord, il aida Pynch à sortir le cadavre. Il espérait que Melisande n'avait pas trop regardé, car le crâne du bandit était à moitié fracassé.

Mouse descendit aussi de voiture.

— Où est l'autre ? demanda Jasper à Pynch.

— Par ici, milord.

Pynch lui désigna un arbre, au pied duquel on distinguait une silhouette étendue par terre. Les autres valets l'entouraient.

— Personne n'a été touché ? s'enquit Jasper, se dirigeant vers le petit groupe.

— Bob a une éraflure au bras, mais nous n'avons rien d'autre à déplorer.

— Parfait. Demande à un valet d'allumer des lanternes. La lumière fait toujours fuir la vermine.

— Bien, milord, acquiesça Pynch qui repartit vers la voiture.

— Voilà l'autre bandit, milord, annonça Bob quand Jasper l'eut rejoint.

Bob avait noué un linge à son bras droit, mais le pistolet qu'il pointait sur le gredin ne tremblait pas. Pynch revint avec une lanterne, et ils se penchèrent tous pour examiner l'homme. Ce n'était qu'un gamin – sans doute avait-il à peine vingt ans. Sa poitrine saignait abondamment. Mouse le renifla quelques secondes, puis s'en désintéressa et alla lever la patte contre un arbre.

— Vit-il encore ? questionna Jasper.

— À peine, répondit Pynch, impassible.

C'était probablement lui qui avait tiré sur le garçon, mais il n'en éprouvait aucun remords. Après tout, ce gamin avait failli attenter à leur vie.

— Qu'on l'abandonne ici, décida Jasper.

— Non !

Il se retourna. Melisande était sortie de voiture, bravant son ordre de rester à l'intérieur.

— Madame ?

Elle ne tressaillit pas, malgré son ton glacial.

— Emmenons-le avec nous, Jasper.

La lumière d'une lanterne, brandie près d'elle par un valet, lui donnait une silhouette éthérée et fragile. Trop fragile.

— Il aurait pu vous tuer, rétorqua Jasper.

— Mais il ne l'a pas fait.

Elle paraissait peut-être fragile, mais son caractère était trempé dans le meilleur acier.

— Pynch, enveloppe-le dans une couverture, ordonna-t-il, sans quitter la jeune femme des yeux. Et prends-le sur ton cheval.

Melisande fronça les sourcils.

— La voiture serait…

— Je ne veux pas le voir près de vous.

Comprenant qu'il ne céderait pas sur ce point, elle hocha la tête.

Il se tourna vers Pynch :

— Tu banderas sa blessure à l'auberge. Je n'ai pas envie de m'attarder ici.

— Bien, milord.

Jasper rejoignit sa femme et lui prit la main.

— J'ai fait cela pour vous, mon cœur, lui chuchota-t-il à l'oreille. Rien que pour vous.

Elle leva les yeux vers lui.

— Vous l'avez fait aussi pour vous. Ce n'est pas bien de laisser mourir quelqu'un tout seul, quel que soit son crime.

Jasper préféra ne pas répondre. Autant la laisser s'imaginer qu'il avait en effet ce genre de préoccupations. Il l'aida à remonter en voiture, la suivit dans l'habitacle et referma la portière. Même si le bandit vivait encore quelques heures, il ne pourrait plus faire de mal à Melisande, et c'était la seule chose qui importait.

Melisande ne put réprimer un soupir lorsque la porte de sa chambre d'auberge se referma derrière elle. Depuis leur départ, Vale avait toujours réservé deux chambres partout où ils avaient dormi, et ce soir n'avait pas fait exception. Malgré l'attaque de tout à l'heure ; malgré la présence dans l'auberge du jeune bandit agonisant – il avait été transporté dans une pièce à l'arrière ; et malgré le fait que la petite auberge affichât pratiquement complet, Melisande se retrouvait seule.

Elle s'approcha de la petite cheminée, bien garnie en bûches grâce à un pourboire généreux à la femme de l'aubergiste. Les flammes dansaient devant elle, mais ses doigts demeuraient glacés. Les domestiques faisaient-ils des gorges chaudes de voir leurs maîtres dormir séparément juste après leur mariage ? Melisande avait vaguement honte de cette situation, comme si elle s'estimait coupable d'avoir failli quelque part dans son devoir d'épouse.

Mouse bondit sur le lit, tourna trois fois sur lui-même et se coucha avec un soupir.

Au moins Sally s'abstenait-elle de tout commentaire sur ces dispositions nocturnes. Sa chambrière continuait de l'habiller et la déshabiller avec le même enthousiasme – sauf ce soir, où elle n'avait pas complètement récupéré de son choc après l'attaque des brigands. Melisande avait eu pitié d'elle et l'avait envoyée se coucher.

Du coup, la jeune femme se retrouvait vraiment toute seule. Elle n'avait guère fait honneur au dîner préparé par la femme de l'aubergiste. Pourtant, son poulet avait paru délicieux, mais comment trouver l'appétit alors qu'un jeune homme se mourait non loin de vous ? Elle s'était donc retirée rapidement. À présent, elle regrettait sa précipitation : elle aurait dû rester plus longtemps dans la petite salle à manger privée que Vale leur avait réservée. Mais il était trop tard pour redescendre, maintenant qu'elle était déshabillée.

Puisqu'il ne servait à rien de rester éveillée, la jeune femme tira les couvertures du lit, constata avec satisfaction la propreté des draps, et se glissa dedans. Puis elle souffla la chandelle et contempla les flammes dans l'âtre, songeant à tout et à rien, jusqu'à ce que ses paupières s'alourdissent.

Mais soudain, elle prit conscience d'une présence à son côté. Deux bras puissants l'entourèrent.

— Jasper ? murmura-t-elle, à moitié endormie.

— Chut, mon cœur.

Elle entrouvrit les lèvres et il en profita pour s'en emparer, l'embrassant fougueusement. Elle gémit, toutes ses défenses réduites à néant. Elle sentit qu'il tirait sur sa camisole et la faisait passer par-dessus sa tête, pour l'en débarrasser. Puis ses mains explorèrent ses seins, titillant ses tétons.

— Jasper… gémit-elle, lui caressant le dos.

Il était nu. Sa peau était brûlante sous ses paumes. Ses muscles roulaient sous ses doigts.

— Chut, lui intima-t-il encore.

Il lui écarta les cuisses, et la pénétra.

Jasper comprit qu'elle n'était pas vraiment prête à le recevoir – elle dormait à moitié. Il s'obligea à la douceur, mesurant ses coups de reins, avant de s'enfoncer complètement en elle. En même temps, il lui caressait les seins.

Il lui souleva les jambes. La jeune femme, les yeux toujours fermés, voulut arquer les reins mais, les jambes repliées, elle en fut empêchée. Jasper contrôlait totalement la situation : il voulait lui faire l'amour de la manière dont il l'entendait, et elle n'avait d'autre choix que de se soumettre.

À présent, ses mouvements étaient plus rapides. La respiration de Jasper devenait haletante. Melisande ne rouvrit pas les paupières : elle voulait rester comme dans un rêve.

Il glissa la main entre leurs deux corps soudés, et lui caressa le clitoris avec son pouce.

— Viens avec moi, chuchota-t-il, la voix rauque. Viens avec moi...

Elle ouvrit enfin les yeux. Ses prunelles turquoise brillaient dans la pénombre.

— Viens avec moi, répéta-t-il.

Son pouce la caressait avec dextérité, et il murmura encore :

— Viens avec moi.

Comment aurait-elle pu refuser sa requête ? Melisande sentait le plaisir monter, monter...

— Viens avec moi.

Elle renversa la tête sur l'oreiller et poussa un long gémissement, qu'il cueillit avec ses lèvres, comme le trophée de la victoire. Son pouce continuait ses caresses, de plus en plus vite, son membre s'enfonçait en elle toujours plus profondément. Alors, le plaisir la submergea. Elle n'avait encore jamais connu pareil orgasme, presque douloureux dans son intensité.

Elle le contempla. Il se redressa sur ses bras pour la pilonner encore plus fort, et planta son regard dans le sien. Ses yeux brillaient de désir, mais aussi de quelque chose d'autre.

— Par Dieu... grogna-t-il. Oh, mon Dieu !

Il s'arqua magnifiquement, et Melisande sentit sa semence se répandre en elle. Elle en éprouva une joie immense.

Leur étreinte avait eu quelque chose de sacré.

Il se tenait toujours dressé sur les bras, la tête en arrière. Mais soudain, la jeune femme sentit une goutte tomber sur son sein gauche.

— Jasper, chuchota-t-elle, enserrant dans ses mains son visage mouillé de larmes. Jasper...

Il se retira d'elle – la séparation de leurs corps fut comme une torture pour la jeune femme – et descendit du lit.

— Le gamin est mort, dit-il, ramassant son peignoir tombé à terre.

Et il quitta la chambre.

13

Ce soir-là, la cour bruissait de rumeurs. Le serpent était mort, mais personne n'avait rapporté l'anneau de bronze. Qui était le brave qui avait eu raison du monstre et s'était emparé de l'anneau ?

Jack, comme à son habitude, se tint derrière la princesse pendant tout le dîner. Celle-ci lui jeta un drôle de regard en s'asseyant à table.

— Où étais-tu passé, Jack ? Tes cheveux sont mouillés.

— J'ai rendu visite à un petit poisson argenté de mes amis, répondit Jack, avant d'effectuer une cabriole.

La princesse sourit et commença à manger, mais une surprise de taille l'attendait au fond de son assiette de soupe : l'anneau de bronze !

Ce fut un beau remue-ménage. Le cuisinier en chef fut convoqué sur-le-champ, et interrogé devant toute la cour. Mais le pauvre homme ignorait complètement comment l'anneau avait pu atterrir dans la soupe de la princesse.

Le mystère demeura entier.

Sa femme devait le prendre pour un monstre, après ce qui s'était passé hier soir, songeait Jasper. Et cette perspective lui gâchait son petit déjeuner – pourtant agrémenté d'excellents œufs brouillés préparés par la femme de l'aubergiste. En revanche, le thé n'était pas de première qualité.

Sa tasse à la main, Jasper observait son épouse, assise en face de lui. Elle n'avait pas du tout l'air d'une femme qui avait été séduite pendant son sommeil : elle était apparue fraîche, reposée, impeccablement coiffée. Ce qui, bizarrement, le rendait encore plus mal à l'aise.

— Avez-vous bien dormi ? demanda-t-il, faute d'imagination pour une meilleure entrée en matière.

— Oui, merci. Mais ne pourrions-nous pas nous tutoyer, désormais ?

Il sourit.

— Avec plaisir.

Elle glissa un morceau de tartine à Mouse, assis à ses pieds.

— Nous entrerons en Écosse aujourd'hui, expliqua-t-il. Et nous devrions atteindre Édimbourg demain après-midi.

— Ah ?

Jasper se beurra une tranche de pain.

— J'ai une tante, à Édimbourg.

La jeune femme but une gorgée de thé, avant de répondre :

— Vraiment ? Tu ne m'en avais jamais parlé. Est-elle écossaise de naissance ?

— Non. Mais son premier époux était écossais. Si je compte bien, elle en est à son troisième mari. Elle s'appelle Esther Whippering. Nous passerons une nuit chez elle.

— Très bien.

— Elle a vieilli, bien sûr, mais c'est toujours une forte femme. Quand j'étais petit, elle me tirait les oreilles plus souvent qu'à mon tour. Et je peux t'assurer que c'était douloureux.

Elle reposa sa tasse.

— Quelles bêtises commettais-tu pour mériter une telle punition ?

— Aucune. Mais elle prétendait que ça ne pouvait pas me faire de mal.

— Elle n'avait pas tort.

Il allait répondre, mais quelque chose lui gratta la jambe. Il souleva la nappe.

— Je parie que c'est Mouse, devina la jeune femme.

— Que veut-il ?

— Ta tartine.

— Il n'est pas question que je la lui donne.

— Il se contentera d'un petit morceau.

— Je ne vois pas pourquoi j'irais récompenser un comportement mal élevé.

— Hmm. Si nous demandions à la femme de l'aubergiste de nous préparer un panier pour le déjeuner ? Elle a l'air de bien cuisiner.

— Bonne idée, acquiesça Jasper, alors que Mouse lui grattait de nouveau la jambe. Nous ne croiserons peut-être pas d'autre auberge d'ici l'heure du déjeuner.

La jeune femme hocha la tête, et se leva de table pour aller avertir l'aubergiste.

Dès qu'elle eut le dos tourné, Jasper détacha un bout de sa tartine et le glissa sous la nappe. Une petite langue humide s'en empara aussitôt.

Melisande revenait déjà. Elle lui jeta un regard soupçonneux, mais ne dit rien.

Une demi-heure plus tard, les chevaux étaient harnachés, et la chambrière se trouvait assise à côté du cocher – pour changer. Melisande et Mouse attendaient dans la voiture, pendant que Jasper s'entretenait une dernière fois avec l'aubergiste. Puis il monta à son tour en voiture et donna l'ordre au cocher de démarrer.

— Que lui as-tu dit ? s'enquit Melisande.

Jasper regardait par la portière. Le brouillard enveloppait les collines.

— À qui ?

— À l'aubergiste.

— Je l'ai remercié pour la propreté de son auberge. Il a convenu avec moi que des puces dans les draps auraient gâché notre nuit d'amour.

La jeune femme le regarda, bouche bée.

Il soupira.

—En fait, je lui ai donné de l'argent pour payer l'enterrement du gamin. Et un supplément pour la gentillesse de son accueil. Il n'était pas obligé de fournir un lit à un bandit, même agonisant. J'ai pensé que tu serais d'accord avec mon geste.

—En effet. Merci.

Il s'adossa à la banquette et croisa les jambes.

—Tu as le cœur bien généreux, ma chère femme.

Elle secoua la tête.

—Non, je crois simplement avoir le cœur juste.

—Un cœur, en tout cas, qui te fait compatir pour un gredin qui t'aurait tuée sans hésitation.

—Tu ne peux pas l'affirmer.

Jasper contempla de nouveau le paysage qui défilait par la vitre.

—S'il n'avait pas prévu de se servir de son arme, il ne l'aurait pas chargée.

—Pourquoi n'as-tu pas tiré toi-même? M. Pynch m'a appris, ce matin, qu'il y avait des pistolets sous les sièges.

Le diable emporte Pynch et sa langue trop bien pendue! Mais le regard de la jeune femme trahissait davantage la curiosité qu'une forme d'accusation.

Il soupira.

—Je suppose que je devrais te montrer leur maniement, pour que tu sois capable de t'en servir le cas échéant. Mais, de grâce, n'en prends pas un si tu n'as pas expressément besoin de t'en servir! Et pointe-le toujours vers le sol.

Elle arqua les sourcils, mais ne fit aucun commentaire.

Jasper changea de banquette pour s'asseoir à côté d'elle, et retira le coussin de la sienne, découvrant un petit compartiment secret dont il souleva le couvercle. À l'intérieur était rangée une paire de pistolets.

—Les voilà.

Melisande les contempla. Mouse, qui dormait à moitié, se leva pour regarder également.

— Pourquoi ne les as-tu pas sortis hier soir ? demanda-t-elle.

Jasper ferma le compartiment, reposa le coussin dessus et reprit sa place sur la banquette.

— Je ne les ai pas sortis parce que je n'aime pas les armes à feu, si tu veux tout savoir.

— Cela a dû constituer un handicap, aux colonies.

— Oh, il m'est souvent arrivé de tirer au pistolet ou même à la carabine lorsque j'étais dans l'armée. Et j'étais plutôt bon tireur. Mais je n'ai plus touché à une arme depuis que je suis rentré en Angleterre.

— Pourquoi les détestes-tu maintenant ?

— Je n'aime pas avoir un pistolet dans la main. C'est une question de sensation, voilà tout. Mais s'il n'y avait pas eu d'autre solution, je les aurais sortis, bien sûr. Il n'était pas question que je mette ta vie en danger.

— Je sais, dit-elle.

Cette simple réponse l'emplit d'un sentiment qu'il n'avait plus connu depuis longtemps : le bonheur. Il la contempla. La jeune femme paraissait ne pas douter un seul instant de son courage.

Je vous en supplie, Seigneur, songea-t-il, faites qu'elle ne découvre jamais la vérité...

Melisande aurait voulu dire à Vale qu'elle n'aimait pas dormir séparée de lui, mais elle n'osait pas. Ce soir-là, ils firent étape dans une nouvelle auberge. Malheureusement, l'établissement était presque complet, leur annonça l'aubergiste venu les accueillir dans la cour, et il ne restait plus qu'une seule chambre. La jeune femme assista, impuissante, aux tractations entre Vale et l'aubergiste : au lieu de partager cette unique chambre avec elle, il la destinait à son intention, tandis que lui-même dormirait dans la salle commune. À condition que l'aubergiste veuille bien lui fournir une paillasse – et c'était là l'essentiel de leur marchandage.

Résignée, la jeune femme s'intéressa à Mouse, qu'un valet promenait en laisse dans la cour. Ou plutôt, c'était Mouse qui tirait le valet avec sa laisse. Il entraînait le malheureux de pilier en pilier, levant à chaque fois la patte, avant de s'élancer gaiement vers le pilier suivant.

— Es-tu prête ? demanda Vale.

La jeune femme sursauta. Perdue dans ses pensées, elle n'avait pas vu qu'il en avait terminé avec l'aubergiste.

— Oui, dit-elle, prenant son bras.

— Mouse va finir par arracher l'épaule de ce pauvre valet, commenta Vale alors qu'ils se dirigeaient vers la porte de l'auberge. Sais-tu qu'ils jouent aux dés chaque jour, pour savoir qui va le promener ?

— Et le gagnant remporte la laisse ?

— Non, le perdant, rectifia Vale, ouvrant la porte.

Il se figea sur le seuil, sourcils froncés.

L'auberge était ancienne. De grandes poutres noircies par l'âge et la fumée soutenaient le plafond. Sur la gauche s'ouvrait la salle commune, avec un feu qui rugissait dans l'immense cheminée. Toutes les tables affichaient complet. Les clients, pour l'essentiel des hommes, dînaient en buvant de la bière et en parlant bruyamment.

— Par là, dit Vale, guidant Melisande vers la droite, dans une salle plus petite qui leur servirait de salle à manger.

Des assiettes en terre cuite avaient déjà été disposées sur la table à leur intention, ainsi qu'une miche de pain frais.

— Merci, murmura la jeune femme tandis qu'il lui avançait une chaise.

À peine fut-elle assise que le valet revenait avec Mouse. Le terrier se précipita vers elle pour recevoir une caresse.

— Alors, sir Mouse, as-tu fait bonne promenade ?

— Il a bien failli attraper un rat, milady, expliqua le valet. Dans les écuries. Il est petit, mais il est rapide.

Melisande sourit à son chien et lui tapota le crâne.

— Bien joué, sir Mouse.

L'aubergiste arriva sur ces entrefaites, avec une bouteille de vin. Une servante le suivait, apportant un ragoût de mouton. La petite salle à manger se retrouva subitement très encombrée, et cinq bonnes minutes passèrent avant que Vale et Melisande se retrouvent enfin seuls.

— Demain... commença-t-il, avant d'être interrompu par un éclat de voix plus fort que les autres, en provenance de la grande salle.

Vale fronça les sourcils.

— Ferme ta porte à clé, et ne sors pas de ta chambre, ordonna-t-il à Melisande. Je n'aime pas cette clientèle.

La jeune femme hocha la tête. De toute façon, elle verrouillait toujours sa porte ou, à défaut de verrou, elle calait une chaise sous la poignée. Mais les autres nuits, Vale dormait dans la chambre voisine.

— Je demanderai à un valet de monter la garde devant ta porte, ajouta-t-il comme s'il avait deviné ses pensées.

Ils finirent de dîner en silence. Dix heures du soir avaient sonné quand Melisande gagna sa chambre, avec Mouse. Sally l'y attendait pour l'aider à se déshabiller. La chambre était petite, mais propre. Outre le lit, une table et deux fauteuils devant la cheminée complétaient le mobilier. Enfin, deux gravures représentant des chevaux ornaient l'un des murs.

Melisande s'approcha de la fenêtre et constata que la vue donnait sur la cour des écuries.

— As-tu bien dîné ? demanda-t-elle à sa chambrière.

— C'était très bon, répondit Sally. Et pourtant, je n'aime pas beaucoup le mouton.

— Non ? fit Melisande qui déboutonnait sa robe.

— Laissez-moi faire, milady, intervint Sally.

Et pendant qu'elle s'affairait sur la robe de sa maîtresse, elle expliqua :

— Donnez-moi une bonne pièce de bœuf, et je serai la plus heureuse des femmes. Quand je pense que M. Pynch préfère le poisson ! Quelle idée, vraiment !

— Beaucoup de gens aiment le poisson, suggéra Melisande, diplomate.

Sally paraissait sceptique.

— Sans doute, milady. M. Pynch dit que s'il aime le poisson, c'est parce qu'il est né au bord de la mer.

— M. Pynch est né au bord de la mer ?

— Oui, milady. Dans les Cornouailles !

Melisande observa attentivement sa chambrière alors que celle-ci achevait de la déshabiller. Elle aurait pensé que le valet de Jasper était trop vieux et trop austère pour elle, mais Sally semblait beaucoup aimer parler de lui. Melisande voulait espérer que M. Pynch ne s'amusait pas avec les sentiments de la jeune domestique. Elle se promit, en tout cas, d'en toucher un mot à Vale.

— Voilà, milady ! s'exclama Sally après avoir boutonné sa chemise de nuit. Vous êtes ravissante, dans cette chemise. J'ai glissé une bouillotte dans vos draps et monté un pichet d'eau fraîche. Il y a aussi une carafe de vin, au cas où vous voudriez boire un remontant avant de vous coucher. Voulez-vous que je vous brosse les cheveux ?

— Non merci, Sally. Je le ferai moi-même. Tu peux disposer, à présent.

La chambrière salua et partit vers la porte.

— Sally, la rappela Melisande.

— Oui, milady ?

— Sois prudente. Lord Vale n'aime pas beaucoup les clients assemblés dans la grande salle.

— M. Pynch non plus. Il a promis de veiller sur mon sommeil.

Melisande eut une pensée reconnaissante pour le valet. Au moins, il se montrait protecteur envers Sally.

— Je suis ravie de l'entendre. Bonne nuit.

— Bonne nuit, milady. Dormez bien.

Après le départ de sa chambrière, Melisande se servit un verre de vin et le goûta. Il ne pouvait pas prétendre à la même qualité que les grands crus que Vale gardait dans sa cave, mais il n'en était pas moins plaisant à boire. Puis elle ôta les épingles retenant sa chevelure et les posa sur la table.

Pendant qu'elle se brossait les cheveux, elle entendit un grand bruit au rez-de-chaussée. Elle s'approcha de la porte pour écouter, sa brosse toujours à la main, mais après quelques éclats de voix, tout sembla rentrer dans l'ordre. La jeune femme termina de se brosser les cheveux, vida son verre de vin et se mit au lit.

Elle resta quelque temps éveillée, se demandant si Vale viendrait ou non lui rendre visite. Pour cela, il devrait réclamer la clé de sa chambre à l'aubergiste : elle avait pris soin, une fois Sally partie, de verrouiller sa porte ainsi qu'il le lui avait conseillé.

Ensuite, elle dut s'endormir, car elle rêva de Jasper à la guerre : il riait au milieu de la canonnade, et refusait de dégainer son pistolet. Dans son rêve, la jeune femme l'implorait de se défendre. Elle fut réveillée en sursaut par des cris et des coups frappés à sa porte.

Le temps qu'elle se redresse dans son lit, la porte s'ouvrit à la volée, et quatre gaillards ivres morts firent irruption dans la pièce.

Melisande sursauta d'horreur. Mouse bondit sur ses pattes et aboya.

— Mais c'est qu'elle est mignonne ! commenta l'un des intrus, désignant la jeune femme à ses acolytes.

Il n'eut pas le loisir d'en dire davantage. Vale s'était jeté sur lui, le frappant avec sauvagerie, sans prononcer un mot. Il était pieds nus et ne portait sur lui que son pantalon. Agrippant l'homme par les cheveux, il lui écrasa le visage sur le plancher. Du sang gicla.

Deux des autres ivrognes se figèrent devant ce déchaînement de violence. Mais le troisième voulut défendre leur comparse. Il en fut empêché par M. Pynch, qui l'entraîna dans le couloir. Un bruit mat ébranla le mur, et l'une des gravures accrochées dans la chambre de Melisande tomba par terre.

Son adversaire neutralisé, Vale se releva pour faire face aux autres. Melisande retint un cri d'angoisse. Ils avaient beau être soûls, ils étaient deux contre un. M. Pynch était toujours occupé avec le quatrième, dans le couloir.

— On voulait juste s'amuser un peu, expliqua l'un des gredins en tentant un sourire.

Vale lui décocha un coup de poing en plein visage. L'homme recula sous la force de l'impact, avant de s'effondrer comme un arbre foudroyé. Se tournant ensuite vers le dernier intrus qui essayait de s'esquiver, Vale le rattrapa par la manche et le projeta violemment contre le mur. Il s'effondra à son tour, tandis que la deuxième gravure rejoignait sa sœur jumelle sur le plancher. Intrépide, Mouse s'attaqua à son cadre.

M. Pynch apparut sur le seuil.

— Tout va bien ? lui demanda Vale.

Pynch hocha la tête. Mais son œil gauche était rouge et commençait d'enfler.

— J'ai réveillé les valets. Ils passeront le reste de la nuit dans le couloir, pour prévenir tout autre incident.

— Et Bob ? Il était supposé monter la garde devant la porte de ma femme.

— Je vais voir ce qui s'est passé, milord.

— Et dis aux autres de me débarrasser de ces gredins.

— Oui, milord.

Dès que Pynch eut disparu, Vale se tourna vers Melisande. Son regard était encore féroce et une coupure, sur sa joue, laissait échapper un peu de sang.

— Tu n'es pas blessée ? s'enquit-il.

La jeune femme secoua la tête.

Cependant, il abattit son poing contre le mur.

— Je t'avais promis qu'il ne t'arriverait rien.

— Jasper...

— Par le diable ! s'écria-t-il.

— Jasper...

M. Pynch revint à cet instant, avec les autres valets. Ils débarrassèrent la pièce des intrus, en prenant garde de ne pas risquer un regard vers la jeune femme, toujours assise dans son lit, les draps remontés jusqu'au menton. Puis Bob apparut, très pâle, et tenta d'expliquer qu'il avait eu mal au ventre. Vale, serrant les poings, préféra lui tourner le dos. M. Pynch fit alors signe au pauvre Bob de s'éclipser discrètement.

La chambre redevint calme. M. Pynch était sorti à son tour, et il ne restait plus que Vale, qui faisait les cent pas tel un lion en cage. Mouse aboya une dernière fois à la porte, puis revint sur le lit quémander une récompense pour son héroïsme. Melisande lui caressa les oreilles, pendant que Vale coinçait une chaise contre le battant. Les ivrognes avaient défoncé la serrure et abîmé le chambranle, si bien qu'elle ne fermait plus correctement.

Melisande observa un moment son mari, qui avait repris ses tours sur le tapis, puis elle soupira et se décida à quitter son lit pour lui offrir un verre de vin.

Il l'accepta sans un mot, et en vida la moitié d'un trait.

La jeune femme aurait voulu lui dire que ce n'était pas de sa faute. Il avait posté un garde devant la porte et, malgré la défection de celui-ci, il était quand même arrivé à temps. Mais elle savait que rien de ce qu'elle pourrait dire ne l'empêcherait de s'accuser. Peut-être pourrait-elle lui parler demain matin. Pour l'instant, c'était exclu.

Après un long silence, il termina son verre et le reposa doucement sur la table, comme s'il craignait de le briser.

— Retourne te coucher, dit-il. Je vais passer le restant de la nuit ici.

Il s'installa dans l'un des deux fauteuils face à la cheminée, alors que la jeune femme se glissait à nouveau entre les draps. C'était un fauteuil rudimentaire, à dossier droit, qui manquait de confort. Il étira ses longues jambes devant lui et croisa les bras sur sa poitrine.

Melisande le regardait avec tristesse. Elle aurait tant aimé qu'il vienne dormir avec elle ! Elle finit cependant par fermer les yeux.

Au bout d'un moment, elle entendit une voix murmurer derrière la porte. Vale se releva et alla ouvrir. Il y eut un petit bruit dans la pièce, puis tout redevint calme.

Melisande se risqua à entrouvrir les paupières. Son mari s'était couché dans un coin, sur une sorte de lit de camp, semblable à celui qu'elle avait vu dans son dressing. Il était allongé sur le côté, dos au mur. Melisande l'épia discrètement, jusqu'à ce que sa respiration ralentisse et devienne régulière. Puis elle attendit encore un peu.

Finalement, n'en pouvant plus, elle se glissa hors de ses draps et marcha, sur la pointe des pieds, jusqu'au lit de camp. Elle resta plantée devant quelques instants, à regarder son mari dormir, avant de passer à l'action. Son intention était de se lover entre Vale et le mur. Mais à l'instant où elle levait le pied pour l'enjamber, il tendit la main et lui saisit la cheville.

— Retourne te coucher, dit-il, la relâchant.

— Non.

— Melisande…

Ignorant son ton implorant, la jeune femme souleva la couverture et s'allongea à son côté.

— Bon sang, Melisande…

— Chut.

Elle posa une main sur sa taille et se lova contre son dos, s'enivrant de son odeur et de la chaleur de son corps. Elle soupira de contentement. Il commençait à se détendre, comme s'il consentait à lui accorder ce moment de tendresse. La jeune femme sourit. Elle avait dormi seule toute sa vie. Mais c'était terminé.

Elle avait enfin trouvé son port d'attache.

Jasper fut réveillé par une main féminine qui lui caressait le dos. D'abord, il eut honte. Honte qu'elle ait découvert qu'il dormait sur une paillasse, comme un mendiant. Honte d'être incapable de dormir dans un vrai lit, comme les autres hommes. Honte qu'elle connaisse désormais son secret. Mais la main de son épouse descendit plus bas, et le désir eut raison de tout le reste.

Il ouvrit les yeux et constata qu'il faisait toujours nuit. Le feu s'étant éteint dans la cheminée, la chambre était plongée dans le noir. D'ordinaire, il aurait préféré allumer une chandelle, mais pour une fois, l'obscurité ne le dérangeait pas.

La main de la jeune femme se referma sur son membre, lui arrachant un gémissement. Puis elle se mit à le caresser vigoureusement.

Il se retourna.

— Grimpe sur moi.

Elle se redressa et passa une jambe par-dessus ses hanches, pour s'asseoir bien droit sur lui.

— Prends-moi en toi, maintenant, murmura-t-il. Prends-moi et chevauche-moi !

Elle se redressa légèrement sur les genoux et s'empara de son membre pour s'empaler dessus. Jasper la saisit par les fesses pour la maintenir bien en place.

La jeune femme plaqua les mains sur son torse et commença à le chevaucher, les yeux fermés. Dès que Jasper entreprit de lui caresser les seins, elle renversa la tête en arrière.

— Jasper... murmura-t-elle, pantelante. Jasper...

— Oui, mon amour ?

— Caresse-moi.

— Mais je te caresse, mon amour.

— Non, pas comme ça. Tu sais comment.

Il secoua la tête.

— Je veux te l'entendre dire.

Elle s'enferma dans le silence.

Jasper aurait dû prendre pitié d'elle, mais c'était plus fort que lui : il voulait qu'elle exprime son désir.

— Dis-le.

— Oh, mon Dieu… caresse-moi la chatte !

Le pouvoir de certains mots était immense. À peine eut-il entendu ceux-là que Jasper sentit le plaisir le submerger. Il arqua les reins et s'empara des lèvres de la jeune femme pour étouffer son cri de jouissance.

14

Le lendemain, le roi annonça la deuxième épreuve : rapporter un anneau d'argent caché au sommet d'une montagne gardée par un troll.

Comme la première fois, Jack attendit que tous les prétendants aient quitté le château, puis il ouvrit sa tabatière en étain. L'armure de vent et l'épée magique réapparurent. Jack revêtit l'armure, se saisit de l'épée. Whoosh ! En un éclair, il se retrouva devant le vilain troll. L'affrontement dura un peu plus longtemps qu'avec le serpent, mais le résultat fut identique. Jack détenait à présent l'anneau d'argent...

Quand Melisande se réveilla le lendemain matin, Vale avait déjà quitté la chambre. Elle glissa la main sur l'oreiller qu'il avait occupé. Il était encore chaud, et portait la marque de sa tête. Bien qu'elle se retrouvât seule comme les autres matins depuis son mariage, cette fois était différente. Elle avait enfin pu passer la nuit dans les bras de son mari. Elle s'était réchauffée contre son corps, avait été bercée par le bruit de sa respiration et les battements de son cœur.

Elle s'attarda un moment dans les draps, un sourire aux lèvres, avant de se décider à appeler Sally.

Une demi-heure plus tard, elle descendait au rez-de-chaussée pour le petit déjeuner. Mais son mari avait disparu.

— Lord Vale est parti faire du cheval, milady, lui révéla un valet. Il a dit qu'il serait de retour pour notre départ.

— Merci.

Melisande gagna la salle à manger où ils avaient dîné la veille, et prit son petit déjeuner en solitaire. Il était inutile de vouloir rattraper Vale. De toute façon, il la rejoindrait tout à l'heure.

Mais il préféra chevaucher à côté de la voiture ce jour-là, et la jeune femme n'eut que sa chambrière pour compagnie.

Ils arrivèrent à Édimbourg en fin d'après-midi et se rendirent chez la tante de Vale, qui occupait une belle maison stylée en centre-ville. Mme Whippering était une petite femme replète, vêtue d'une ample robe jaune canari. Elle avait les joues roses, un sourire permanent et une voix haut perchée, dont elle faisait grand usage.

— Voici Melisande, mon épouse, lui dit Vale lorsqu'elle reprit sa respiration après avoir abreuvé son neveu de formules de bienvenue.

— Ravie de vous rencontrer, ma chère, s'enthousiasma Mme Whippering. Appelez-moi tante Esther.

Elle les conduisit à l'intérieur. Les pièces avaient toutes été redécorées à l'occasion de son troisième mariage.

— Nouveau mari, nouvelle maison! lança-t-elle joyeusement à Melisande.

Jasper souriait.

C'était une ravissante maison, au demeurant. Avec de superbes dallages en marbre noir et blanc.

— M. Whippering est impatient de faire votre connaissance, assura-t-elle, avant de les introduire dans un petit salon rouge aux murs surchargés de tableaux représentant des natures mortes.

Un homme, si grand et si fin qu'il ressemblait à un bâton de marche, était assis sur le canapé. Il s'apprêtait à mordre dans un muffin.

Tante Esther vola jusqu'à lui, ses jupes virevoltant autour d'elle.

—Pas de muffins, monsieur Whippering ! Vous savez bien que vous ne les digérez pas !

Le pauvre homme renonça à son muffin, et se leva pour les présentations. Il était encore plus grand que Vale, mais il avait un sourire très doux, et son regard brillait derrière ses lunettes.

—Voici Horatio Whippering, mon mari, annonça fièrement tante Esther.

M. Whippering salua Vale, et porta la main de Melisande à ses lèvres.

Tante Esther se laissa choir sur le canapé.

—Asseyez-vous, asseyez-vous, dit-elle à ses hôtes. Et racontez-moi votre voyage.

—Nous avons été attaqués par des bandits de grands chemins, commença Vale.

Melisande haussa les sourcils, mais il lui adressa discrètement un clin d'œil amusé.

—Pas possible ! s'exclama tante Esther, les yeux ronds comme des soucoupes. Avez-vous entendu cela, monsieur Whippering ? Des bandits de grands chemins s'attaquant à mon neveu et à son épouse ! Quelle histoire !

Elle versa le thé, avant de reprendre :

—J'espère que vous leur avez donné la leçon qu'ils méritaient !

—Oui, répondit Vale modestement.

—Vous avez de la chance d'avoir un mari aussi brave, dit tante Esther à Melisande.

Celle-ci préféra éviter de croiser le regard de Jasper, de peur d'éclater de rire.

—Ils auraient mérité d'être pendus, si vous voulez mon avis, poursuivit tante Esther.

Elle donna une tasse à Jasper, à Melisande, ainsi qu'à son mari :

—Ne mettez pas de lait, chéri, c'est mauvais pour votre estomac.

Puis, s'emparant d'un muffin, elle lança à Jasper :

—Je dois te gronder, mon cher neveu.

—À quel sujet ? s'étonna Jasper.

— Eh bien, à propos de ton mariage précipité. Il n'y avait aucune raison de se hâter ainsi... (Elle les regarda soudain tous deux avec suspicion.) Enfin, j'espère qu'il n'y avait *pas* de raison ?

Melisande fit non de la tête.

— Tant mieux, se félicita tante Esther. Mais alors, pourquoi cette précipitation ? Je venais à peine de recevoir la nouvelle que tu avais changé de fiancée, que dans la lettre suivante – c'était bien la lettre suivante, n'est-ce pas, monsieur Whippering ? pressa-t-elle son mari de confirmer.

Comme il se contentait de hocher la tête, sans doute rompu à ce rôle muet dans les monologues de son épouse, elle reprit :

— C'est bien ce que je disais, la lettre suivante. Dans laquelle ta mère m'apprenait que tu étais déjà marié. Rends-toi compte ! M. Whippering m'a courtisée pendant trois ans. N'est-ce pas, monsieur Whippering ?

L'intéressé hocha obligeamment la tête.

— Et je l'ai fait attendre neuf mois supplémentaires, avant de passer devant l'autel. Franchement, je ne te comprends pas, mon neveu.

— Mais, tante Esther, j'avais de bonnes raisons de vouloir épouser rapidement Melisande, répliqua Vale de l'air le plus sincère. J'avais trop peur de me la faire voler. Elle était assaillie de prétendants, que j'étais obligé de frapper à coups de bâton pour l'approcher. Dès que j'ai eu son consentement, je me suis empressé de convoquer un prêtre.

Il termina ses mensonges par un sourire innocent.

Mme Whippering applaudit avec enthousiasme.

— Tu as rudement bien fait ! Bravo ! Je suis contente que tu aies pu épouser une aussi jolie jeune femme. En plus, elle a l'air d'avoir la tête sur les épaules. Cela ne te fera pas de mal d'avoir quelqu'un de sensé à tes côtés.

Vale plaqua une main sur son cœur dans un geste théâtral.

— Ma tante, vous me faites de la peine.

— Peuh! fit Esther. Tu n'es qu'un grand coquin. Mais tous les hommes sont ainsi, surtout lorsqu'il s'agit des femmes. Même mon cher M. Whippering.

Tous se tournèrent vers M. Whippering, qui fit de son mieux pour afficher un air polisson.

— Quoi qu'il en soit, enchaîna tante Esther, je vous souhaite un long et heureux mariage.

Elle mordit dans son muffin avant de préciser:

— Et un mariage fructueux!

Melisande baissa les yeux face à cette allusion parfaitement limpide. Elle aussi rêvait d'avoir des enfants. Un bébé d'elle et de Jasper…

— Merci, tante Esther, répondit Vale avec gravité. Je compte donner à père une douzaine, au moins, de petits-enfants.

— Ne te moque pas de moi. La famille, c'est très important. *Très* important. Nous en parlons souvent, avec M. Whippering, et nous sommes d'avis que les enfants aident toujours les hommes à s'assagir. Or, mon cher neveu, tu aurais précisément besoin de t'assagir. Je me souviens d'une époque où…

Elle s'interrompit brusquement en voyant la pendule.

— Monsieur Whippering! s'exclama-t-elle d'une voix suraiguë. Regardez l'heure. Regardez l'heure! Pourquoi ne m'avez-vous pas prévenue qu'il était déjà si tard?

Le pauvre M. Whippering semblait effondré.

Tante Esther, alourdie par ses jupes volumineuses et encombrée par sa tasse de thé, tentait péniblement de se relever.

— Nous avons des invités à dîner. Et je dois me préparer. Oh, aidez-moi, à la fin!

M. Whippering se leva pour aider sa femme à s'extraire du canapé.

Elle alla aussitôt sonner une servante.

— Nous recevons sir Angus, et c'est un homme très pointilleux, confia-t-elle à Melisande. Mais ne vous inquiétez pas : il se détend après son deuxième verre de vin, et vous raconte les histoires les plus délicieuses. Je vais demander à Meg de vous montrer vos chambres. Vous pourrez faire votre toilette, si vous le souhaitez. Mais soyez redescendus à sept heures, pour l'arrivée de sir Angus, car il n'aura pas une seconde de retard. Il nous faudra trouver un sujet de conversation pour meubler le temps avec lui, pendant que nous attendrons les autres. Oh, j'ai invité des gens charmants !

Elle battit des mains comme une fillette tout excitée, et M. Whippering lui sourit avec adoration. Melisande se leva à son tour, mais tante Esther comptait à présent ses invités sur ses doigts.

— M. et Mme Flowers – je vous placerai à côté de M. Flowers, car il est très galant et donne volontiers raison aux dames. Mlle Charlotte Stewart, qui connaît toujours les derniers ragots. Le capitaine Pickering et sa femme – il a longtemps navigué, et il a vu des choses incroyables, vous savez. Et… Oh, voilà Meg !

Une soubrette venait d'entrer dans le salon. Tante Esther vola dans sa direction.

— Montrez leur chambre à mon neveu et à son épouse – la chambre bleue, *pas* la verte ! La verte est plus grande, mais la bleue est plus chaleureuse. En fait, je n'ai pas terminé de décorer la verte, confia-t-elle à Melisande. Et surtout n'oubliez pas : sept heures !

Vale, qui était resté assis à manger d'autres muffins, se décida à se lever.

— Ne vous inquiétez pas, tante Esther. Nous serons redescendus à sept heures précises, et dans nos plus beaux atours.

— Parfait ! approuva sa tante.

Melisande se contenta de sourire, car il semblait vain de vouloir placer un mot, et elle suivit Meg hors du salon.

— Ah, j'oubliais ! la rappela tante Esther. Il y aura un autre couple.

Vale et Melisande se retournèrent poliment.

— M. Timothy Holden et sa femme, lady Caroline, annonça tante Esther. Ils ont habité Londres avant de s'installer à Édimbourg, et vous serez sans doute ravis de les rencontrer. M. Holden est un gentleman fort séduisant. Peut-être le connaissez-vous ?

Melisande était si stupéfaite qu'elle ne sut quoi répondre.

Au dîner, ce soir-là, Jasper eut la conviction que quelque chose clochait avec Melisande. Tante Esther les avait séparés : la jeune femme était assise à l'autre bout de la table, entre M. Flowers et sir Angus. Ce dernier en était à son troisième verre de vin, et sa langue commençait sérieusement à se délier. Melisande portait une robe couleur chocolat, agrémentée de fleurs et de feuillages brodés sur les manches et autour du décolleté. Elle était ravissante, bien sûr, et son visage paraissait parfaitement serein. Jasper était convaincu que personne d'autre que lui, autour de la table, n'avait décelé le malaise de son épouse.

Son verre à la main, prêtant une oreille distraite aux propos que lui tenait Mme Flowers, Jasper tentait de comprendre. Peut-être la compagnie de toutes ces nouvelles têtes embarrassait-elle la jeune femme ? Il la savait timide. Elle détestait les mondanités.

Cette fois, cependant, il avait l'intuition que c'était différent. Quelque chose la tracassait, et il pestait de ne pas savoir quoi.

La soirée était pourtant plaisante, l'assemblée agréable, et la chère délicieuse : la cuisinière de tante Esther était un véritable cordon-bleu. L'éclairage conférait une note chaleureuse à la salle à manger. Et les valets se montraient généreux avec le vin.

Mlle Stewart était assise à la droite de Jasper. C'était une femme d'âge mûr, avec des joues très poudrées et une immense perruque, poudrée elle aussi.

— Je crois savoir que vous arrivez de Londres ? lui dit-elle, se penchant vers lui, si bien qu'il put sentir son parfum écœurant.

— En effet, répondit Jasper. Nous sommes arrivés aujourd'hui, sous le soleil.

— Vous avez bien fait de ne pas venir en hiver. Le voyage devient vite éprouvant après les premières neiges. Et les rues de la ville sont impraticables. Avez-vous vu le château ?

— Non, pas encore.

— Vous devriez, vous devriez, assura Mlle Stewart avec un mouvement de tête vigoureux qui fit ballotter son double menton. Il est magnifique. C'est dommage que les Anglais apprécient si peu les charmes de l'Écosse, ajouta-t-elle, fixant Jasper avec un regard appuyé.

Il avala une bouchée du délicieux gigot d'agneau, avant de répliquer :

— Ma femme et moi avons été très impressionnés par la beauté des paysages.

— Alors, vous aimerez aussi notre ville, promit Mlle Stewart. Les Holden sont venus s'installer ici il y a huit ou neuf ans, et ils ne l'ont pas regretté. N'est-ce pas, monsieur Holden ? fit-elle à l'adresse du gentleman assis en face d'elle.

Timothy Holden était très bel homme – enfin, si l'on aimait les hommes avec des traits un peu féminins et des lèvres incarnat. Mais apparemment, beaucoup de femmes appréciaient, à en juger par les regards qu'il s'attirait autour de la table. Il portait une perruque poudrée de blanc et une veste de velours rouge, brodée d'or et de vert aux manches.

— Avec ma femme, nous sommes tombés amoureux d'Édimbourg, déclara-t-il.

Son regard parcourut la table mais, bizarrement, ce n'est pas à sa propre femme qu'il parut le plus s'intéresser... mais à celle de Jasper.

Celui-ci, intrigué, plissa les yeux.

— La société, ici, est très agréable, renchérit lady Caroline.

Elle était nettement plus âgée que son bellâtre de mari. Et très titrée, également. Elle avait des cheveux blond pâle et une peau diaphane. Ses yeux bleus, heureusement, lui donnaient un peu de couleur. Mais ils étaient ourlés de rouge, si bien qu'elle avait l'apparence d'un lapin blanc.

— Notre jardin est ravissant à cette époque de l'année, ajouta-t-elle à l'intention de Jasper. Nous serions très heureux que vous nous fassiez l'honneur de venir prendre le thé, avec lady Vale.

Du coin de l'œil, Jasper vit Melisande se figer.

— J'ai peur de devoir décliner votre invitation, répliqua-t-il avec un sourire poli. Nous ne resterons qu'une nuit à Édimbourg, avant de nous rendre chez un ami qui réside plus au nord.

— Ah oui ? Qui est-ce ? s'enquit Mlle Stewart.

— Sir Alistair Munroe. Le connaissez-vous ?

Mlle Stewart secoua la tête.

— J'ai bien sûr entendu parler de lui. Malheureusement, je ne l'ai jamais rencontré.

— Son livre est magnifique, intervint sir Angus. Tout simplement magnifique. Les gravures sont superbes. Et c'est tellement instructif !

— Mais vous-même, l'avez-vous rencontré ? lui demanda tante Esther.

— Hélas, non.

— Je m'en doutais ! s'exclama tante Esther d'un air de triomphe. Je ne connais personne, ici, qui l'ait rencontré. À part toi, mon cher neveu. Mais je parierais que tu ne l'as pas revu depuis des années ?

Jasper acquiesça.

— Dans ce cas, qui nous dit qu'il est encore vivant ? reprit Esther.

— J'ai entendu dire qu'il correspondait avec l'université, fit valoir Mme Flowers. J'ai un oncle conférencier là-bas, et il assure que sir Alistair y est très respecté.

— Munroe est l'un des plus grands intellectuels écossais, trancha sir Angus.

— C'est bien pourquoi je m'étonne qu'il ne se montre jamais en ville, insista tante Esther. Beaucoup de gens l'ont invité à dîner, ou dans des réceptions, mais il a toujours refusé de venir. Que peut-il bien cacher, je vous le demande ?

— Ses cicatrices, répondit sir Angus.

— Oh, à mon avis, c'est une fausse rumeur, intervint lady Caroline.

Mme Flowers se pencha en avant.

— Il paraît qu'il est défiguré. Ses blessures reçues pendant la guerre en Amérique ont laissé de telles cicatrices qu'il est obligé de porter un masque, pour ne pas effrayer ceux qui le croisent.

— Peuh ! Billevesées que tout cela ! commenta Mlle Stewart.

— C'est vrai ! se défendit Mme Flowers. La fille d'une voisine de ma sœur a aperçu sir Alistair voici deux ans, alors qu'il sortait du théâtre, et elle est tombée en syncope. La fièvre la faisait délirer, et elle a dû rester alitée plusieurs semaines.

— Si c'est vrai, alors cette fille n'est qu'une pauvre idiote. Mais je doute fort de cette histoire.

Mme Flowers, visiblement offensée, se redressa avec raideur.

— Mon neveu doit savoir si oui ou non sir Alistair a gardé des cicatrices de la guerre, suggéra tante Esther. Après tout, ils ont fréquenté le même régiment, n'est-ce pas, Jasper ?

Jasper sentit que ses doigts commençaient à trembler – signe qu'il ressentait un malaise grandissant. Il s'empressa de reposer son verre avant de renverser du vin sur la table.

— Jasper ? le pressa sa tante.

Toutes les têtes s'étaient tournées dans sa direction. Il avait la gorge sèche.

— Oui, admit-il finalement. C'est exact. Sir Alistair a gardé des cicatrices.

Quand les derniers invités de tante Esther consentirent enfin à partir, Jasper n'était pas loin de tomber d'épuisement. Melisande s'était retirée tôt – au sortir de table –, aussi hésita-t-il devant la porte de la chambre que leur avait attribuée Esther. La jeune femme était probablement endormie.

Il tourna doucement la poignée pour ne pas risquer de la réveiller. Mais à peine eut-il pénétré dans la chambre qu'il put constater qu'elle ne dormait pas : elle installait un lit de fortune contre le mur, à même le plancher. Jasper ne sut s'il devait rire, ou pester.

Elle l'interpella :

— Peux-tu m'apporter une des couvertures du lit ?

Il hocha la tête, et délesta le lit d'une couverture, qu'il lui tendit. Que pouvait-elle bien penser de lui ? S'imaginait-elle avoir épousé un fou ?

— Merci, dit-elle, étalant la couverture sur les linges qu'elle avait pliés pour constituer une sorte de matelas.

La chambre était petite, mais agréable. Les murs étaient tendus d'un papier bleu-gris, le plancher était recouvert d'un épais tapis aux motifs bruns et vieux rose. Jasper s'approcha de la fenêtre et souleva un rideau, pour jeter un coup d'œil au-dehors. Mais la nuit était si noire qu'il ne put rien distinguer. Il laissa retomber le rideau.

La chambrière de son épouse était sans doute passée et repartie, car Melisande avait revêtu un peignoir.

Jasper se débarrassa de son veston.

— Charmant dîner, dit-il.

— Oui, en effet.

— J'ai trouvé lady Charlotte très amusante.

— Hmm.

Il se défit de sa cravate, qu'il garda à la main.

— C'est depuis l'armée, murmura-t-il.

Elle sursauta.

— Quoi ?

— Ça, fit-il en désignant le lit, sans oser croiser son regard. Tous ceux qui reviennent de la guerre ont leurs petites excentricités. Quelques-uns sursautent violemment au moindre bruit. D'autres ne supportent plus la vue du sang. Beaucoup ont des cauchemars qui les réveillent au milieu de la nuit. Et certains… (Il ferma les yeux.) Certains ne sont plus capables de dormir dans un vrai lit, de peur de se laisser prendre au piège. Ils ont besoin de se coucher dos au mur et d'avoir une chandelle allumée près d'eux, au cas où on viendrait les attaquer.

Il rouvrit les yeux et ajouta :

— C'est plus fort qu'eux, j'en ai peur.

— Je comprends.

Son regard était affectueux, comme si elle ne venait pas d'entendre la plus étrange des confessions. Puis elle finit d'installer la couverture, comme si elle comprenait *réellement*. Mais comment l'aurait-elle pu ? Comment aurait-elle pu accepter que son mari ne soit pas un vrai homme, alors que lui-même était incapable de l'accepter ?

Une carafe de vin attendait sur la table. Il se remplit un verre qu'il but debout, face à la cheminée, le regard perdu dans le vide. Puis il se rappela ce qui l'avait incité à pousser la porte de cette chambre. Il reposa son verre.

— Tu vas me prendre pour un idiot, commença-t-il en déboutonnant sa chemise, mais quand nous avons été présentés aux Holden, j'ai eu le sentiment que Timothy Holden te reconnaissait.

Elle ne répondit pas, fignolant le lit de fortune avec énergie.

— Melisande ?

Finalement, elle se redressa et le regarda, le dos raide, le menton fièrement relevé, comme si elle affrontait le peloton d'exécution.

— Nous avons été fiancés, autrefois.

Jasper se doutait qu'il y avait eu quelqu'un dans la vie de la jeune femme avant leur rencontre, mais elle était toujours restée muette à ce sujet. Maintenant qu'il savait... il sentait la jalousie le gagner. Avait-elle été amoureuse de ce bellâtre ?

— L'aimais-tu ? ne put-il s'empêcher de demander.

Elle baissa les yeux.

— C'était il y a dix ans. Je n'en avais que dix-huit.

Jasper haussa un sourcil. Elle n'avait pas vraiment répondu à sa question.

— Comment vous étiez-vous rencontrés ?

— Dans un dîner, comme celui de ce soir. Il était assis à côté de moi, et il s'est montré très gentil.

Jasper ôta sa chemise, attendant la suite.

— Nous nous sommes revus. Il m'accompagnait en promenade dans Hyde Park, dansait avec moi dans les bals... enfin, toutes ces choses que fait un gentleman courtisant une lady. Au bout de quelques mois, il demanda ma main à mon père. Et naturellement, papa accepta.

Jasper s'assit sur le lit pour enlever ses chaussures.

— Alors, pourquoi ne l'as-tu pas épousé ?

Elle haussa les épaules.

— Il avait fait sa demande en octobre. Nous projetions de nous marier au mois de juin suivant.

Il s'approcha d'elle, l'aida à se défaire de son peignoir, puis il s'allongea avec elle sur le petit lit. La jeune femme abandonna sa tête contre son épaule.

— J'avais déjà acheté mon trousseau, reprit-elle. Tout était organisé pour la cérémonie, les invitations envoyées. Et puis, un beau matin, Timothy m'a annoncé qu'il en aimait une autre. Je l'ai bien sûr laissé partir.

— Bien sûr, grommela Jasper.

Holden était un fieffé coquin. Un gentleman digne de ce nom n'abandonnait pas une lady à quelques jours de passer devant l'autel. Il caressa tendrement les cheveux de Melisande, comme si cela pouvait apaiser la douleur qu'elle avait connue dix ans plus tôt.

— Et il était ton amant, murmura-t-il.

Ce n'était pas une question. Cependant, il fut surpris qu'elle ne cherche pas à nier.

— Oui.

Jasper fronça les sourcils.

— Il ne t'avait pas forcée, j'espère ?

— Non.

— Ni menacée de quelque manière ?

— Non. Il était très doux.

Jasper ferma les yeux. Un mauvais pressentiment le taraudait. Réalisant que sa main s'était figée dans les cheveux de la jeune femme, il prit une profonde inspiration pour s'obliger à se détendre.

— J'ai l'impression que tu ne m'as pas tout dit, mon cœur.

Il y eut un long silence. Jasper commençait à se demander s'il ne s'était pas laissé abuser par son imagination, ou par sa jalousie, quand elle soupira tristement.

— Peu de temps après notre rupture, j'ai découvert que j'étais enceinte.

15

Lorsque Jack revint avec l'anneau d'argent, il commença par se changer, avant de se faufiler dans les cuisines du palais. Le même marmiton touillait la soupe de la princesse. Jack lui demanda à nouveau la permission de donner quelques coups de cuiller dans le potage royal. Plop! L'anneau disparut au fond de la marmite, et Jack s'éclipsa avant que personne ait pu remarquer son manège. Puis il rejoignit la princesse.

— Où étais-tu encore passé? s'enquit-elle dès qu'elle le vit.

— Je me suis promené par monts et par vaux, belle dame.

— Et qu'as-tu fait à ton bras?

Jack baissa les yeux et constata que l'épée du troll lui avait entaillé le bras.

— Oh, ma princesse, je me suis battu avec un énorme moucheron en votre honneur, répondit Jack.

Et il exécuta une cabriole, sous les éclats de rire de toute la cour.

Melisande sentait la main de Vale immobilisée dans ses cheveux. Allait-il la répudier? Ne plus jamais lui parler? Elle attendit, retenant son souffle.

Mais il reprit ses caresses.

— Raconte-moi, dit-il.

Elle ferma les yeux et s'exécuta, revivant les heures noires qui l'avaient ravagée dix ans plus tôt.

— J'ai tout de suite compris ce qui m'arrivait en ayant des nausées chaque matin au réveil. Je savais que c'était un signe qui ne trompait pas.

— Avais-tu peur ? demanda-t-il d'une voix neutre, si bien qu'il était difficile de savoir ce qu'il pensait.

— Non. Enfin, peut-être oui, au début, quand j'ai réalisé mon état. Mais j'ai très vite décidé que je voulais cet enfant.

— L'as-tu annoncé à ta famille ?

— Non. Je n'en ai parlé à personne, pas même à Emeline. Je craignais qu'ils ne cherchent à m'enlever mon bébé.

Elle prit une profonde inspiration, résolue à tout lui raconter maintenant, de peur de ne plus avoir le courage ensuite.

— J'avais un plan, révéla-t-elle. Je comptais aller vivre chez mon frère aîné, Ernest. Puis, quand ma grossesse deviendrait impossible à cacher, je me retirerais dans un petit cottage à la campagne, avec ma vieille nurse. Elle m'aiderait à accoucher et à élever mon bébé. C'était un plan très puéril, j'en conviens, mais à l'époque je pensais vraiment que ça marcherait. Du moins, j'avais désespérément envie que ça marche.

Sa voix se troublait, et elle sentit des larmes couler sur ses joues. Mais Jasper lui caressait toujours les cheveux, et elle trouva la force de continuer.

— Peu après mon arrivée chez Ernest, je me suis réveillée une nuit avec du sang entre les cuisses. J'ai saigné pendant cinq jours. Le cinquième jour, tout était terminé. J'étais guérie, je ne saignais plus. Mais mon bébé était mort.

Melisande s'arrêta là, la gorge nouée par l'émotion. Elle sanglota encore un peu, puis ses larmes se tarirent, et elle resta simplement avec le poids de son chagrin. C'était une vieille blessure, mais elle se ravivait de temps à autre, sans prévenir.

— Je suis désolé, murmura Vale. Je suis désolé que tu aies perdu ton bébé.

Elle hocha la tête, toujours incapable de parler.

Il lui souleva le menton pour l'obliger à croiser son regard.

— Je t'en donnerai un autre, mon cœur. Plusieurs autres, même. Autant de bébés que tu voudras.

Melisande était bouleversée. Elle n'avait pas honte de ce qu'elle avait fait, mais elle avait redouté sa réaction, craignant sa colère et ne s'attendant pas à autant de compassion.

Vale l'embrassa, et ce fut comme un serment sacré qu'ils échangèrent par ce baiser. Puis il tira la couverture sur eux et serra la jeune femme dans ses bras.

— Dors à présent, mon cœur.

Melisande ferma les yeux. Elle s'endormit, bercée par les battements du cœur de son mari.

Le lendemain matin, ils partirent dans la grisaille. Le ciel était bas, et il bruinait. Tante Esther ne consentit à les relâcher qu'après leur avoir fait avaler un solide petit déjeuner, et elle sortit sur son perron pour les saluer avec de grands gestes. Mais dès que leur voiture eut tourné le coin de la rue, Melisande s'écarta de la vitre.

— Quand arriverons-nous chez sir Alistair? s'enquit-elle.

— J'espère aujourd'hui, si nous roulons bien, répliqua Vale.

Depuis leur réveil, il n'avait guère desserré les lèvres, et la jeune femme s'inquiétait de ce qu'il pouvait penser d'elle. Sa confession de la veille n'avait-elle pas fini par l'ébranler, à force d'y repenser? Un mari ne pouvait certainement pas apprendre de gaieté de cœur que sa jeune épousée avait eu autrefois un amant – et pire : qu'elle s'était fait engrosser par lui. Cependant, elle n'osait pas aborder le sujet.

Ils s'arrêtèrent pour déjeuner en bordure d'une rivière, et ils dévorèrent les victuailles que leur avait préparées la cuisinière de tante Esther. Mouse courut aboyer après des vaches dans une pâture, jusqu'à ce que Vale lui crie d'arrêter. Le terrier revint alors vers eux et se coucha pour ronger un os.

Puis ils reprirent leur voyage, et roulèrent tout l'après-midi. Lorsque la nuit commença à tomber, Melisande remarqua que Vale s'agitait sur sa banquette.

— Aurions-nous perdu notre route ? s'étonna-t-elle.

— Le cocher m'a assuré qu'il connaissait le chemin.

— Mais toi-même, tu n'as jamais été chez sir Alistair ?

— Non.

Ils roulèrent encore une bonne demi-heure. Sally dormait à côté de Melisande, malgré les cahots. Finalement, alors que la nuit était presque entièrement tombée, l'un des valets leur cria quelque chose. Melisande sortit la tête par la vitre de la portière et aperçut une bâtisse imposante.

— Votre ami vit-il dans un château ? questionna le valet.

Vale avait aussi sorti la tête au-dehors.

— Je crois, oui.

L'attelage ralentit pour s'engager dans une allée conduisant au manoir. Sally se réveilla en sursaut.

— Sir Alistair est-il au courant de notre arrivée ? demanda Melisande, étonnée de ne voir aucune lumière.

— Je lui ai écrit.

Melisande jeta un regard soupçonneux à son mari.

— T'a-t-il répondu ?

Vale feignit de ne pas avoir entendu. La voiture s'immobilisa sur ces entrefaites, on entendit des appels, puis la portière s'ouvrit.

M. Pynch apparut, brandissant une lanterne.

— Personne ne répond à la porte, milord.

— Eh bien, nous allons frapper plus fort, répliqua Vale.

Il sauta hors de la voiture, puis aida Melisande à faire de même. Sally les suivit, et Mouse se précipita sur un arbuste pour se soulager. La nuit était très noire, et une bise glaciale soufflait dans l'allée.

Vale récupéra un manteau dans la voiture, pour Melisande qui frissonnait. Après quoi, il lui offrit son bras.

— Qu'allons-nous faire si sir Alistair n'est pas chez lui ? s'enquit-elle.

— Oh, il y aura bien quelqu'un pour nous recevoir, ne t'inquiète pas.

Ils gravirent le perron de pierre, dont les marches étaient tellement usées par le temps qu'elles s'étaient creusées en leur centre, là où chacun posait les pieds. La porte, particulièrement massive, devait mesurer trois mètres de haut.

Vale frappa violemment au battant.

— Holà ! Ouvrez à de pauvres voyageurs qui ont froid et sommeil. Munroe ! Montrez-vous, et laissez-nous entrer !

Il continua ainsi pendant près de cinq minutes, avant de cesser brutalement, le poing en l'air.

Melisande haussa les sourcils.

— Que...

— Chut !

C'est alors qu'elle entendit à son tour. Un bruit qui provenait de très loin dans la maison, comme si quelque créature souterraine s'était soudain réveillée.

Vale abattit de nouveau son poing sur le battant, faisant sursauter la jeune femme.

— Holà, là-dedans ! Ouvrez donc !

Le bruit caractéristique d'une clé tournant dans une serrure leur parvint. Puis la porte s'entrouvrit, et un petit homme replet apparut dans l'entrebâille-ment. Le sommet de son crâne était chauve, mais ses tempes étaient couvertes de longs cheveux filasse, et il portait un peignoir qui lui tombait jusqu'aux pieds.

— Que voulez-vous ?

Vale lui offrit son sourire le plus charmant.

— Je suis le vicomte Vale, et voici ma femme. Nous sommes venus voir votre maître.

— C'est impossible, rétorqua la créature qui refermait déjà la porte.

Vale repoussa le battant de la main.

— C'est très possible, au contraire.

Le petit homme voulut forcer sur la porte, mais elle ne bougeait plus.

— Nous n'attendons aucune visite. Les chambres ne sont pas prêtes, et nous n'avons pas de vivres pour des bouches supplémentaires. Passez votre chemin.

Cette fois, le sourire de Vale se figea.

— Laissez-nous entrer, et nous parlerons plus tard de l'intendance.

Le petit homme ouvrit la bouche, probablement pour refuser une nouvelle fois, mais Mouse les rejoignit sur ces entrefaites. Au premier coup d'œil, le terrier jugea que le serviteur de sir Alistair était un ennemi. Il aboya si furieusement contre lui que ses quatre pattes décollèrent presque du sol. Le petit homme, effrayé, recula. Vale en profita : il poussa le battant et entra, Pynch à son côté.

— Reste près de la voiture pour l'instant, ordonna Melisande à Sally, avant de suivre les deux hommes à l'intérieur.

— Vous ne pouvez pas entrer ! C'est interdit ! glapissait le petit homme.

— Où est sir Alistair ? interrogea Vale.

— Dehors. Il est parti faire du cheval, et il ne rentrera que dans plusieurs heures.

— Il fait du cheval en pleine nuit ? s'étonna Melisande.

Mais le petit homme courait maintenant dans un couloir. Ils le suivirent, et s'arrêtèrent lorsqu'il ouvrit une porte.

242

— Si vous y tenez absolument, patientez ici.

Il tournait déjà les talons, mais Vale le retint par le col.

— Pas si vite, dit-il.

Et, s'adressant à Melisande :

— Peux-tu nous attendre ici avec Mouse, pendant que Pynch et moi cherchons des chambres et de quoi manger ?

La jeune femme jeta un coup d'œil à l'intérieur. La pièce était sombre et peu accueillante.

— Oui, répondit-elle cependant.

— Je reconnais bien là ma petite femme courageuse, murmura Vale, posant un baiser sur sa joue. Pynch, allume des chandelles pour milady. Ensuite, nous demanderons à monsieur de nous faire visiter le manoir.

— Bien, milord.

Pynch alluma quatre chandelles – les seules dont disposait la pièce – avec sa lanterne, puis les trois hommes repartirent.

Melisande écouta leurs pas s'éloigner, avant de s'intéresser au décor qui l'entourait. Elle se trouvait dans une sorte de salon, mais l'ensemble était assez déplaisant. Des fauteuils – très laids – étaient éparpillés çà et là. Le plafond à caissons était effroyablement haut, et les chandelles ne suffisaient pas à percer toute l'obscurité, mais la jeune femme crut apercevoir des toiles d'araignées accrochées aux poutres. Les murs étaient ornés de trophées de chasse – têtes de cerfs, de sangliers ou de renards. Leurs yeux de verre luisaient sinistrement dans la pénombre.

Réprimant un frisson, Melisande s'approcha de la grande cheminée en pierre. Une bûche et quelques morceaux de petit-bois semblaient attendre, sur un côté. Elle les installa dans l'âtre, s'efforçant de ne pas penser aux araignées. Mouse vint s'intéresser quelques instants à ce qu'elle faisait, avant de repartir explorer la pièce.

La jeune femme se redressa et s'essuya les mains. Puis elle avisa, sur le manteau de la cheminée, une boîte poussiéreuse remplie de minuscules bougies. Elle en alluma une à une chandelle et l'approcha du petit bois. Mais celui-ci ne voulait pas prendre, et la bougie finit par se consumer entièrement. Melisande allait en allumer une autre, quand Mouse aboya.

La jeune femme se retourna. Un homme se tenait derrière elle. Grand, mince, de longs cheveux lui retombant sur le visage. Il regardait Mouse à ses pieds, mais finit par redresser la tête vers elle. La moitié gauche de son visage était mangée de cicatrices, et l'orbite de son œil était vide.

Melisande laissa tomber sa bougie.

Le serviteur de Munroe leur expliquait qu'il n'y avait pas un seul drap propre dans tout le manoir, et Jasper, furieux, s'apprêtait à le secouer comme un prunier lorsqu'il entendit Mouse aboyer. Il échangea un regard avec Pynch, et les deux hommes, sans prononcer un mot, se précipitèrent pour redescendre l'escalier. Jasper pestait contre lui-même. Il n'aurait jamais dû laisser Melisande seule.

Mouse avait cessé d'aboyer. Jasper poussa doucement la porte du salon. La jeune femme se tenait dos à la cheminée, son chien devant elle. Et, face à eux, un grand gaillard vêtu d'un vieux manteau de chasse.

Jasper se raidit instinctivement. Mais quand Munroe pivota vers lui, il ne put s'empêcher de tressaillir. La dernière fois qu'il l'avait vu, ses blessures étaient encore fraîches. Le temps les avait cicatrisées, mais elles demeuraient horribles.

— Renshaw! s'exclama Munroe de son timbre si reconnaissable.

Il avait toujours eu la voix un peu éraillée, mais c'était pire depuis Spinner's Falls, comme si ses cordes vocales avaient été endommagées d'avoir trop crié.

— Non, c'est vrai, corrigea-t-il, vous êtes lord Vale à présent.

— En effet, acquiesça Jasper, pénétrant dans la pièce. Et voici ma femme, Melisande.

Munroe hocha la tête, sans un regard pour la jeune femme.

— Je croyais vous avoir écrit de ne pas venir.

— Je n'ai pas reçu votre lettre, répondit Jasper, sincère.

— Mon silence aurait dû suffire à vous décourager, fit valoir Munroe.

— Je voulais vous entretenir d'un sujet pressant. Au sujet de Spinner's Falls.

Munroe eut un mouvement de recul, avant de se reprendre.

— D'accord. Mais il est tard, et votre femme est fatiguée, j'imagine. Wiggins va vous montrer vos chambres. À défaut de grand confort, je puis au moins vous promettre qu'elles seront bien chauffées. Nous parlerons demain matin. Et ensuite, vous repartirez.

— J'ai votre parole ? insista Jasper, qui craignait que Munroe ne se volatilise jusqu'à leur départ.

— Vous avez ma parole.

Jasper hocha la tête.

— Alors, c'est parfait.

Munroe quitta la pièce avec un haussement d'épaules. Le petit homme – Wiggins, donc – qui avait tout écouté depuis la porte, lâcha à contre-cœur :

— Bon, je vais faire du feu dans votre chambre.

Et il tourna les talons.

Jasper s'adressa à Pynch :

— Occupe-toi des autres domestiques. Trouve-leur de quoi dormir, et vois s'il y a quelque chose à manger dans les cuisines.

— Bien, milord.

Pynch s'éclipsa à son tour, laissant Jasper seul avec son épouse. Elle n'avait pas bougé. Beaucoup de femmes, dans la même situation, se seraient évanouies. Mais pas Melisande.

Elle accrocha son regard.

— Que s'est-il passé à Spinner's Falls ?

Sally ranima le feu avec un tisonnier, avant de fixer une marmite au crochet de la cheminée. Elle n'avait encore jamais vu de cheminée aussi vaste – assez haute pour qu'un homme puisse se tenir debout sous sa voûte. Pourquoi s'était-on fatigué à construire une telle cheminée ?

Dès que l'eau dans la marmite commença à bouillir, elle y jeta les morceaux de lapin que M. Pynch avait trouvés dans le garde-manger. Une chambrière était au-dessus des autres domestiques, et ce n'était pas son rôle de servir de fille de cuisine, mais puisqu'il n'y avait personne d'autre pour préparer le dîner, Sally s'était dévouée.

Elle ajouta des carottes et des oignons, et touilla. Pour l'instant, son ragoût n'avait pas fière allure, mais cela s'arrangerait sans doute quand le mélange aurait mariné un peu. En attendant, Sally s'assit sur une chaise et resserra son châle sur ses épaules. La vérité, c'est qu'elle n'y connaissait rien en cuisine. À ses débuts comme domestique, elle s'était contentée de laver la vaisselle. De toute façon, il n'y avait rien à attendre de l'étrange M. Wiggins, qui rappelait à Sally les trolls des contes de fées : il avait disparu, laissant les serviteurs de lord Vale se débrouiller dans une maison qui leur était inconnue.

Au bout d'un moment, Sally se releva pour jeter un œil à son ragoût. Peut-être manquait-il quelque chose ? Du sel ! M. Pynch la prendrait pour une idiote, si elle n'était même pas capable de saler un ragoût. Elle ouvrit un grand placard et fouilla dedans.

Il était presque vide, mais elle trouva du sel. Et aussi de la farine.

Dix minutes plus tard, elle était occupée à mélanger de la farine, du sel, du beurre et de l'eau dans un saladier, lorsque M. Pynch entra dans la cuisine. Il posa sa lanterne sur la table et s'approcha d'elle.

Sally lui adressa un regard noir.

— C'est des boulettes de pâte pour le ragoût, expliqua-t-elle, sur la défensive. J'essaie d'imiter la cuisinière des maîtres, mais ce n'est pas évident. On dirait de la glu! Je suis chambrière, pas cuisinière. Vous devrez vous contenter de mes efforts, et si ça ne vous plaît pas, tant pis. Je ne veux pas entendre de récriminations.

— Je ne me plaignais pas.

— Vous n'avez pas intérêt.

— Et j'aime les boulettes de pâte.

Sally, soudain intimidée, chassa une mèche de cheveux tombée devant ses yeux.

— Ah?

M. Pynch hocha la tête.

— Et celles-ci m'ont l'air parfaites: Voulez-vous que je vous apporte le saladier près du feu, pour que vous puissiez les ajouter au ragoût?

Sally acquiesça. Pendant qu'elle se frottait les mains pour les nettoyer du mélange eau, farine et beurre, le valet approcha le saladier de la cheminée. Puis il aida Sally à verser des cuillerées de pâte dans le ragoût. Après quoi, elle recouvrit la marmite avec un couvercle.

— Voilà. Il n'y a plus qu'à attendre que ça cuise.

M. Pynch se pencha vers elle et murmura:

— Je suis sûr que ce sera délicieux.

Et il lui donna un baiser.

Melisande préparait une paillasse sur le plancher avec des couvertures, tandis que son mari faisait les cent pas dans la pièce, un verre de whisky à la main. Il semblait particulièrement nerveux ce soir, comme s'il rongeait son frein et rêvait de s'enfuir de la chambre pour battre la campagne. Elle songea aux chevauchées nocturnes de sir Alistair. Les deux hommes essayaient-ils ainsi d'échapper à leurs démons ?

Vale, Dieu merci, s'obligeait à rester – et Melisande lui en était reconnaissante. En revanche, il n'avait toujours pas répondu à sa question sur Spinner's Falls.

— C'était après Québec, lâcha-t-il soudainement.

Il se tenait face à la fenêtre, et Melisande se demanda si c'était bien à elle qu'il parlait – quoiqu'il n'y eût personne d'autre dans la pièce.

— Le mois de septembre s'achevait et nous avions reçu l'ordre de rallier Fort Edward, pour y passer l'hiver. Nous avions déjà perdu une bonne centaine d'hommes dans la bataille de Québec, et nous devions en abandonner quelques dizaines de plus derrière nous, car ils étaient trop gravement blessés pour supporter une aussi longue marche. Bref, le régiment était décimé, mais nous avions la conviction que le pire était derrière nous. Nous avions remporté la bataille, Québec était tombé entre nos mains, la fin de la guerre se profilait. La victoire ne pouvait plus nous échapper.

Il s'interrompit pour boire une gorgée de whisky, avant de reprendre :

— Nous étions emplis d'espérance. Si la guerre se terminait bientôt, nous pourrions tous rentrer chez nous. Et c'est ce que nous désirions le plus : revoir nos familles, et nous reposer un peu.

Melisande plaça un drap sur le lit qu'elle venait de confectionner. Il sentait vaguement le moisi, mais tant pis. Pendant qu'elle s'affairait, elle essayait de se représenter Jasper à la tête de ses hommes, dans les lointaines forêts d'Amérique.

— Ce jour-là, nous devions emprunter une piste étroite, enserrée entre une falaise et une rivière. Les hommes ne pouvaient pas marcher à plus de deux de front. Du coup, le régiment s'étirait sur près de huit cents mètres. C'est alors qu'ils nous sont tombés dessus.

Melisande s'accroupit pour l'écouter. Il se tenait toujours face à la fenêtre, la nuque raide. Elle aurait voulu le rejoindre et le prendre dans ses bras, mais elle craignait de briser son élan. Elle pressentait qu'il avait besoin d'aller jusqu'au bout de son histoire.

— On ne réfléchit plus, au milieu d'une bataille. L'instinct prend le dessus. La première image dont j'ai le souvenir, c'est Johnny Smith recevant une flèche. Puis les Indiens ont attaqué de tous les côtés. Les hommes tombaient comme des mouches. Mon cheval a été tué sous moi...

Il but une autre gorgée de whisky. Melisande sentit son pouls s'accélérer.

— Nous nous sommes battus comme des braves, poursuivit-il. Chacun défendait pied à pied son petit bout de terrain. Mais quand j'ai vu Darby, notre commandant, être jeté à bas de son cheval, j'ai compris que la bataille était perdue. Et que nous allions tous mourir.

Il s'esclaffa, mais le son résonna sinistrement dans la pièce.

— J'aurais dû avoir peur à ce moment-là, et pourtant, non. J'étais debout au milieu des cadavres, et j'agitais toujours mon épée. J'ai tué quelques Indiens. Mais pas assez, hélas. Pas assez.

Sa voix était si triste que Melisande en eut les larmes aux yeux.

— À la fin, les Indiens m'ont encerclé. J'ai reçu un coup à la tête et je suis tombé. Pour être plus précis, je suis tombé sur le cadavre de Tommy Pace.

Il quitta la fenêtre pour aller remplir son verre, et but une nouvelle gorgée.

— Je ne sais toujours pas pourquoi ils ne m'ont pas tué, moi aussi. Quand j'ai repris conscience, une corde me reliait, par le cou, à Matthew Horn et Nate Growe. En regardant un peu plus loin, j'ai vu que Reynaud faisait également partie de leur butin. Au moins, ce fut un soulagement. Reynaud avait survécu.

— Et ensuite, que s'est-il passé ? murmura Melisande.

Il la regarda bizarrement, comme s'il avait oublié qu'elle se trouvait avec lui dans la pièce.

— Ils nous ont obligés à marcher avec eux dans la forêt. Des jours et des jours de marche, avec très peu d'eau et de nourriture, alors que certains d'entre nous étaient blessés. Matthew Horn s'était pris une balle dans le bras. Quand John Cooper fut incapable d'avancer davantage à cause de ses blessures, ils l'ont abandonné. Aussi, lorsque j'ai vu Matthew trébucher, j'ai appuyé mon épaule contre son dos pour l'obliger à continuer. Je ne pouvais pas me permettre de perdre un autre homme.

Melisande frissonna d'horreur.

— Étais-tu blessé toi-même ?

— Non, répliqua-t-il avec un sourire amer. J'étais en parfaite santé. Nous avons marché jusqu'au campement des Indiens, en territoire français.

Il but une nouvelle gorgée de whisky, et ferma les yeux.

Melisande comprit que l'histoire ne s'arrêtait pas là. Les cicatrices de sir Alistair ne dataient pas de la bataille.

— Qu'est-il arrivé, dans ce campement ?

— Ils avaient un petit jeu qu'ils appelaient « passer par les baguettes ». C'était leur façon d'accueillir les prisonniers de guerre. Les Indiens formaient deux lignes parallèles, hommes et femmes mélangés, et ils faisaient passer leurs prisonniers entre ces deux lignes, les frappant au passage avec des bâtons. Si l'un d'eux tombait, il était battu à mort. Mais aucun d'entre nous n'est tombé.

— Mon Dieu… gémit Melisande, de plus en plus horrifiée.

Il haussa les épaules et se laissa choir dans un fauteuil, soudain silencieux.

— Jasper? le pressa Melisande, qui n'était pourtant pas sûre de vouloir entendre la suite. Jasper?

Il contemplait son verre et ne paraissait pas l'entendre.

— Ils avaient d'autres amusements, reprit-il brusquement. Ils ont attaché Horn et Munroe à des pieux, puis ils se sont approchés avec des bâtons enflammés et ils…

Sa respiration devint oppressée. Il ferma quelques instants les yeux, déglutit, mais les mots ne franchissaient toujours pas sa gorge.

— Non, non! chuchota Melisande. Tu n'es pas obligé de me raconter.

Il lui jeta un regard d'une tristesse insondable.

— Ils les ont torturés. Ils ont planté les bâtons dans leurs chairs. Même les femmes participaient! Puis ils ont approché un bâton rougeoyant de l'œil de Munroe. C'était insoutenable. Je leur ai crié d'arrêter, mais ils m'ont craché à la figure et ils ont continué, lui crevant l'œil. J'ai compris, alors, qu'il était préférable que je garde le silence. Sinon, ce serait pire encore… Quand ils lui ont tranché les doigts, je n'ai rien dit.

— Oh, mon chéri, mon chéri, murmura Melisande, qui ne put s'empêcher de le rejoindre pour le prendre dans ses bras.

Et elle ne pouvait davantage retenir ses larmes.

— Le deuxième jour, ils nous ont conduits à la sortie du campement. C'est là qu'ils ont crucifié Reynaud, puis l'ont brûlé. Je pense qu'il était déjà mort quand les flammes ont commencé à le lécher, car il ne bougeait plus. Ce fut ma seule consolation : que mon meilleur ami soit enfin délivré de ses souffrances.

— Chut, l'implora Melisande. Chut…

Mais il ne pouvait plus s'arrêter.

— Et ensuite, ils s'en sont de nouveau pris à Munroe et à Horn.

— Mais vous avez fini par être sauvés ! s'exclama Melisande, au désespoir.

Elle voulait qu'il renonce à ces images terrifiantes pour se concentrer sur l'essentiel : ils s'en étaient sortis vivants.

— Au bout de deux semaines, oui. On m'a raconté que le caporal Hartley était venu nous récupérer avec son escorte, en échange d'une rançon. Mais sur le coup, je ne me suis rendu compte de rien. J'étais comme absent.

— Tu souffrais. Tu étais blessé. Et tu étais malheureux, le réconforta Melisande. C'est compréhensible, après ce que tu avais vécu.

Il se libéra brutalement de son étreinte.

— Non ! Non ! Je ne souffrais pas. Je n'étais pas blessé. J'étais intact !

Elle sursauta.

— Mais, les tortures...

Il ouvrit sa chemise pour montrer son torse.

— Tu m'as déjà vu nu, n'est-ce pas ? As-tu remarqué la moindre cicatrice sur mon corps ?

La jeune femme contemplait son torse parfait.

— Non...

— Parce qu'ils ne m'ont pas touché. Pendant tout ce temps, ils ont torturé les autres, mais ils n'ont pas touché à un seul de mes cheveux.

Bonté divine ! Pour un homme comme Vale, se retrouver épargné avait dû être plus difficile à vivre que d'être torturé.

Elle prit une inspiration, et formula la question qu'il attendait de toute évidence :

— Mais pourquoi ?

— Parce qu'ils voulaient un témoin. Et qu'après la mort de Reynaud, j'étais l'officier le plus gradé. Ils me faisaient assister à tout et, si je tressaillais, ils se montraient encore plus cruels.

Il souriait bizarrement, une lueur démoniaque dans les yeux.

— Comprends-tu, Melisande? Ils ont torturé mes compagnons pendant que je restais assis, à regarder.

16

*La princesse mangea sa soupe, et que trouva-t-elle
au fond de son assiette ? L'anneau d'argent, bien sûr !
Aussitôt, le roi convoqua son chef cuisinier. Mais on
eut beau le questionner, il jura mordicus qu'il ignorait comment l'anneau d'argent avait pu se retrouver
dans la soupe de la princesse. Finalement, le roi n'eut
d'autre choix que de le renvoyer dans ses cuisines.
Mais tout le monde, à la cour, s'interrogeait sur ce
prodige, et se demandait qui avait bien pu s'emparer
de l'anneau d'argent.*

*Seule la princesse demeurait silencieuse. Elle obser-
vait, songeuse, son bouffon...*

Melisande fut réveillée, le lendemain matin, par
les grattements de Mouse à la porte. La jeune femme
pivota vers son mari. Il était couché sur le côté, les
couvertures à moitié repoussées sur lui. Depuis
qu'elle partageait sa couche, elle avait découvert qu'il
avait le sommeil très agité. Il se tournait et se retournait dans les draps, bougeait bras et jambes, et
parfois même roulait hors du lit, emportant la couverture avec lui. Mais la jeune femme ne songeait
pas à s'en offusquer. C'était un prix bien modique à
payer, en échange du plaisir de dormir avec lui.

Cependant, après sa confession d'hier soir, elle
jugea qu'il avait besoin de repos. Elle se leva donc

sans bruit, s'enveloppa d'un manteau et quitta la chambre avec Mouse. Ils descendirent au rez-de-chaussée et gagnèrent d'abord les cuisines.

Melisande s'arrêta sur le seuil. La cuisine était une immense pièce voûtée, à l'air vieillot. Dans un coin, on avait aménagé deux lits de fortune. Sally en occupait un – elle dormait encore profondément. Sur l'autre, M. Pynch releva la tête à l'arrivée de la jeune femme. Melisande lui adressa un signe de tête et s'éclipsa discrètement, refermant la porte derrière elle.

Dehors, Mouse décrivit joyeusement de grands cercles en courant, avant de stopper au pied d'un arbre pour faire ses petites affaires. Une grande pelouse en pente était laissée à l'abandon. Plus loin, on apercevait des jardins qui, autrefois, avaient dû être magnifiques. Melisande partit dans cette direction. La journée s'annonçait radieuse. Le soleil matinal chassait peu à peu le brouillard humide. La jeune femme se retourna pour contempler le château. À la lumière du jour, il ne paraissait plus aussi inquiétant. Bâti en pierres rose pâle patinées par le temps, flanqué de tours rondes à ses quatre coins, sa toiture hérissée de grandes cheminées, il dégageait une impression de solidité à toute épreuve. Probablement datait-il de la fin du Moyen Âge. En revanche, il devait être glacial en hiver.

— Ce château a près de cinq cents ans, dit une voix dans son dos.

À l'instant où Melisande se retournait, Mouse se mit à aboyer.

Sir Alistair était accompagné d'un chien si grand que sa tête atteignait les hanches de son maître. Son pelage était grisâtre. Mouse s'était planté devant, et aboyait avec frénésie. Le gros chien ne bougea pas d'un poil. Il se contenta d'abaisser le museau vers Mouse, comme s'il se demandait quelle était cette étrange petite créature qui lui criait ainsi dans les oreilles.

Ce matin, sir Alistair avait recouvert son œil blessé d'un bandeau noir. Et il portait ses cheveux tirés en arrière. Il fronça les sourcils à l'intention de Mouse, puis se pencha et tendit la main. Mouse cessa d'aboyer et s'approcha pour renifler. Melisande remarqua, avec un frisson horrifié, que sir Alistair avait perdu deux doigts à la main droite.

— Tu es un brave garçon, dit-il au terrier. Comment s'appelle-t-il ?

— Mouse.

Il se redressa, détournant le regard vers l'extrémité de la pelouse. Son gros chien soupira et se coucha à ses pieds.

— Je ne voulais pas vous effrayer hier soir, milady.

Melisande l'observait attentivement. Vu de trois quarts, ses cicatrices se dérobant au regard, il paraissait plutôt bel homme avec son long nez, un rien arrogant, et son menton volontaire.

— Vous ne m'avez pas effrayée. J'ai simplement été surprise de vous voir, alors que je ne vous avais pas entendu entrer.

Il tourna lentement son visage vers elle, comme s'il la mettait au défi de ne pas ciller.

— Ne mentez pas. Je sais que vous avez eu peur.

Melisande redressa le menton.

— Jasper est persuadé que vous lui en voulez, pour vos cicatrices. C'est vrai ?

La jeune femme retint son souffle. Elle n'en revenait pas de s'être montrée aussi abrupte. Du reste, elle n'aurait jamais été capable de lui poser une telle question si le sujet n'avait concerné qu'elle-même. Mais elle avait besoin de savoir si cet homme risquait de faire du mal à Jasper.

Il soutint son regard, paraissant lui-même surpris d'une question aussi franche. Melisande était prête à parier que personne n'osait jamais lui parler ouvertement de ses cicatrices.

Finalement, il détourna de nouveau le regard – cette fois, en direction des jardins en ruine.

— Si vous le souhaitez, milady, je parlerai à votre mari de mes cicatrices.

Jasper se réveilla seul. Après seulement quelques nuits, c'était une étrange impression. Une impression désagréable. Il aurait dû avoir sa femme à son côté. Dormir avec elle lui faisait l'effet d'un élixir régénérant – il avait d'ailleurs le sentiment que son sommeil était plus profond. Bon sang! Où diable était-elle passée?

Il se leva et s'habilla à la hâte, pestant après les boutons de sa chemise.

— Melisande! appela-t-il dans le couloir tandis qu'il terminait d'enfiler son veston.

Le manoir était si vaste qu'elle n'avait aucune chance de l'entendre, à moins qu'elle ne se trouvât à proximité. Ce qui ne l'empêcha pas de renouveler son appel:

— Melisande!

Parvenu au rez-de-chaussée, il se dirigea droit vers les cuisines, où il trouva Pynch, occupé à ranimer le feu. La chambrière de Melisande dormait dans un coin. Jasper se contenta de hausser les sourcils et Pynch, comprenant sa question muette, lui désigna la porte de derrière.

Jasper sortit aussitôt. Le soleil l'aveugla un instant, puis il aperçut Melisande. Elle conversait avec Munroe, et les voir ensemble suffit à le rendre jaloux. Munroe avait beau être défiguré, il savait s'y prendre avec les femmes. Et puis, elle se tenait beaucoup trop près de lui.

Il marcha dans leur direction. Mouse annonça son arrivée en aboyant une fois, avant de trottiner à sa rencontre.

— Enfin levé, Renshaw? le héla Munroe.

— Je m'appelle Vale, désormais, lui rappela Jasper, enlaçant Melisande à la taille.

Munroe avait suivi son geste du regard.

— Bien sûr, dit-il.

— As-tu pris ton petit déjeuner, mon cœur ? demanda Jasper à sa femme.

— Pas encore. Je vais aller voir ce que nous réserve le garde-manger.

— J'ai envoyé Wiggins s'approvisionner en œufs et en pain frais dans une ferme du voisinage, expliqua Munroe, les joues soudain colorées, comme si son manque d'hospitalité avait fini par lui faire honte. Quand vous vous serez restaurés, je vous conduirai au sommet de la plus haute tour. Le panorama y est splendide.

Jasper se rappela comment Melisande s'agrippait aux bordures de son phaéton.

— Une autre fois, peut-être.

Melisande se libéra de son étreinte.

— Si vous voulez bien m'excuser, messieurs, j'aimerais trouver quelque chose à donner à Mouse. Je serai dans les cuisines.

Jasper n'eut d'autre choix que de laisser sa femme retourner vers le manoir.

Munroe la regarda s'éloigner, l'air songeur.

— Votre femme est charmante, dit-il. Et intelligente, en prime.

— Hmm, marmonna Jasper. Je crois qu'elle a le vertige.

— Ah, fit Munroe.

Et, après un silence :

— Je n'aurais jamais imaginé qu'elle serait votre genre.

Jasper s'esclaffa.

— Vous ne savez rien de mon genre de femme.

— Détrompez-vous. Il y a six ans de cela, je crois me souvenir que vous aviez un net penchant pour les créatures bien en chair, mais parfaitement dénuées d'intelligence et de morale.

— C'était il y a six ans, comme vous venez de le préciser. Beaucoup d'eau a coulé sous les ponts, depuis.

— Certes, acquiesça Munroe.

Il s'était mis à marcher, et Jasper le suivit.

— Vous êtes devenu vicomte, reprit Munroe. Saint Aubyn est mort, et j'ai perdu la moitié de mon visage. Mais si cela peut vous rassurer, je ne vous en tiens pas grief.

Jasper détourna le regard.

— Comment pourriez-vous ne pas m'en vouloir ? Ils vous ont crevé l'œil parce que j'ai crié d'horreur devant les supplices qu'ils vous infligeaient.

Munroe resta silencieux un long moment. Jasper n'osait pas le regarder. L'Écossais avait été très bel homme, autrefois. Et, quoique taciturne de nature, il n'avait jamais vécu en reclus. Depuis le drame, lui arrivait-il de sourire encore ?

— Nous étions en enfer, lâcha-t-il finalement.

Jasper crispa les mâchoires.

— Si je n'avais pas crié…

Munroe soupira.

— Si vous n'aviez pas crié, ils m'auraient quand même crevé l'œil. J'y ai beaucoup réfléchi, depuis. La torture est chez les Wyandots un comportement normal envers les prisonniers de guerre. Aussi normal, pour nous, que de pendre un pauvre garçon qui a détroussé un gentleman.

— Je ne comprends pas que vous puissiez juger cela avec une telle sérénité. N'êtes-vous donc pas en colère ?

Munroe haussa les épaules.

— Mon métier, c'est d'observer. Quoi qu'il en soit, je ne vous en veux pas. Votre femme s'inquiétait à ce sujet.

— Merci.

— Je crois qu'aux qualités de votre épouse, il faut encore ajouter la loyauté et le courage. Je me demande bien où vous l'avez trouvée.

Jasper grommela dans sa barbe.

— Je suppose que vous avez conscience qu'un coquin comme vous ne la mérite pas ? enchaîna Munroe.

— Ce n'est pas parce que je ne la mérite pas, que je ne me battrai pas bec et ongles pour la garder.

— Vous avez bien raison, acquiesça Munroe.

Ils reprirent leur promenade. Dans un silence que Jasper trouva bizarrement amical. Pourtant, ils n'avaient jamais été amis – leurs centres d'intérêt étaient trop divergents, leurs personnalités trop opposées. Mais ils avaient vu mourir leurs compagnons et traversé ensemble des épreuves qu'ils ne pourraient jamais oublier.

Ils étaient arrivés sur d'anciennes terrasses construites en escalier, laissées à l'abandon. Munroe s'arrêta pour admirer la vue. Une rivière serpentait au loin, entre des boqueteaux. C'était une belle contrée.

Le gros chien qui les avait suivis exhala un soupir et se laissa tomber aux pieds de son maître.

— C'est pour ça que vous êtes venu ? s'enquit-il brusquement. Pour quémander mon pardon ?

— Non, répondit d'abord Jasper.

Mais, repensant à sa confession de la nuit précédente, il se reprit :

— Enfin, peut-être. Mais ce n'était pas la raison première.

Munroe pivota vers lui.

— De quoi s'agit-il, alors ?

Jasper lui raconta tout. Samuel Hartley et cette maudite lettre. Dick Thornton assurant, dans sa cellule de Newgate, que le traître se comptait parmi les prisonniers. Et enfin, la tentative d'assassinat contre lord Hasselthorpe.

Munroe écouta jusqu'au bout, en silence. Mais lorsque Jasper eut terminé, il secoua la tête.

— Tout cela n'a aucun sens.

— Vous ne croyez pas à une trahison ?

— Oh, ça, je n'en doute pas un instant. De toute évidence, les Wyandots nous attendaient. Mais je ne peux pas croire que le traître se trouvait parmi notre groupe de prisonniers. Qui d'entre nous aurait pu faire cela ? Moi ?

— Non, répliqua Jasper sans hésiter, et il était sincère : il n'avait jamais soupçonné Munroe.

— Ce qui ne laisse plus que Horn, Growe et vous. À moins que vous ne pensiez que le traître était parmi ceux qui ont été tués ? Mais franchement, voyez-vous vraiment l'un d'entre nous trahir ?

— J'ai du mal, en effet, avoua Jasper. Pourtant, quelqu'un a renseigné les Français et leurs alliés indiens sur notre route.

— C'est d'accord. Mais pour nous suspecter, vous n'avez que la parole d'un condamné à mort à moitié fou. Abandonnez, Vale. Thornton s'est moqué de vous.

— Je ne peux pas. Je n'oublierai jamais, et je ne renoncerai jamais.

Munroe soupira.

— Considérez l'affaire sous un autre angle, alors. Pourquoi l'un d'entre nous aurait-il fait cela ?

— Vous voulez dire, nous trahir ?

— Oui. Il y avait forcément une raison. Une sympathie pour la cause des Français, par exemple.

Jasper secoua la tête.

— La mère de Reynaud Saint Aubyn était française, fit remarquer Munroe.

— Ne soyez pas ridicule. Reynaud est mort. Il a péri le lendemain de notre arrivée au campement. Et puis, je ne connaissais pas d'Anglais plus loyal que lui.

— Ne vous emportez pas, plaida Munroe, levant la main pour l'apaiser.

— Personnellement, je vois une explication à la trahison : l'argent, lança Jasper avec un regard appuyé en direction du manoir.

Il doutait que Munroe fût le traître, mais ses allégations contre Reynaud l'avaient ulcéré.

Munroe suivit son regard et s'esclaffa.

— Ne croyez-vous pas que, si je nous avais vendus aux Français, mon château serait moins délabré ?

— Vous avez pu cacher l'argent quelque part, et attendre avant de le dépenser.

— Le seul argent que je possède me vient de l'héritage ou du fruit de mon travail. Si le traître a agi par cupidité, c'est qu'il avait des dettes à rembourser. Ou alors, il est beaucoup plus riche aujourd'hui qu'il y a six ans. Comment se portent vos finances, Vale ? Je crois me souvenir que vous aimiez jouer aux cartes.

— Je l'ai déjà expliqué à Hartley, et je vous le dis également : j'ai réglé depuis longtemps toutes mes dettes de jeu.

— Avec quoi ?

— Mon héritage. Mes avocats sont en possession de tous les documents qui le prouvent.

Munroe haussa les épaules, et reprit sa promenade. Jasper marchait à son côté.

— Vous êtes-vous intéressé aux finances de Horn ?

— Il vit avec sa mère, dans leur maison londonienne.

— La rumeur a couru que son père avait perdu beaucoup d'argent dans un investissement malheureux. Où habite-t-il ?

— Sur Lincoln's Inn Fields.

— Un quartier bien dispendieux, pour un homme sans héritage.

— Il avait assez d'argent pour voyager en Italie et en Grèce, en tout cas, se souvint Jasper.

— Ainsi qu'en France.

Jasper s'immobilisa.

— Quoi ?

Munroe continua d'avancer quelques pas, comme s'il ne s'était pas rendu compte que Jasper ne suivait plus. Puis il s'arrêta à son tour, et se retourna.

— Matthew Horn était à Paris, l'automne dernier.

— Comment le savez-vous ?

— Je vis peut-être en reclus, mais j'entretiens une correspondance régulière avec les plus grands naturalistes d'Angleterre et du continent. J'ai reçu une lettre d'un botaniste français, cet hiver. Il m'y décrivait un dîner auquel il avait assisté à Paris. Un certain Horn, ancien militaire aux colonies, était également invité. Je suis convaincu qu'il s'agit de notre Matthew Horn.

— Mais qu'aurait-il été faire à Paris ?

— Du tourisme.

— Alors que nous sommes en guerre contre la France ?

Munroe haussa les épaules.

— Certains pourraient considérer ma correspondance scientifique avec des Français comme antipatriotique.

Jasper soupira.

— C'est insoluble. Je ne peux me raccrocher à aucun indice tangible. Mais je ne peux pas non plus oublier le massacre. Vous non plus, j'imagine ?

Munroe eut un rire amer.

— Alors que son souvenir est gravé sur mon visage ? Non, je ne risque pas de l'oublier.

— Pourquoi ne viendriez-vous pas nous rendre visite à Londres ? Lady Vale serait ravie de vous recevoir.

— Les enfants se mettent à pleurer en me voyant, rétorqua Munroe d'un ton presque détaché.

— Vous rendez-vous parfois à Édimbourg ?

— Non, je ne vais plus nulle part.

— Vous vous êtes emprisonné dans ce château.

— À vous entendre, ce serait tragique. Or, ça ne l'est pas. J'ai accepté mon sort. J'ai mes livres, mes études, mes écritures... je me contente de cela.

Jasper le dévisageait avec scepticisme. Se contenter de cette existence morne, dans un château délabré, avec pour seuls compagnons un gros chien et un domestique revêche ?

Munroe fit demi-tour vers le manoir.

— Venez. Nous n'avons pas encore pris notre petit déjeuner, et votre femme doit impatiemment vous attendre.

— Il aurait bien besoin d'une gouvernante, commenta Melisande, alors que leur voiture quittait le manoir de sir Alistair.

Sally, assise dans son coin, acquiesça vigoureusement.

Vale lui décocha un sourire.

— Si je comprends bien, vous avez trouvé à redire à la tenue de sa maison ?

— Un peu ! s'exclama Sally. Les draps sentent le moisi, il y a de la poussière partout, les placards de la cuisine sont vides… Et je ne parle pas de son horrible serviteur !

Vale s'esclaffa.

— Oubliez cela. Nous dormirons dans des draps moelleux ce soir. Tante Esther nous attend sur le chemin du retour. J'imagine qu'elle est impatiente d'entendre le compte rendu de notre visite chez Munroe.

— C'est aussi mon avis, approuva Melisande, amusée.

La jeune femme prit son panier à ouvrage et s'absorba dans sa broderie. Mais quand elle fut convaincue que Sally s'était endormie, elle demanda à Jasper, qui regardait par la vitre :

— Sir Alistair t'a-t-il dit tout ce que tu désirais savoir ?

— D'une certaine façon, oui. Il a convenu avec moi que nous avions été trahis. Et je me suis promis de démasquer le traître.

Elle fronça les sourcils.

— Crois-tu qu'il pourrait s'agir de lui ?

— Non. Mais j'avais espéré qu'il m'aiderait à avancer dans mon enquête.

— Et alors ? T'a-t-il aidé ?

— Je ne sais pas trop.

La réponse aurait pu paraître décevante, mais Jasper n'avait pas l'air soucieux outre mesure. Melisande s'absorba un moment dans sa broderie, soulagée. Son entretien avec sir Alistair semblait avoir apaisé son mari.

— Du blanc-manger, lâcha-t-elle brusquement.

Il haussa les sourcils.

— Pardon ?

— Tu m'avais demandé, un jour, quel était mon mets favori. Tu te souviens ?

— Oui, en effet.

— Eh bien, du blanc-manger. Quand j'étais petite, nous en mangions à Noël. La cuisinière le colorait en rose et le décorait avec des amandes. Comme j'étais la plus jeune, j'avais la plus petite part, mais c'était délicieux, crémeux à souhait. J'avais hâte, tous les ans, de renouer avec cette tradition.

— Si tu veux, nous pourrons déguster du blanc-manger rose à tous les dîners.

Melisande rit.

— Non, ça gâcherait l'essence même de ce moment de fête. Seulement à Noël.

Elle frissonna d'excitation à l'idée d'organiser son premier Noël avec lui. Et il y en aurait encore beaucoup d'autres ensuite. Cette perspective la comblait de bonheur.

— D'accord, seulement à Noël, acquiesça-t-il d'un ton solennel, comme s'il scellait quelque affaire d'importance. Mais tu auras la plus grosse part.

— Et toi, alors ?

— J'en mangerai aussi, bien sûr. Mais je tiens à ce que tu aies la plus grosse part. Il ne sera pas dit que je ne suis pas un mari généreux.

Melisande leva les yeux au plafond, mais ne put s'empêcher de sourire. Elle était décidément très impatiente de vivre son premier Noël avec Jasper.

Ils arrivèrent chez tante Esther bien avant l'heure du dîner. Au moment où leur voiture s'immobilisait devant la porte, tante Esther disait au revoir sur son perron à un couple, qu'elle avait probablement reçu pour le thé. Melisande mit quelques secondes à reconnaître Timothy et son épouse. Timothy. Son premier amour…

Il fut un temps où, dès qu'elle l'apercevait, son cœur battait la chamade. Et elle avait mis des années à se remettre de leur rupture. Mais à présent, la blessure s'était refermée. Sa mésaventure était arrivée à une jeune fille naïve qui n'était plus elle. En regardant aujourd'hui Timothy, elle remerciait le Ciel de ne pas l'avoir épousé.

Vale sauta brusquement hors de la voiture.

— Tante Esther ! cria-t-il, ignorant délibérément l'autre couple.

Et, bondissant sur le perron, il bouscula Timothy Holden. Celui-ci vacilla sur les marches. Vale parut vouloir se porter à sa rescousse mais il le heurta encore, et cette fois Timothy s'écroula sur le trottoir.

— Oh, mon Dieu ! s'exclama Melisande, qui s'empressa de sortir de voiture avant que son mari n'assassine son premier amant.

Mouse bondit à sa suite et se mit à aboyer après Timothy, toujours à terre.

Avant que Melisande ait pu intervenir, Vale lui offrait déjà son bras pour l'aider à se relever. Timothy, cet idiot, s'en empara, et Melisande se couvrit les yeux avec sa main. Vale tira un peu trop fort et Timothy fut littéralement aspiré du sol, pour venir s'écraser sur le torse de Jasper. Celui-ci lui fit les gros yeux et chuchota quelques mots à son oreille. Puis il le relâcha. Timothy, blême, se hâta d'entraîner son épouse vers leur voiture, sans demander son reste.

Mouse lui lança un dernier aboiement satisfait, heureux d'avoir chassé par son autorité cet importun.

Vale se pencha vers lui et murmura quelque chose qui dut beaucoup plaire au terrier, car il agita la queue.

— Qu'as-tu dit à Timothy ? questionna Melisande, les rejoignant.

Vale lui décocha un regard parfaitement innocent.

— Pardon ?

— Jasper !

— Oh, je lui ai simplement suggéré de ne plus rendre visite à ma tante.

— *Suggéré ?*

Il esquissa un sourire entendu.

— Je ne pense pas que nous reverrons M. Holden et sa femme de sitôt.

Melisande soupira. Mais elle était secrètement ravie qu'il ait laissé parler sa jalousie.

— Était-ce vraiment nécessaire ?

Il lui prit le bras.

— Oh oui, mon cœur. Absolument nécessaire.

Et ils gravirent ensemble le perron.

— Nous voilà de retour, tante Esther ! lança-t-il. Et nous apportons des nouvelles de l'ermite Munroe !

17

Le lendemain, le roi annonça l'ultime épreuve. Un anneau d'or était caché dans une caverne, gardée par un dragon crachant le feu. Jack revêtit son armure de vent, se saisit de son épée tranchante, et il se retrouva bientôt devant l'entrée de la caverne. Le dragon sortit défendre son antre, et Jack dut se battre vaillamment car le monstre était gigantesque. La lutte, féroce, dura toute la journée. Le soir tombait quand le dragon s'écroula finalement, et Jack put serrer l'anneau d'or dans sa main.

Une semaine plus tard, Melisande se promenait dans Hyde Park avec Mouse. Ils n'étaient rentrés à Londres que la veille, en fin de journée. Le voyage de retour s'était déroulé sans encombre – à part ce repas effroyable qu'on leur avait servi dans une auberge, le troisième jour. La veille au soir, Melisande avait confectionné une paillasse dans sa propre chambre, et Vale avait dormi avec elle toute la nuit. C'était un arrangement un peu bizarre, certes, mais elle était si heureuse de partager ses nuits avec son mari qu'elle n'en avait cure. Si elle devait dormir par terre pour le restant de sa vie, elle s'en accommoderait, pourvu que Vale soit à ses côtés. Sally avait jeté un regard étonné à la paillasse, mais elle n'avait rien dit. M. Pynch l'avait sans doute informée des habitudes de son maître en matière de sommeil.

Le vent soulevait ses jupes tandis que la jeune femme déambulait dans les allées, sans but précis. Vale était parti rendre visite à Matthew Horn – sans doute pour lui parler encore de Spinner's Falls. Cette idée la chagrinait un peu. Elle avait espéré qu'après leur visite à sir Alistair, il avait fini par trouver l'apaisement et renoncerait à sa quête. Elle s'était trompée : il était toujours aussi désireux de découvrir celui qui les avait trahis. Il avait même passé une bonne partie de leur voyage de retour à ressasser devant elle ses hypothèses. Melisande, sa broderie à la main, l'avait écouté sans rien dire, malgré son inquiétude. Quelles chances avait-il de démasquer le traître, après autant d'années ? S'il demeurait bredouille, en garderait-il une immense frustration pour le restant de ses jours ?

Une exclamation la tira de ses pensées. Elle releva les yeux et vit Jamie, le fils de Mme Fitzwilliam, embrasser Mouse. Le terrier, en retour, le léchait avec enthousiasme – preuve qu'il l'avait reconnu. La sœur du garçon, moins téméraire, s'était cependant approchée pour caresser le chien.

—Bonjour ! lança Mme Fitzwilliam qui se tenait derrière ses enfants. C'est une belle journée, n'est-ce pas ?

—Oui, sourit Melisande.

Elles firent quelques pas chacune, et se retrouvèrent côte à côte pour regarder les enfants jouer avec Mouse.

Puis Mme Fitzwilliam soupira.

—J'aimerais acheter un chien à Jamie. Il me le réclame depuis longtemps. Mais Sa Grâce n'aime ni les chiens ni les chats. Ils le font éternuer. Et il prétend que les chiens sont sales.

Melisande fut un peu surprise d'entendre Mme Fitzwilliam évoquer son protecteur d'un ton aussi détaché, mais elle préféra n'en rien montrer.

— C'est vrai que les chiens sont parfois sales.

— Hmm. Mais les petits garçons aussi, répondit Mme Fitzwilliam avec un froncement de nez qui rendit son beau visage encore plus irrésistible. Et puis, ce n'est pas comme s'il venait nous voir très souvent. À peine une fois par mois, ces derniers temps. J'ai l'impression qu'il s'est trouvé une autre femme, comme un sultan ottoman. Ils gardent leurs femmes dans un enclos – je veux dire, les sultans ottomans – qu'ils appellent *harem*.

Melisande se sentit rougir.

— Oh, je suis navrée! s'exclama Mme Fitzwilliam. Je vous ai embarrassée, n'est-ce pas? Il faut toujours que je parle à tort et à travers. Sa Grâce m'a pourtant souvent conseillé de garder les lèvres fermées. Cela gâche l'illusion quand je les ouvre, disait-il.

— Quelle illusion?

— De leur perfection.

Melisande sursauta.

— Quelle goujaterie!

Mme Fitzwilliam balança légèrement la tête, comme si elle méditait l'argument.

— Oui, vous avez sans doute raison. Je ne l'avais pas réalisé, jusqu'ici. Vous savez, j'étais en admiration devant lui lorsque nous nous sommes rencontrés. Mais j'étais si jeune, aussi! Je n'avais que dix-sept ans.

Melisande aurait voulu savoir comment elle était devenue la maîtresse du duc de Lister à cet âge-là, cependant elle redoutait la réponse.

— L'aimiez-vous? se contenta-t-elle de demander.

Mme Fitzwilliam s'esclaffa. Elle avait un petit rire délicieux, mais teinté de tristesse.

— Aime-t-on le soleil? Il est là, et nous sommes heureux qu'il nous prodigue sa chaleur et sa lumière, mais l'aime-t-on vraiment pour autant?

Melisande préféra demeurer silencieuse: tout ce qu'elle aurait pu répondre n'aurait fait qu'ajouter à la tristesse de cette femme.

— Je pense que, pour connaître véritablement l'amour, il faut se présenter à égalité devant lui, poursuivit Mme Fitzwilliam. Et je ne parle pas d'égalité de richesse, ni de statut social. Je connais des femmes qui sont follement amoureuses de leur protecteur, et réciproquement. Mais ils sont égaux sur un plan... spirituel, si vous comprenez ce que je veux dire.

— Je crois comprendre, répliqua Melisande. Si l'un des deux partenaires garde ses émotions pour lui, ils ne pourront pas sincèrement s'aimer. Il faut apprendre à ouvrir son cœur, et savoir se montrer vulnérable.

— Je n'avais pas réfléchi en ces termes, mais vous avez tout à fait raison. L'amour est une reddition. Et il faut beaucoup de courage pour consentir à une telle reddition.

Melisande hocha la tête.

— Malheureusement, je crains de ne pas être très courageuse, enchaîna Mme Fitzwilliam. J'ai toujours été guidée par la peur.

Melisande lui jeta un regard intrigué.

— Pourtant, beaucoup de gens pourraient penser que vous avez choisi une voie qui réclame un certain courage.

— Alors, c'est qu'ils me connaissent mal. Mais je déteste me laisser influencer par mes peurs. Ce n'est pas la vie que je souhaitais.

— Je suis désolée.

— Je pensais que je serais capable de changer...

Moi aussi, songea Melisande. Et pendant un moment, les deux femmes s'absorbèrent dans un silence mélancolique.

Puis Jamie poussa un cri, et elles regardèrent dans sa direction. Le garçon était tombé dans une flaque d'eau.

— Bonté divine! s'exclama Mme Fitzwilliam. Je n'ai plus qu'à le ramener à la maison. Ma femme de chambre sera furieuse quand elle verra ses vêtements.

Elle appela ses enfants, qui revinrent à contre-cœur.

— Merci, dit-elle à Melisande.

— Merci de quoi ?

— D'avoir parlé avec moi. J'apprécie nos conversations.

Melisande se demanda soudain s'il arrivait à Mme Fitzwilliam de parler avec d'autres ladies. Son statut de femme entretenue la disgraciait socialement, mais d'un autre côté elle était la maîtresse d'un duc, ce qui la plaçait au-dessus des femmes de sa condition. Mme Fitzwilliam évoluait dans une sphère très particulière.

— Moi aussi, j'apprécie beaucoup, répondit-elle sans réfléchir. J'espère que nous aurons l'occasion de nous revoir.

Mme Fitzwilliam eut un sourire timide.

— Je l'espère également.

Puis elle salua et s'éloigna avec ses enfants. Melisande rebroussa chemin. La voiture l'attendait un peu plus loin. Elle songea à sa conversation avec Mme Fitzwilliam. L'amour, avaient-elles convenu, réclamait une certaine vulnérabilité. Mais Melisande n'était pas sûre d'avoir à nouveau le courage d'exposer sa vulnérabilité.

— Munroe t'a-t-il éclairé sur l'identité du traître ? interrogea Matthew Horn, ce même jour.

Jasper haussa les épaules. Les deux hommes chevauchaient tranquillement dans Hyde Park, mais Jasper rongeait son frein. Il avait l'impression d'être arrivé à un point de rupture. Comme s'il ne pourrait plus avancer dans l'existence tant qu'il n'aurait pas démasqué le traître.

C'est peut-être pour cela qu'il répliqua d'un ton sec :

— Munroe m'a suggéré de regarder du côté de l'argent.

— Comment cela ?

— Celui qui nous a trahis travaillait probablement pour les Français. Soit par conviction politique, soit parce qu'il en retirait un profit. D'après Munroe, je ferais bien de m'intéresser aux finances de ceux qui ont été capturés.

— Quel homme serait assez fou pour encaisser de l'argent, et ensuite se jeter dans la gueule du loup et risquer sa vie par la même occasion ?

Jasper haussa les épaules.

— Probablement le traître n'avait-il pas prévu de se faire capturer.

— Non, fit Horn, secouant la tête. Ça ne tient pas debout. Le traître aurait pris ses précautions pour ne pas se retrouver à Spinner's Falls. Il se serait fait porter malade… ou il aurait tout simplement déserté.

— Mais peut-être ne l'a-t-il pas pu ? S'il était un officier, par exemple. Et n'oublie pas que seuls les officiers connaissaient la route que nous devions emprunter.

Horn s'esclaffa.

— Je parie qu'une partie des hommes étaient au courant. Tu sais bien que les secrets ne se gardent jamais très longtemps, dans l'armée.

— C'est vrai, concéda Jasper. Mais je continue à pencher pour la thèse de l'officier.

Horn arrêta son cheval.

— Et tu comptes enquêter sur les finances de tous ceux qui furent capturés ?

Jasper le regarda droit dans les yeux.

— Munroe m'a aussi dit autre chose.

Horn cligna des yeux.

— Quoi ?

— Que tu étais à Paris, à l'automne dernier.

— Pardon ?

— L'un de ses amis lui a écrit avoir rencontré un certain Horn, dans un dîner parisien.

— Voilà qui est bien péremptoire ! s'exclama Matthew, le visage soudain congestionné. Horn est un nom fréquent. Il s'agissait d'un autre.

— Alors, tu n'étais pas à Paris à ce moment-là ?

— Non. Comme je te l'ai déjà raconté, j'ai voyagé en Italie et en Grèce. Point.

Jasper garda le silence.

Furieux, Horn agrippa ses rênes pour se pencher vers lui.

— Mettrais-tu mon honneur en doute ? Soupçonnerais-tu ma loyauté envers mon pays ? Comment oses-tu, Vale ? S'il ne s'agissait pas de toi, je t'aurais déjà provoqué en duel.

— Matthew... commença Jasper, mais Horn éperonna son cheval et partit au galop.

Jasper le regarda s'éloigner. Il venait d'offenser gravement un homme qu'il considérait comme son ami. Quand Horn eut disparu, il rebroussa chemin, tâchant de comprendre pourquoi il s'en était pris à quelqu'un qui ne lui avait jamais fait aucun mal. Matthew avait raison : l'ami de Munroe avait très bien pu croiser un autre Horn.

De retour chez lui, l'esprit toujours aussi agité, il apprit que Melisande n'était pas encore rentrée – ce qui ne fit qu'assombrir un peu plus son humeur. Il avait été impatient de la retrouver, pour discuter avec elle de son entrevue malheureuse avec Matthew. Ravalant un juron, il se dirigea vers son bureau.

Il avait à peine eu le temps de se servir un verre de brandy, que Pynch frappa à la porte et entra.

— J'avais raison, milord, dit-il, s'avançant au milieu de la pièce. Le majordome de M. Horn est bien le frère d'un soldat avec qui j'ai servi.

— T'a-t-il parlé ?

— Oui, milord. Il avait son après-midi de congé, et nous nous sommes retrouvés dans une taverne. Nous avons bu quelques verres en échangeant nos souvenirs sur son frère. Le malheureux est mort à la bataille de Québec.

Jasper hocha la tête. Beaucoup d'hommes étaient morts lors de cette bataille.

— Après son quatrième verre, le majordome de M. Horn a commencé à se montrer très loquace. J'ai alors pu engager la conversation sur son maître.

Jasper vida son verre d'un trait. Il n'était pas sûr de vouloir entendre la suite. Mais c'était lui qui avait tout déclenché, en envoyant Pynch aux renseignements dès leur retour d'Écosse.

— Que t'a-t-il raconté ?

Le regard du valet s'assombrit.

— D'après son majordome, les finances des Horn étaient très mal en point après la mort du père de M. Matthew. Sa mère fut d'ailleurs obligée de renvoyer la plupart de leurs serviteurs. Il se murmurait qu'elle finirait un jour par vendre la maison. Et puis, M. Matthew est rentré des colonies. Les domestiques furent réengagés, on acheta une nouvelle voiture et Mme Horn put parader dans de nouvelles robes.

Jasper contemplait son verre vide.

— Quand est mort son père ?

— L'été 1758.

L'été qui avait précédé la chute de Québec. Et Spinner's Falls.

— Merci, murmura Jasper.

Pynch hésita.

— Il aurait pu hériter d'un autre parent, suggéra-t-il. Ou gagner de l'argent d'une manière parfaitement légale.

Jasper haussa les sourcils.

— Un héritage qu'ignorerait son majordome ? Cela me paraît peu probable.

Pynch, ne voyant plus rien à ajouter, salua et sortit.

Jasper se resservit un verre, et se planta devant la cheminée. Si Horn était le traître, devait-il le déférer devant les autorités sans plus attendre ? Il ferma les yeux et avala une gorgée de brandy. Maintenant qu'il avait mis cette enquête en branle, il n'était plus certain de pouvoir contrôler les événements.

Lorsqu'il rouvrit les yeux, Melisande se tenait sur le seuil.

Jasper vida son verre.

— Melisande! Où étais-tu passée?

— J'étais partie me promener dans Hyde Park.

Il retourna à la carafe de brandy, pour remplir une nouvelle fois son verre.

— Vraiment? fit-il. Histoire de converser avec des cocottes?

Le visage de la jeune femme devint glacial.

— Je crois que je ferais mieux de te laisser.

— Non, non, assura-t-il, levant son verre avec un grand sourire. Tu sais bien que je déteste être seul. Et puis, nous devons fêter quelque chose. Je suis sur le point d'accuser un ami de trahison.

— Cette perspective n'a pas l'air de t'enchanter.

— Au contraire, je suis ravi. Absolument ravi.

— Jasper... je sais que tu es obsédé par ce qui s'est passé à Spinner's Falls, mais j'ai peur que cette quête ne finisse par te faire du mal. Ne crois-tu pas que tu ferais mieux d'abandonner?

— Pourquoi abandonnerais-je? Pourquoi renoncerais-je à venger ce massacre, où j'ai vu mourir mon meilleur ami? Si j'étais mort à sa place, Reynaud n'aurait pas connu le repos tant qu'il n'aurait pas démasqué le traître.

Melisande ne répondit rien.

— Reynaud n'aurait jamais renoncé, insista-t-il.

— Reynaud est mort.

Il se raidit.

— Reynaud est mort, répéta-t-elle. Et tu n'es pas lui.

Ce soir-là, Melisande se brossa les cheveux en solitaire. Après leur petite dispute de l'après-midi, Vale avait quitté le bureau sans un mot. Dans la chambre, tout était prêt pour le recevoir: le lit était fait sur le plancher, et la carafe de vin avait été remplie. Mais son mari n'était pas là.

Et il était déjà plus de dix heures.

Cependant, ils avaient dîné ensemble. Melisande doutait donc qu'il ait pu ressortir sans l'en avertir. Certes, il en avait eu l'habitude aux premiers temps de leur mariage, mais les choses avaient changé. Du moins le croyait-elle.

Melisande resserra son peignoir sur elle et prit sa décision. Si son mari ne venait pas à elle, elle irait le trouver ! Traversant sa chambre d'un pas déterminé, elle se dirigea vers la porte qui séparait leurs deux appartements, et tourna la poignée.

Rien ne se passa.

La jeune femme contempla un moment la poignée, incrédule. La porte était verrouillée. Mais peut-être s'agissait-il d'une erreur ? Après tout, elle n'avait pas l'habitude de passer de sa chambre dans celle de son mari : d'ordinaire, c'était lui qui effectuait le trajet inverse.

Melisande opta donc pour une autre tactique. Elle sortit dans le couloir et gagna la porte de Vale. Mais celle-ci aussi était verrouillée. Là, c'était déjà moins normal. Elle frappa au battant et attendit. Et attendit encore, puis frappa de nouveau.

Il s'écoula bien cinq minutes avant que la vérité ne s'impose à elle : son mari ne la laisserait pas entrer.

18

La nuit était tombée quand Jack rentra enfin au château. Il eut tout juste le temps de se défaire de son armure et de son épée, avant de courir aux cuisines pour soudoyer le marmiton. Puis il gagna la salle des banquets, où la cour s'était déjà assemblée pour le souper.

— Eh bien, Jack ? lui demanda la princesse. Tu avais encore disparu ! Et qu'est-il arrivé à ta jambe ?

Jack baissa les yeux et s'aperçut que le dragon lui avait brûlé la cuisse.

— J'ai fait une mauvaise rencontre avec une salamandre, expliqua-t-il.

Le lendemain matin, Melisande ne vit pas son mari dans la salle à manger des petits déjeuners. Cette fois, elle eut franchement le sentiment qu'il la boudait. Sans doute avait-elle eu tort de se montrer brutale avec lui. Mais pourquoi ne voulait-il pas comprendre que son obsession de Spinner's Falls lui ravageait l'existence ? Et que son épouse avait le droit de lui en faire la remarque ?

Après avoir avalé son petit déjeuner, la jeune femme décida qu'elle ne voulait plus rester cloîtrée dans cette maison. Elle claqua dans ses doigts, invitant Mouse à la suivre jusqu'à la porte d'entrée.

— J'emmène Mouse en promenade, informa-t-elle le majordome.

— Bien, milady, répondit Oaks, faisant signe à un valet de l'accompagner.

Melisande faillit protester. Elle aurait préféré marcher seule, mais ce n'était pas convenable. Elle remercia Oaks, qui lui ouvrit la porte.

Le soleil était masqué par d'épais nuages, si bien qu'on se serait déjà cru au crépuscule. Mais ce n'est pas cela qui fit stopper Melisande : Mme Fitzwilliam et ses deux enfants se tenaient au bas du perron. La jeune femme portait un sac dans chaque main.

— Bonjour, leur dit Melisande.

Mouse dévala les marches pour faire la fête aux enfants.

— Oh, mon Dieu... murmura Mme Fitzwilliam, qui semblait se retenir de pleurer. Je... Je n'aurais pas dû venir vous embêter. Pardonnez-moi.

Elle tourna les talons, mais Melisande descendit le perron pour la rattraper.

— Non, restez, je vous en prie. Que diriez-vous d'une tasse de thé ?

— Oh, fit Mme Fitzwilliam, et cette fois une larme roula sur sa joue, qu'elle essuya d'un revers de main comme une petite fille. Oh... Vous devez me prendre pour une bécasse.

— Pas du tout, assura Melisande, lui prenant le bras. Je crois que ma cuisinière préparait des scones. Entrez donc.

Les enfants, entendant parler de scones, affichèrent des mines extatiques, ce qui parut décider Mme Fitzwilliam. Elle laissa Melisande l'entraîner à l'intérieur. Celle-ci opta pour un petit salon, à l'arrière de la maison, dont la porte-fenêtre ouvrait sur le jardin.

— Merci, dit Mme Fitzwilliam en s'asseyant. Je me demande ce que vous devez bien penser de moi.

— C'est un plaisir de profiter de votre compagnie, répondit Melisande.

Une servante apporta le thé et les scones. Melisande la remercia. Après son départ, elle s'adressa à Jamie et à Abigail :

— Cela vous dirait-il d'emmener vos scones dans le jardin, pour les manger avec Mouse ?

Les deux enfants se retinrent de bondir de joie. Ils se continrent jusqu'à ce qu'ils soient dehors. Là, Jamie poussa un cri de pur bonheur et courut sur la pelouse.

— Vos enfants sont charmants, commenta Melisande avec un sourire.

Elle remplit une tasse de thé, qu'elle tendit à son invitée.

— Merci, fit Mme Fitzwilliam, avant de boire une gorgée.

Le thé parut lui redonner des forces, car elle regarda Melisande droit dans les yeux :

— J'ai quitté Sa Grâce, annonça-t-elle.

Melisande, qui saisissait sa tasse, suspendit son geste.

— Vraiment ?

— En fait, il m'a jetée, avoua Mme Fitzwilliam.

— Je suis désolée, murmura Melisande.

Ce devait être horrible, d'être ainsi « jetée » comme du vulgaire linge sale.

Son invitée haussa les épaules.

— Ce n'est pas la première fois. Ni même la seconde. Sa Grâce a mauvais caractère. Il s'emporte, me crie qu'il ne veut plus de moi, et m'ordonne de partir. Mais il ne me frappe jamais : je ne voudrais pas que vous imaginiez des choses…

Melisande avala une gorgée de thé. Elle se demandait si dire à quelqu'un qu'on ne voulait plus de lui n'était pas aussi violent que de le frapper.

— Et cette fois ?

Mme Fitzwilliam carra les épaules.

— Cette fois, j'ai décidé de le prendre au mot. Je suis partie.

Melisande hocha la tête.

— Vous avez eu raison.

— Mais… mais il réclamera mon retour. J'en suis convaincue.

— L'autre jour, vous m'avez laissé entendre qu'il avait peut-être une autre maîtresse, lui rappela Melisande.

— Oui. J'en suis quasi certaine. Mais ça n'a pas d'importance. Sa Grâce n'abandonne pas facilement ce qu'il considère comme sa propriété. Il garde les choses – et les gens – simplement parce qu'il estime qu'ils sont à lui.

En disant cela, Mme Fitzwilliam s'était tournée vers la porte-fenêtre, et Melisande suivit son regard.

Les enfants, dans le jardin, jouaient avec Mouse.

Elle comprit instantanément l'inquiétude de Mme Fitzwilliam.

— Je vois, dit-elle.

— Il ne tient pas réellement à eux, expliqua Mme Fitzwilliam. Et il ne s'est d'ailleurs jamais montré très gentil à leur égard. Je dois les protéger de lui, ajouta-t-elle, reportant son attention sur Melisande. J'ai un peu d'argent de côté, mais il me fera suivre. Il me faut trouver un refuge sûr, quelque endroit où il ne songera pas à me chercher. J'ai pensé à l'Irlande, ou à la France. Sauf que je ne parle pas le français et que je ne connais personne en Irlande.

Melisande se leva pour aller fouiller dans le tiroir d'un bureau qui occupait l'un des coins du salon.

— Seriez-vous disposée à travailler ?

Mme Fitzwilliam écarquilla les yeux.

— Bien sûr. Malheureusement, je ne vois pas bien ce que je pourrais faire. J'ai une belle écriture. Mais aucune famille ne m'embauchera comme préceptrice, avec mes deux enfants.

Melisande trouva du papier, de l'encre et une plume. Elle s'assit au bureau avec un sourire résolu.

— Pensez-vous être capable de tenir une maison ?

— Tenir une maison ? répéta Mme Fitzwilliam, se levant à son tour pour arpenter le tapis. Vous voulez dire, être gouvernante ? Mon Dieu, je ne suis pas sûre d'être capable de…

— Ne vous inquiétez pas, la coupa Melisande, qui avait terminé d'écrire son mot et sonna un valet. La personne que j'ai en tête sera ravie de vous avoir, et vous ne serez pas obligée de rester éternellement à son service. Juste le temps que le duc perde votre trace.

— Mais…

Un valet fit son apparition. Melisande lui confia le mot :

— Portez ceci à la vicomtesse douairière. Dites-lui que c'est urgent, et que j'aurais grand besoin de son aide.

— Oui, milady.

Le valet s'empressa de s'éclipser.

— Vous voulez faire de moi la gouvernante de la vicomtesse douairière ? s'exclama Mme Fitzwilliam, incrédule. J'ai peur que…

Melisande lui prit la main.

— Non, je lui ai simplement demandé l'autorisation d'emprunter sa voiture. Vous m'avez dit redouter d'être suivie. La voiture attendra à l'arrière de la maison. Vous y monterez avec vos enfants, déguisés en domestiques. Le duc – ou ses sbires – se laisseront facilement abuser. Faites-moi confiance, madame Fitzwilliam.

— Je vous en prie, appelez-moi Helen. Je… je ne sais pas comment vous remercier.

Melisande réfléchit deux secondes.

— Vous m'avez dit posséder une belle écriture ?

— C'est vrai.

— Alors, je vois ce que vous pourriez faire pour moi, si ça ne vous dérange pas.

Elle retourna au bureau, ouvrit un autre tiroir et en sortit un épais carnet.

— Je viens de finir de traduire un livre de contes pour une amie, expliqua-t-elle. Mais mon écriture est déplorable. Pourriez-vous le recopier afin que je le fasse relier avant de l'offrir à mon amie ?

— Mais certainement, assura Mme Fitzwilliam, s'emparant du carnet pour en caresser la couverture. Mais… où m'envoyez-vous ?

Melisande sourit encore. Elle était vraiment contente de son idée.

— En Écosse.

Melisande était sortie lorsque Jasper rentra à la maison, un peu plus tard dans l'après-midi. Et il en conçut une vive irritation. Il avait pourtant soigneusement évité son épouse depuis vingt-quatre heures, mais maintenant qu'il désirait la voir, elle n'était pas là. Diable de femme !

Ignorant la petite voix de sa conscience lui murmurant qu'il se comportait comme un idiot, il monta à l'étage, la mine renfrognée, avec l'idée de s'enfermer dans ses appartements. Mais, dans le couloir, son regard fut attiré par la porte de la jeune femme et, sur une impulsion, il décida de la pousser. Un mois plus tôt, il était déjà entré dans cette chambre en plein jour, avec l'intention d'en savoir un peu plus sur Melisande. Il en était ressorti bredouille. Depuis, il s'était rendu avec elle en Écosse, il avait appris qu'elle avait eu un amant et perdu un bébé, découvert qu'elle savait merveilleusement faire l'amour… et cependant, il gardait la conviction qu'elle lui cachait *encore* quelque chose. Bon sang ! Il ignorait toujours pourquoi elle avait tenu à l'épouser.

Jasper rôda dans la chambre, sans but précis. Le jour où elle lui avait proposé de l'épouser, il s'était imaginé qu'elle n'avait pas d'autre choix. Que faute de prétendants elle risquait de finir vieille fille, et qu'elle avait sauté sur cette occasion inespérée. Mais à présent, il réalisait la fausseté de ce jugement. C'était une femme intelligente, à l'esprit vif, et volcanique au lit. Le genre de femme qu'un homme pouvait désirer garder toute sa vie.

Aussi était-il persuadé qu'elle aurait très bien pu, si elle l'avait voulu, en épouser un autre. La question était donc de savoir pourquoi elle l'avait choisi, lui.

Il fouilla le tiroir où il avait découvert, la première fois, une petite tabatière en étain. Elle était toujours là. Il la prit dans sa main et l'ouvrit. Le même bouton, et le même petit chien de porcelaine s'y trouvaient. En revanche, la violette séchée avait disparu. Mais d'autres petits objets l'avaient remplacée : un minuscule brin de bruyère, et une mèche de cheveux. La bruyère provenait d'Écosse, il en était convaincu. Et les cheveux... ressemblaient diablement aux siens.

Jasper contemplait encore le contenu de la tabatière, intrigué, quand la porte s'ouvrit dans son dos.

Il ne chercha même pas à cacher ce qu'il avait trouvé. Au contraire : il était ravi de la confrontation qui s'annonçait.

— Bonsoir, mon cœur, dit-il en se retournant.

Melisande referma la porte derrière elle.

— Que fais-tu ?

— J'essaie de découvrir quelque chose.

— Quoi ?

— Pourquoi tu m'as épousé.

Melisande n'en revenait pas. Vale, sa boîte de secrets à la main, venait de lui poser la question la plus stupide qu'elle ait entendue de sa vie.

— Je ne comprends pas, dit-elle, s'obligeant à masquer sa colère.

— Je veux savoir pourquoi tu m'as épousé, mon cœur, répéta-t-il.

— Serais-tu idiot ?

Il haussa un sourcil.

— Non, pourquoi ?

— Alors, peut-être as-tu reçu un choc sur la tête lorsque tu étais petit ? Ou bien auras-tu hérité de la folie d'un membre de ta famille ?

— Pas à ma connaissance.

— Dans ce cas, tu es l'unique responsable de ton idiotie.

Il s'approcha d'elle.

—Je ne me sens pas plus idiot que n'importe qui.

—Oh que si, rétorqua-t-elle, le repoussant sans ménagement. Tu es un bel idiot !

Pour toute réponse, il fourra la tabatière – *sa* tabatière ! – dans sa poche, et l'attira brusquement à lui.

—Dis-moi ! souffla-t-il sur un ton d'autorité.

La jeune femme tambourina des poings sur son torse.

—Tu es le pire idiot que la terre ait jamais porté !

Il semblait indifférent aux coups qu'elle lui assenait.

—Dis-moi, répéta-t-il encore, mais cette fois d'une voix tendre. Dis-moi, mon cœur.

—Je t'ai épié pendant des années, lâcha Melisande. Des années ! Je t'ai vu flirter avec des femmes. Je t'ai vu les séduire. Je t'ai vu t'en lasser, et courir après d'autres.

Il dégrafa les boutons de sa robe et tira sur la camisole, pour libérer ses seins. Puis, prenant l'un dans sa main, il referma les lèvres sur le téton du deuxième.

Melisande laissa échapper un cri de volupté.

Il releva la tête :

—Dis-moi !

La jeune femme était partagée entre plaisir et chagrin. Elle croisa son regard.

—J'observais comment tu chuchotais à leurs oreilles. Et je savais, quand tu quittais une réception au bras d'une femme, que tu allais ensuite coucher avec elle.

Il la regarda sans un mot. Melisande se sentait craquer. Toutes les émotions qu'elle avait contenues tant d'années menaçaient à présent de la submerger.

Soudain, il la souleva dans ses bras pour la porter jusqu'au lit, la jetant presque sur le matelas. Et, avant qu'elle ait pu réagir, il s'allongea sur elle et lui emprisonna les poignets d'une seule main.

On frappa à la porte.

— Ce n'est pas le moment ! cria-t-il, les yeux rivés à ceux de la jeune femme.

— Milord ! Milady !

— Que personne n'ouvre cette porte ! C'est entendu ?

— Milord…

— Bon sang ! *Laissez-nous tranquilles !*

Ils écoutèrent les pas du valet s'éloigner. Puis Jasper se pencha pour lécher le cou de la jeune femme.

— Dis-moi.

Elle voulut arquer les reins, mais il l'écrasait de tout son poids, lui interdisant le moindre mouvement.

— Toutes ces années…

Il défit sa cravate, et s'en servit pour lui attacher les poignets aux montants du lit.

— Toutes ces années, quoi ? Dis-moi, Melisande.

— Je t'observais, murmura-t-elle, haletante, tirant en vain sur la cravate. Je ne te quittais jamais des yeux.

— Cesse de te débattre. Tu vas te faire du mal.

— Me faire du mal ! se moqua-t-elle, avant de partir d'un éclat de rire hystérique.

Jasper sortit un coutelas de sa poche, et entreprit de lui lacérer ses vêtements.

— Dis-moi.

— Tu courtisais les femmes les unes après les autres, répondit-elle, se souvenant du chagrin et de la jalousie qu'elle éprouvait alors. Elles étaient si nombreuses que je ne parvenais même plus à compter. Toi non plus, je suis sûre.

— Non, en effet.

Il jeta les lambeaux de vêtements par terre. Puis il lui ôta ses chaussures, qu'il balança pareillement.

— Je ne me rappelle même pas leurs noms, ajouta-t-il.

Elle était nue, à présent. Mais si ses mains étaient entravées, ses jambes étaient provisoirement libres.

— Le diable t'emporte! gronda-t-elle, lui donnant un coup de genou entre les cuisses.

Il retomba sur elle de tout son poids, ses lèvres prêtes à se refermer sur un sein tandis que, d'une main, il la caressait entre les cuisses.

— Dis-moi!

— Je t'ai épié pendant des années, souffla-t-elle, les larmes coulant sur ses joues, en même temps qu'elle sentait une onde de chaleur monter en elle. Mais toi, tu ne me voyais pas.

— Je te vois, à présent, assura-t-il, décrivant avec sa langue des cercles autour d'un téton, puis de l'autre.

— Tu ne savais même pas mon nom.

— Je le sais, maintenant.

Il ne se contentait plus de lui lécher les tétons: il les mordillait. Et sa main courait toujours entre ses cuisses. Melisande s'arqua sous lui, dans un mouvement d'imploration.

— Tu... ignorais jusqu'à mon existence.

— Je la connais, désormais.

Il se laissa glisser le long de son corps et lui écarta les cuisses, puis il l'obligea à les relever.

Melisande voulut l'arrêter, mais elle était bel et bien prisonnière.

Il approcha sa langue de sa féminité.

La jeune femme tressaillit, tira vainement sur la cravate, avant de fermer les yeux et de s'abandonner au plaisir. Il commença par des petits mouvements de langue autour de son clitoris, qui ne tardèrent pas à la rendre folle de désir.

Elle haletait, impatiente qu'il poursuive son exploration.

Puis il referma les lèvres directement sur son bouton de rose, et le suça. Melisande gémissait, au comble de la torture, mais il poursuivait ses caresses insensées.

Que Dieu lui vienne en aide, elle était devenue une créature de plaisir...

Il immisça deux doigts dans sa féminité. Melisande retint son souffle. Puis il reprit ses caresses avec sa langue, et commença de mouvoir ses doigts. Lentement d'abord, puis de plus en plus vite. La jeune femme sentit les muscles de son bassin se contracter violemment. Sa jouissance explosa avec une telle force qu'elle resta un moment pantelante, les yeux clos, attendant de pouvoir reprendre sa respiration.

Quand elle rouvrit les yeux, Jasper lui dépliait les jambes afin qu'elle puisse les reposer sur le lit. Il la contempla quelques instants, avant de se relever.

— Je ne peux rien changer au passé, dit-il en se déshabillant. Il est trop tard pour annuler toutes les femmes avec qui j'ai couché avant de te connaître. Mais je peux te jurer une chose, ajouta-t-il, rivant son regard au sien : je ne coucherai plus jamais avec une autre femme. Tu incarnes tout ce que je désire.

Il se défit de son pantalon. Son membre érigé pointait vers le plafond.

— Détache-moi, ordonna-t-elle.

Il grimpa sur le lit.

— Non, répliqua-t-il tendrement, avant de lui mordiller le lobe de l'oreille.

Elle frissonna.

Il lui écarta les cuisses. Son membre se pressait contre son bas-ventre.

— Tu es mouillée, constata-t-il. Tu es impatiente de me recevoir, n'est-ce pas ?

La jeune femme déglutit.

— N'est-ce pas, Melisande ? répéta-t-il, frottant l'extrémité de son membre contre l'entrée de sa féminité.

— Ou... oui.

— Oui, quoi ?

— Oui, je suis mouillée pour toi, murmura-t-elle.

Elle voulut bouger, mais il était trop lourd.

— Je vais te faire l'amour, Melisande. Et ce ne sera que toi et moi. Les autres ne comptent plus.

Même leur souvenir n'a plus d'importance. Mais avant, je veux que tu me dises quelque chose.

— Que... Quoi?

— Je veux la vérité.

Il poussa légèrement des reins, et son membre commença de la pénétrer.

— Je t'ai déjà dit la vérité.

— Non, pas toute la vérité. Je veux connaître ton secret.

— Je n'ai pas de secret.

Il s'enfonça en elle. Elle frissonna. Il la remplissait totalement. C'était le paradis.

Mais il s'immobilisa.

— Dis-moi.

Elle enroula les jambes à ses hanches, pour le maintenir bien en elle.

— Je... ne...

Il se retira. Melisande comprit qu'elle ne pouvait pas l'empêcher de bouger.

— Tu la veux? demanda-t-il. Tu veux ma queue?

— Oui! s'écria Melisande, qui le désirait tellement qu'elle était prête à jeter toute fierté et toute pudeur aux orties. Oui, je la veux!

— Alors, dis-moi pourquoi tu m'as épousé.

La jeune femme riva son regard au sien.

— Prends-moi, implora-t-elle.

Elle savait qu'il la désirait autant qu'elle le désirait. Il ne pourrait se retenir encore très longtemps, et elle voulait jouer là-dessus.

— Non, mon cœur. Je ne vais pas te prendre. Je vais te faire l'amour.

Il plongea de nouveau en elle, la pilonnant sauvagement comme s'il avait soudain perdu tout contrôle. La jeune femme renversa la tête en arrière et ferma les yeux, le laissant s'emparer de ses lèvres.

Tout à coup, il se figea. Elle rouvrit les paupières. Son visage était contracté par une grimace de pur plaisir.

— Melisande! cria-t-il.

Et il s'écroula sur elle. Il l'écrasait presque, mais elle n'en avait cure. Approchant ses lèvres de son oreille, elle finit par lui donner ce qu'il désirait :

— Je t'aime. Je t'aime depuis longtemps. Voilà pourquoi je t'ai épousé.

19

On servit son potage à la princesse. Quand elle l'eut terminé, que trouva-t-elle au fond de son assiette ? L'anneau d'or, bien sûr ! Pour la troisième fois, le chef cuisinier fut convoqué séance tenante. Mais le roi eut beau tempêter et le menacer, le pauvre homme ne savait rien.

La princesse, qui tournait et retournait l'anneau entre ses doigts, prit alors la parole :

— Qui épluche les légumes de mon potage ? demanda-t-elle.

Le cuisinier bomba le torse.

— Moi, princesse !

— Qui place la marmite sur le feu ?

— Moi, princesse !

— Et qui touille la soupe pendant qu'elle cuit ?

Le cuisinier écarquilla les yeux.

— Un marmiton, princesse.

Cette réponse causa un grand émoi parmi toute la cour.

— Qu'on m'amène ce marmiton ! s'exclama le roi. Et tout de suite !

Lorsque Jasper se réveilla le lendemain matin, il sut, avant même d'ouvrir les yeux, qu'il était seul. Une sensation de froid l'alerta. Le parfum de Melisande flottait encore dans la pièce, mais elle n'était plus là. Il soupira, puis étira ses muscles endoloris. La jeune femme l'avait épuisé, mais il avait fini par lui soutirer l'aveu qu'il réclamait. Elle l'aimait.

Melisande l'aimait.

Probablement ne méritait-il pas un tel amour. Melisande était belle, intelligente, sensible, alors qu'il avait laissé mourir son meilleur ami sous ses yeux. En un sens, ses cicatrices étaient plus profondes que celles de ses compagnons ayant enduré les tortures des Indiens. Ses plaies étaient dans son âme, et elles saignaient encore. Cependant, bien qu'il eût conscience de ne pas mériter la jeune femme, il se refusait à l'idée de la laisser partir. L'amour de Melisande lui était un baume merveilleux, le seul, sans doute, qui pourrait un jour l'aider à guérir. Voilà pourquoi il voulait la garder auprès de lui jusqu'à son dernier souffle.

Il bondit hors du lit, se débarbouilla et s'habilla rapidement, sans même sonner Pynch. Puis il descendit au rez-de-chaussée. Oaks lui apprit que Melisande était sortie rendre visite à la vicomtesse douairière, et qu'elle ne serait pas rentrée avant une bonne heure.

Jasper fut déçu. Mais aussi, soulagé. La découverte de l'amour de Melisande était encore trop fraîche pour qu'il se sente en état d'affronter la jeune femme. Il fit une incursion dans la salle à manger des petits déjeuners, le temps de se beurrer une tartine. Trop agité pour s'asseoir, il la dévora debout, puis décida de sortir. Melisande demeurerait peut-être absente toute la matinée. En outre, il lui restait une dernière question à régler avec Matthew. Si cette nouvelle piste ne conduisait à rien, comme il le pensait, peut-être finirait-il par renoncer.

Melisande avait raison. Il était grand temps de tourner la page de Spinner's Falls, et de laisser Reynaud reposer en paix.

— Dites à Pynch de me rejoindre, demanda-t-il à son majordome. Et faites-nous seller deux chevaux.

Pynch apparut deux minutes plus tard.

— Je vais rendre une petite visite à Matthew Horn, expliqua-t-il à son valet. J'aurais besoin que tu m'accompagnes, au cas où…

Il conclut sa phrase d'un geste vague de la main. Le valet hocha la tête.

— Bien sûr, milord.

Un palefrenier avança les chevaux au bas du perron. Les deux hommes montèrent en selle, et Jasper lança sa monture au trot. Le temps était gris, de gros nuages bas obscurcissant le ciel et laissant présager de la pluie.

— Je n'aime pas cela, marmonna-t-il. Horn est un gentleman de très bonne famille. Et c'est un ami. Malheureusement, si nos soupçons sont avérés… cela finira forcément mal. Très mal.

Pynch ne répondit rien, et ils poursuivirent leur route en silence. Jasper détestait la mission qu'il s'était fixée, mais il ne pouvait s'y dérober. Si Horn était le traître, il devrait rendre des comptes à la justice.

Moins d'une demi-heure plus tard, il immobilisait son cheval devant la demeure de Matthew Horn. Contemplant la façade, il songea à la famille qui vivait depuis des générations derrière ces murs. La mère de Matthew, désormais invalide, était confinée dans sa chambre. La tâche qui attendait Jasper était décidément bien pénible…

Il mit pied à terre, gravit le perron et frappa à la porte. Pynch, resté en retrait, se tenait quelques marches plus bas.

L'attente fut longue. La maison, silencieuse, semblait déserte. Jasper recula pour jeter un œil aux fenêtres de l'étage. Rien ne bougeait. Il fronça les sourcils et frappa de nouveau. Où étaient donc passés les domestiques ? Horn leur avait-il ordonné de ne pas les laisser entrer ?

Il s'apprêtait à frapper une troisième fois lorsque le battant s'entrouvrit enfin. Un jeune valet montra sa figure.

— Votre maître est-il là ? demanda Jasper.

— Je crois, oui.

— Dans ce cas, laissez-nous entrer, s'impatienta Jasper. Je désire le voir.

Le valet rougit.

— Bien sûr, monsieur. Si vous voulez bien attendre dans la bibliothèque, je vais prévenir M. Horn.

— Merci.

Jasper entra, Pynch sur ses talons, et se dirigea tout droit vers la bibliothèque.

La pièce était telle que dans son souvenir. La carte qu'il avait admirée lors de sa précédente visite était toujours accrochée au mur. Il allait s'en approcher, quand une sorte de gémissement le fit s'immobiliser.

Contournant un canapé, il découvrit deux personnes sur le plancher – une femme berçant un homme dans ses bras. La femme se balançait d'avant en arrière, un murmure inaudible filtrant de ses lèvres. La chemise de l'homme était rougie de sang. Le manche d'un poignard, fiché dans sa poitrine, brillait à la lumière. Il était mort, de toute évidence.

— Que s'est-il passé, ici ? questionna Jasper.

La femme leva les yeux. Elle était plutôt jolie, avec de beaux yeux bleus. Mais son visage était livide, et ses lèvres avaient perdu toute couleur.

— Il disait qu'il allait gagner une petite fortune, gémit-elle. De quoi nous installer à la campagne et ouvrir une taverne. Il disait qu'il allait m'épouser, et que nous serions riches.

Elle baissa de nouveau les yeux sur le cadavre, qu'elle berçait toujours.

— C'est le majordome, milord, souffla Pynch dans le dos de Jasper. Celui avec qui j'ai bu un verre.

— Pynch, va chercher de l'aide, lui ordonna Jasper. Et assure-toi que Horn va bien.

— Aller bien ? s'esclaffa la femme tandis que Pynch quittait la pièce. Mais c'est lui qui a fait ça ! C'est lui qui l'a tué !

Jasper sursauta.

— Quoi?

— Il avait trouvé une lettre, expliqua-t-elle, désignant le cadavre. Une lettre à un gentleman français. Elle prouvait que M. Horn avait vendu des secrets aux Français. Il voulait rendre la lettre au maître, en échange d'une grosse somme d'argent. Et ensuite, nous serions partis vivre à la campagne.

Jasper s'était accroupi à côté d'elle.

— Il a tenté de faire chanter Horn?

La femme hocha la tête.

— Je m'étais cachée derrière le rideau quand il a fait venir M. Horn pour lui parler de la lettre. Mais le maître…

Le reste de sa phrase se perdit dans un sanglot.

— C'est Matthew qui l'a tué? s'exclama Jasper, mesurant soudain toute l'horreur de la situation.

— Milord… appela Pynch dans son dos.

Jasper se retourna.

— Quoi?

— Les autres domestiques disent que M. Horn a disparu.

— Il voulait récupérer la lettre, intervint la femme.

Jasper fronça les sourcils.

— Je croyais que votre compagnon l'avait en sa possession?

La femme secoua la tête.

— Il était trop malin pour la garder sur lui.

— Où est-elle, dans ce cas?

— Le maître ne la trouvera jamais. Je l'ai bien cachée: je l'ai envoyée à ma sœur, à la campagne.

— Bonté divine! gronda Jasper. Où vit votre sœur? Elle est probablement en danger.

— Non, il ne cherchera pas dans cette direction. Mon homme ne lui a jamais parlé d'elle. Il lui a juste avoué qui lui avait donné l'idée de fouiller dans les papiers de son bureau.

— Qui? s'étonna Jasper.

La femme releva les yeux et sourit.

— M. Pynch.

Pynch était devenu blanc comme un linge.

— Milord, M. Horn sait que je suis votre valet. S'il est au courant que...

Jasper avait bondi sur ses pieds et courait déjà vers la porte. Mais il entendit quand même la fin de la phrase de son valet :

— ... alors, il pensera que vous détenez la lettre.

La lettre. La lettre qu'il n'avait pas. Mais la lettre que Matthew s'imaginerait pouvoir retrouver chez lui, où sa femme avait probablement dû rentrer, à l'heure qu'il était. Sa femme qui ne se doutait de rien...

Juste Ciel. *Melisande.*

— Ma mère est invalide, expliqua Matthew Horn.

Melisande, ne sachant quoi répondre, se contenta de hocher la tête.

— Elle ne peut pas sortir de la maison, enchaîna-t-il. Alors, encore moins fuir jusqu'en France.

Melisande déglutit.

— Je suis désolée, murmura-t-elle prudemment.

Mais apparemment, ce n'était pas la bonne chose à dire, car Matthew Horn enfonça un peu plus le pistolet dans ses côtes. La jeune femme ne put s'empêcher de tressaillir. Elle avait toujours détesté les armes, le bruit des détonations, et elle frissonnait à l'idée de recevoir une balle. Cela devait faire horriblement mal.

Elle mourait de peur.

Matthew Horn lui avait paru bizarre lorsqu'il avait frappé à la porte, quelques minutes plus tôt. Il semblait très agité. En l'introduisant dans son salon, la jeune femme s'était demandé s'il n'avait pas abusé de la boisson – bien qu'il ne fût pas encore midi.

Il avait demandé à voir Vale. Quand elle lui avait répondu que son mari n'était pas à la maison, il avait insisté pour qu'elle le conduise dans son bureau. Sa requête avait paru étrange à Melisande, qui avait commencé à suspecter un problème. Le voyant fouiller dans les tiroirs de Jasper, elle avait voulu courir à la porte, dans l'intention d'appeler Oaks pour qu'il congédie M. Horn. C'est alors qu'il avait tiré ce pistolet de sa poche et l'avait obligée à rester près de lui. Fixant le canon de l'arme, Melisande s'était aperçue que du sang tachait sa manche de veston.

La jeune femme s'était obligée à se calmer. D'abord, elle n'était pas certaine qu'il s'agissait bien de sang. Et puis, Vale rentrerait bientôt et prendrait la situation en main. Sauf que Vale ignorait que M. Horn était venu armé. Il risquait de passer la porte et de se laisser cueillir à froid. D'autant que M. Horn semblait en avoir après lui.

— Que cherchez-vous ? demanda-t-elle, voyant qu'il fouillait de nouveau dans les tiroirs.

M. Horn extirpa une liasse de papiers, qu'il étala sur le bureau.

— Une lettre. *Ma* lettre. Vale me l'a volée. Où est-elle ?

— Je... je ne...

Horn lui tira les cheveux pour la contraindre à le regarder. Des larmes mouillaient ses yeux.

— C'est un voleur doublé d'un maître chanteur. Et moi qui le croyais mon ami !

Il cligna des yeux pour retenir ses larmes, avant de reprendre d'une voix raffermie :

— Mais je ne le laisserai pas me détruire ! Dites-moi où il a pu cacher cette maudite lettre, sinon je n'hésiterai pas un instant à vous tuer.

Melisande frémit d'horreur. Il la tuerait, elle ne se faisait aucune illusion là-dessus. Mais si Jasper arrivait sur ces entrefaites, il le tuerait également. Et cette perspective lui redonna le goût d'agir. Plus M. Horn serait loin de la porte d'entrée, plus Vale aurait le temps de mesurer le danger lorsqu'il rentrerait à la maison.

Elle s'humecta les lèvres.

— Dans… sa chambre, je pense.

Sans un mot, Horn la saisit par la nuque et la poussa devant lui, son arme plaquée dans le dos de la jeune femme. Ils traversèrent le hall, heureusement désert. Melisande craignait la réaction de Horn face à un domestique. Il était capable de tirer sur quiconque se mettrait en travers de son chemin.

Ils gravirent l'escalier, Horn tenant toujours Melisande par la nuque, sans se soucier de lui faire mal. Parvenue sur le palier, elle crut défaillir. Sally sortait au même moment de sa chambre.

— Milady ? fit la servante, interloquée, en découvrant M. Horn juste derrière sa maîtresse.

— Que faites-vous là, stupide fille ? rétorqua Melisande avant que M. Horn puisse dire un mot. Je croyais pourtant vous avoir demandé de nettoyer mon habit d'équitation avant midi !

Sally écarquilla les yeux. Melisande ne lui avait jamais parlé sur ce ton. Mais la situation menaçait d'empirer : Mouse pointa son museau derrière la chambrière. Dès qu'il vit M. Horn se tenir trop près de sa maîtresse, il se précipita dans leur direction en aboyant furieusement.

Melisande agit promptement. Elle donna un violent coup de pied au pauvre Mouse et l'envoya bouler dans le couloir. Le malheureux terrier hurla de douleur et d'incompréhension.

— Descendez ce chien à l'office, ordonna-t-elle à Sally. Immédiatement. Et occupez-vous ensuite de ma tenue d'équitation. Si elle n'est pas prête à temps, je vous renvoie aujourd'hui même.

Sally s'empressa de prendre le terrier dans ses bras. Elle passa furtivement à côté de Melisande et M. Horn, les larmes aux yeux, et dévala l'escalier.

Melisande soupira de soulagement.

— Bien joué, souffla Horn dans son dos. Maintenant, conduisez-moi à la chambre de Vale.

Au moment d'ouvrir la porte, Melisande eut une nouvelle inquiétude : et si M. Pynch se trouvait à l'intérieur ? Elle ignorait où était le valet de son mari.

Par chance, la chambre se révéla déserte.

Horn l'entraîna vers le dressing et commença d'ouvrir tous les tiroirs, jetant les cravates et les chemises par terre.

— Il était là, quand ils m'ont torturé. Ils l'obligeaient à regarder, et j'avais presque plus de peine pour lui que pour moi. Il pleurait en silence lorsqu'ils m'ont brûlé la poitrine. Il sait ce que j'ai enduré. Et il sait aussi que l'armée a mis deux longues semaines avant de racheter notre liberté. Deux semaines !

— Rendriez-vous Jasper responsable de vos blessures ? murmura Melisande.

— Ne soyez pas idiote. Vale ne pouvait rien faire. Mais je lui en veux de son attitude présente. Lui, plus que quiconque, devrait pouvoir comprendre pourquoi j'ai fait ce que j'ai fait. Il était là. Il a tout vu. Comment ose-t-il me juger aujourd'hui ?

Il fouillait toujours dans les vêtements de Vale. Son regard affichait une détermination sans faille. Melisande blêmit. M. Horn n'allait pas tarder à découvrir qu'elle lui avait menti.

Quand Jasper arriva enfin chez lui, son cœur menaçait d'exploser de sa poitrine. Il laissa les rênes de son cheval à un laquais, grimpa le perron sans attendre Pynch et s'engouffra dans le hall.

Et là, il s'arrêta.

La chambrière de Melisande serrait Mouse dans ses bras, en pleurant. Oaks et deux valets l'entouraient.

Oaks se tourna vers Jasper, le visage soucieux.

— Milord ! Nous craignons que lady Vale ne soit en danger.

— Où est-elle ?

— À l'étage, répondit la chambrière, qui tenait fermement Mouse pour l'empêcher de s'échapper. Avec un homme. Et je crois bien qu'il est armé !

Le sang de Jasper se glaça dans ses veines. *Non !*

— Où les as-tu vus, Sally ? demanda Pynch qui venait d'arriver.

— Sur le palier. J'ai eu l'impression qu'ils se dirigeaient vers la chambre de milord.

Mouse, à force de gigoter, réussit à se libérer. Il courut vers Jasper, aboya une fois, puis se rua vers l'escalier, stoppa sur la première marche et aboya encore une fois.

— Restez ici, ordonna Jasper aux serviteurs. S'il voit trop de monde…

Il n'alla pas jusqu'au bout de sa phrase, et se précipita à son tour vers l'escalier.

— Milord ? le héla Pynch.

Jasper se retourna.

Son valet brandissait deux pistolets. Il savait pourtant ce que Jasper pensait des armes à feu.

— Ne montez pas désarmé, plaida Pynch.

Jasper s'empara des pistolets, sans un mot, et reprit son ascension. Mouse montait les marches devant lui, aboyant avec excitation. Jasper s'arrêta sur le palier pour écouter. Mouse s'immobilisa également à ses pieds, attendant son verdict. Jasper pouvait entendre la chambrière sangloter tandis qu'une voix – probablement celle de Pynch – s'employait à la consoler. Pour le reste, c'était le silence absolu.

Il marcha jusqu'à la porte de sa chambre sur la pointe des pieds. Mouse le suivit sans bruit.

La porte était légèrement entrouverte. Jasper la poussa d'un coup.

Rien.

Jasper et Mouse pénétrèrent dans la pièce. Matthew était visiblement passé par là : des vêtements étaient éparpillés sur le plancher, ainsi que dans le dressing, lui aussi désert. La literie du grand lit, dont Jasper ne se servait jamais, avait en outre été retournée.

Mouse s'intéressa à un oreiller tombé par terre, et le renifla. Jasper s'agenouilla pour voir ce qui intriguait le terrier.

L'oreiller portait une petite tache de sang.

Jasper ferma les yeux. Non. *Non !* Elle n'était ni blessée ni morte. Il devait absolument se ressaisir. Rouvrant les yeux, il arma les pistolets. Puis il inspecta, une à une, les autres chambres de l'étage. Au bout d'un quart d'heure de vaines recherches, il commençait sérieusement à désespérer. Mouse l'avait suivi partout, reniflant sous les lits et dans les recoins, mais il n'avait rien décelé d'intéressant.

Jasper monta alors à l'étage du dessus, qui abritait les chambres des domestiques. Il n'y avait aucune raison que Matthew y ait entraîné Melisande – probablement s'était-il échappé par-derrière, entraînant la jeune femme avec lui – mais il voulait en avoir le cœur net.

Ils débouchaient sur le palier lorsque Mouse se figea, et aboya. Puis il courut à l'autre bout du couloir et gratta à une porte. Jasper, qui l'avait suivi, ouvrit prudemment le battant. Une volée de marches conduisait jusqu'au toit. Une sorte de plate-forme, bordée d'un parapet ornemental, couronnait la maison. Mais Jasper n'y était jamais monté.

Mouse grimpa les marches d'un air résolu. Jasper, serrant ses pistolets dans ses mains, le suivit encore. Une petite porte fermait l'escalier. Il poussa, du pied, le chien de côté.

— Reste ici. Et assieds-toi.

Mouse refusa de s'asseoir.

— Reste ici, répéta Jasper, ou je t'enferme dans une chambre.

Le terrier ne pouvait bien sûr pas comprendre ses paroles, en revanche, il savait interpréter le ton sur lequel elles étaient proférées. Il s'assit, les oreilles baissées en signe de soumission. Jasper ouvrit alors la porte et se glissa de l'autre côté.

Les nuages avaient fini par crever, libérant une pluie glaciale qui tambourinait sur le toit. Mais Jasper se moquait bien de la pluie. Devant lui, s'offrait un spectacle terrifiant.

Matthew pressait Melisande contre le parapet de la plate-forme – lequel arrivait à peine à hauteur de ses genoux, et ne pourrait la retenir de tomber et de s'écraser sur les pavés. Sachant combien sa femme était sujette au vertige, Jasper se douta qu'elle devait mourir de peur.

—N'avance pas ! lui cria Matthew, l'apercevant. N'avance pas, ou je la jette dans le vide ! ajouta-t-il, ses yeux bleus brillant de désespoir.

Les cheveux trempés de Melisande collaient à son visage. Mais quand Jasper croisa son regard, il se produisit quelque chose d'incroyable.

Elle lui sourit.

Courageuse Melisande. Il reconnaissait bien là sa femme. Brandissant le pistolet qu'il tenait dans sa main droite, il reporta son attention sur Horn :

—Lâche-la. Sinon, je te brûle la cervelle !

Matthew s'esclaffa.

—Redescends, Vale. Laisse-nous.

—Qu'espères-tu, Matthew ?

—Tu m'as détruit, Vale. Je n'ai plus d'avenir. Je refuse de fuir en France sans ma mère et, si je reste, ils me pendront pour trahison. Ma mère sera disgraciée, la Couronne saisira tous mes biens, et elle sera jetée à la rue.

—Alors, tu préfères te suicider ?

—Pourquoi pas ?

—Relâche Melisande, insista Jasper. Elle n'a rien à voir dans tout cela. Je te promets de poser mes pistolets si tu la relâches.

—Non ! se récria la jeune femme.

Mais aucun des deux hommes ne lui prêta attention.

—J'ai tout perdu, reprit Matthew. Pourquoi ne partirais-je pas en détruisant ta vie comme tu as détruit la mienne?

Jasper fit un pas en avant.

—Non! gronda-t-il. Je te rendrai la lettre.

Matthew hésita.

—J'ai fouillé partout. Tu ne l'as pas.

—Pas ici. Je l'ai cachée ailleurs.

C'était pur mensonge, bien sûr, mais Jasper avait employé le ton de la sincérité. S'il pouvait gagner un peu de temps et éloigner Melisande du parapet...

—C'est vrai? rétorqua Matthew, qui semblait reprendre vaguement espoir.

—Oui, assura Jasper, qui continuait d'avancer lentement. Éloigne-toi du bord, et je te la donnerai.

—Non. Nous allons attendre ici que tu l'apportes.

L'argument paraissait raisonnable, mais Matthew avait déjà tué quelqu'un aujourd'hui. Jasper ne pouvait le laisser seul avec Melisande.

Il avança encore d'un pas.

—Je te la rendrai après. Et je te promets d'oublier toute cette histoire. Mais libère d'abord ma femme. Elle compte plus, à mes yeux, que Spinner's Falls.

Contre toute attente, Matthew éclata de rire.

—Spinner's Falls? Bon Dieu! Tu me crois donc le traître? Tu te trompes complètement. Ce n'est pas moi qui ai trahi à Spinner's Falls. Ce n'est qu'après que l'armée nous a abandonnés aux Indiens pendant deux longues semaines que j'ai vendu des informations aux Français. Pourquoi m'en serais-je privé? Ma loyauté se lit dans mes cicatrices.

—Mais tu as essayé de tuer Hasselthorpe.

—Non, Vale. C'est quelqu'un d'autre qui lui a tiré dessus dans Hyde Park.

—Qui?

—Je l'ignore. Apparemment, Hasselthorpe savait quelque chose au sujet de Spinner's Falls, et quelqu'un a voulu l'empêcher de parler.

Jasper essuya d'un revers de main les gouttes de pluie sur ses yeux.

— Alors, tu n'aurais rien à voir avec…

— Bon sang, Vale! Tu as détruit ma vie. Je pensais que toi, au moins, tu pourrais me comprendre. Pourquoi m'as-tu trahi? Pourquoi?

Jasper le vit avec horreur pointer son pistolet sur la tempe de Melisande. Il était trop loin pour les rejoindre: il n'arriverait jamais à temps. Par le Christ! Il n'avait plus le choix. Il tira un coup de feu, et atteignit Matthew à la main. Du sang éclaboussa les cheveux de Melisande, qui tressaillit.

Matthew laissa tomber son pistolet avec un cri de douleur. Mais il poussa la jeune femme par-dessus le parapet.

Jasper tira avec sa deuxième arme. La tête de Matthew bascula violemment en arrière. Jasper se précipita, un hurlement atroce résonnant dans sa tête. Il poussa le cadavre de Matthew sur le côté et regarda par-dessus le parapet, s'attendant à découvrir le corps de Melisande brisé sur le sol. Au lieu de quoi il vit son visage, à moins d'un mètre sous lui. Elle levait les yeux dans sa direction.

Il en resta un instant bouche bée, et le hurlement cessa sur-le-champ. C'est alors qu'il comprit que c'est lui qui avait crié. Il se pencha, et tendit le bras. La jeune femme s'était agrippée à une pierre d'ornement, en saillie de la façade.

— Attrape ma main!

Elle hésita un peu, avant de lâcher la pierre d'une main. Jasper s'en empara et tira de toutes ses forces pour la hisser sur la plate-forme.

Elle repassa par-dessus le parapet, et s'écroula dans ses bras. Il l'enlaça fiévreusement. Ils restèrent ainsi un moment dans les bras l'un de l'autre, puis Jasper s'aperçut qu'il tremblait.

La jeune femme se redressa tout à fait.

— Je croyais que tu détestais les armes à feu?

Il se recula pour la contempler. Elle avait une égratignure sur la joue, et le sang de Matthew maculait ses cheveux, mais elle était plus belle que jamais.

— Je déteste les armes à feu.

— Alors, comment as-tu pu...

— Je t'aime, la coupa-t-il. Tu ne le sais donc pas ? Je serais prêt à traverser à genoux les flammes de l'enfer pour toi.

Elle demeurait interdite. Il lui caressa la joue et se pencha pour l'embrasser, avant de répéter :

— Je t'aime, Melisande.

Le marmiton fut amené, tout tremblant, devant le roi. Et il ne fut pas long à se confesser. Par trois fois, Jack le bouffon l'avait payé pour touiller la soupe de la princesse à sa place – et la troisième fois, pas plus tard que ce soir. Toute la cour s'exclama bruyamment, comme on peut s'en douter. La princesse, pour sa part, semblait songeuse. Mais le roi écumait de rage. Les gardes royaux forcèrent Jack à s'agenouiller devant le souverain, et l'un d'eux plaça son épée sous sa gorge.

— Parle ! lui intima le roi. Dis-nous à qui tu as volé les anneaux !

Car, bien sûr, personne ne pouvait croire que le pauvre bouffon, tout chétif, avait récupéré lui-même les anneaux.

— Parle ! répéta le roi. Ou je te fais trancher la tête !

Un mois plus tard...

Sally hésita devant la porte de sa maîtresse. La matinée était déjà bien avancée, mais elle ignorait si celle-ci se trouvait seule dans sa chambre. Incapable de se décider, elle porta son regard sur l'étrange statue représentant un homme à moitié chèvre avec une femme nue. L'homme lui faisait toujours autant penser à M. Pynch, et elle se surprit encore une fois à se demander s'il possédait, lui aussi, une énorme…

Quelqu'un s'éclaircit la gorge dans son dos.

Sally se retourna en sursaut. M. Pynch était si proche qu'elle pouvait presque sentir le souffle de sa respiration.

— Que faites-vous donc dans ce couloir, mademoiselle Sally?

— Je me demandais si je devais entrer dans la chambre de milady.

— Et pourquoi non?

— Parce qu'elle n'est peut-être pas seule, évidemment! Quelle question!

M. Pynch eut une grimace amusée.

— Cela m'étonnerait beaucoup. Lord Vale dort toujours seul.

— Ah oui? riposta Sally, plaquant les mains sur ses hanches. Si vous en êtes si sûr, allez donc voir dans sa chambre. Moi, je vous parie qu'il n'y est pas.

Le valet ne daigna pas répondre. Il se contenta d'adresser à Sally un regard éloquent, avant d'entrer dans la chambre de lord Vale.

Sally s'éventa avec sa main pour se calmer, pendant qu'elle attendait.

Ce ne fut pas long. M. Pynch ressortit de la chambre de son maître, referma la porte derrière lui et revint vers Sally, s'approchant tellement qu'elle fut obligée de reculer vers le mur.

— La chambre est vide, dit-il, presque dans son oreille. J'ai perdu. Puis-je honorer ma dette de la même manière que d'habitude?

— Ou… oui, bredouilla Sally.

M. Pynch s'empara de ses lèvres.

Puis, leur baiser terminé, il s'enquit:

— Que trouvez-vous donc de si fascinant à cette statue? Chaque fois que je vous surprends dans ce couloir, vous la regardez.

Sally rougit.

— Je trouve que le monsieur vous ressemble.

M. Pynch jeta un regard à la statue, avant de reporter son attention sur Sally.

— Vraiment ?

— Hmm, confirma-t-elle. Et je me demandais…

— Oui ?

Il lui caressait la naissance de la gorge, si bien qu'elle avait toutes les peines du monde à se concentrer.

— Je me demandais… si vous lui ressemblez… de partout.

M. Pynch se raidit et Sally crut, un instant, qu'elle s'était montrée trop impertinente.

Mais une lueur s'alluma dans son regard.

— Eh bien, chère Sally, je serais ravi de répondre à votre question. Mais nous devrons d'abord passer par une étape.

Sally retint son souffle.

— Laquelle ?

Toute trace d'ironie disparut soudain de son regard. Sally ne l'avait jamais vu aussi sérieux.

— Je crois, mademoiselle, que vous devriez m'épouser, afin que nous puissions poursuivre cette intéressante discussion.

Sally le regarda, ahurie, incapable de proférer le moindre mot.

— Eh bien ? la pressa Pynch.

— Je croyais que vous étiez trop vieux pour moi ?

— J'ai dit cela, en effet.

— Et qu'il me manquait du plomb dans la cervelle ?

— Certainement.

— Et aussi que je ferais mieux de m'intéresser aux hommes de mon âge ? Comme Sprat, par exemple.

Il fronça les sourcils.

— Je ne crois pas me souvenir de vous avoir dit de vous intéresser à Sprat.

— Euh… non, c'est vrai, concéda Sally.

— Parfait, dit-il.

Elle lui sourit avec adoration.

— Eh bien ? la pressa encore Pynch. Vous n'avez pas répondu à ma question.

— Laquelle ?

Il soupira.

— Sally Suchlike, voulez-vous m'épouser ?

— Oh... fit Sally, hésitante.

Elle avait évidemment très envie d'épouser M. Pynch, mais le mariage était une chose sérieuse, et elle voulait s'assurer de ne pas commettre d'erreur.

— Vous-même, pourquoi désirez-vous m'épouser ? questionna-t-elle.

Il se renfrogna, et sa mine sévère en aurait découragé plus d'une. Mais Sally avait appris à le connaître. Il ne l'impressionnait plus.

— Au cas où vous ne l'auriez pas remarqué, voilà déjà un moment que je vous embrasse tous les jours dans ce couloir. Et quoique vous soyez trop jeune et trop jolie pour moi, et que vous regrettiez sans doute un jour de vous être liée à un ours dans mon genre, je ne désire rien de mieux que vous épouser.

— Mais pourquoi ?

Il la regarda avec incrédulité et, s'il avait eu des cheveux, probablement se les serait-il arrachés de frustration.

— Mais parce que je t'aime, petite idiote !

— Ah, très bien, approuva Sally, nouant les bras au cou du valet. Dans ce cas, je consens à vous épouser. Mais sachez que vous vous trompez.

Pynch ne répondit pas tout de suite : il l'embrassa d'abord avec enthousiasme.

— En quoi je me trompe ?

Sally s'esclaffa.

— Je ne regretterai jamais de vous avoir épousé, assura-t-elle. Parce que moi aussi, je vous aime.

Ce qui lui valut un autre baiser, tout aussi enthousiaste.

Melisande s'étira langoureusement dans les draps, avant de se lover contre son mari.

— Bonjour, lord Vale, murmura-t-elle.

— Bonjour, marmonna-t-il d'une voix fatiguée.

Melisande lui cacha son sourire. Il s'était épuisé à lui faire l'amour, après l'avoir réveillée aux petites heures de l'aube.

Un grattement, suivi d'un couinement se firent entendre depuis le dressing.

Melisande donna un coup de coude à son mari.

— Fais-le sortir, maintenant !

Il soupira.

— Tu crois ?

— Sinon, il va gratter plus fort et se mettre à aboyer. Et Sprat viendra cogner à la porte, pour demander s'il doit le sortir.

— Qui croirait qu'un aussi petit chien peut causer autant de grabuge ! grommela Vale.

Mais il se leva, et traversa la chambre tout nu.

Melisande le suivit des yeux. Il avait des fesses magnifiques. Comment réagirait-il, si elle le lui disait ?

Jasper ouvrit la porte du dressing. Mouse en sortit, un os dans la gueule. Il sauta sur le lit de fortune, tourna trois fois sur lui-même avant de s'allonger, et mordilla consciencieusement son trophée. Leur « paillasse » s'était beaucoup améliorée, ces dernières semaines : il y avait d'abord eu l'adjonction d'un fin matelas, puis d'une ribambelle d'oreillers. Et l'ensemble était désormais disposé entre deux des fenêtres de la chambre de Melisande. La nuit, à la lumière de l'unique chandelle, la jeune femme s'imaginait coucher dans quelque palais ottoman.

— Ce chien devrait avoir son propre lit, commenta Vale.

— Il a son propre lit. Mais il ne veut jamais dormir dedans.

Vale fit les gros yeux au terrier, mais comme c'est lui qui avait donné l'os à Mouse, personne dans la

chambre ne prit son froncement de sourcils au
sérieux.

— Sois content qu'il ne dorme plus sous les couvertures, fit valoir Melisande.

— Je *suis* content, dit-il, fouillant dans les poches
de son veston. Je n'ai pas envie de sentir un museau
froid contre mes fesses.

— Oh, quel idiot !

Jasper la rejoignit au lit.

— Que me caches-tu ? demanda-t-elle, car il main-
tenait un bras dans son dos.

Il s'allongea sur un coude. Son expression devint
solennelle.

— J'ai quelque chose pour toi.

— Ah ? fit Melisande, intriguée.

Il tendit la main, et l'ouvrit. Une tabatière en étain
reposait sur sa paume. Elle ressemblait, à l'identique, à la tabatière dans laquelle Melisande renfermait ses trésors, sauf que celle-ci de toute évidence
était neuve.

La jeune femme haussa les sourcils, dans un
questionnement muet.

— Ouvre-la, dit-il.

Melisande prit la tabatière, et fut surprise de son
poids. Elle regarda de nouveau Jasper. Il l'observait
avec des yeux brillants.

Elle ouvrit la tabatière. Et poussa un cri.

L'enveloppe de la tabatière était en étain tout simple, sans la moindre ornementation, mais l'intérieur
était en or, serti de pierres précieuses. Perles, rubis,
diamants, émeraudes, saphirs, améthystes – et
même des pierres dont elle ignorait le nom – proje-
taient sur les parois dorées un arc-en-ciel de
couleurs.

— Pourquoi ? demanda-t-elle à Jasper, les larmes
aux yeux. Qu'est-ce que ça veut dire ?

Il prit la main de la jeune femme et l'approcha de
ses lèvres.

— C'est toi.

Elle fronça les sourcils.

— Comment cela ?

— Quand je t'ai rencontrée, j'étais un idiot. Et je l'étais depuis longtemps. Pendant des années, je n'ai vu que la tabatière en étain derrière laquelle tu te cachais. J'étais trop superficiel, et trop bête, pour avoir l'idée de regarder plus loin que le bout de mon nez, et découvrir ta beauté. Mais à présent, je te vois telle que tu es. Et sache que je ne te laisserai jamais partir. Je t'aime de toute mon âme, Melisande.

La jeune femme contempla la tabatière. C'était un magnifique travail d'orfèvrerie, et savoir que Jasper la voyait ainsi la bouleversait. Elle referma soigneusement le couvercle et déposa l'objet sur les draps. Jamais son mari ne pourrait lui faire plus beau cadeau.

Puis elle attira Jasper dans ses bras.

— Je t'aime, dit-elle simplement.

Et elle l'embrassa.

Épilogue

La lame de l'épée se pressait contre sa gorge, mais Jack parla courageusement.

— Je veux bien vous révéler qui a conquis les anneaux, Votre Altesse. Malheureusement, vous ne me croirez jamais.

Le roi s'impatienta. La cour s'agitait. Jack dut forcer la voix pour couvrir le brouhaha :

— Quoi qu'il en soit, peu importe de savoir qui les a conquis. L'important, c'est de les détenir.

À ces mots, le roi devint silencieux, et tous les courtisans tournèrent leur regard vers la princesse. Celle-ci, interloquée, ouvrit la petite bourse où elle avait glissé les deux premiers anneaux – celui de bronze et celui d'argent. Elle les plaça dans sa paume, à côté de l'anneau d'or.

— Désormais, c'est la princesse qui détient les anneaux, reprit Jack. Cela lui donne le droit de choisir elle-même son époux.

Le roi pesta, mais il fut obligé de convenir que Jack avait raison.

— Qui choisis-tu d'épouser, ma fille ? demanda-t-il à la princesse. Il y a, dans cette salle, des hommes venus de partout. Des riches, des courageux, des élégants. Lequel veux-tu pour mari ?

— Aucun, répliqua la princesse.

Et, aidant Jack à se lever sur ses petites jambes, elle ajouta :

— J'épouserai Jack, et personne d'autre. C'est peut-être un bouffon, mais il me fait rire, et je l'aime.

Et devant les yeux ébaubis de la cour et du roi, elle se pencha pour poser un baiser sur le grand nez de Jack.

C'est alors qu'il se produisit la chose la plus étrange à laquelle on ait jamais assisté. Jack se mit à grandir : ses bras et ses jambes s'allongeaient et grossissaient à vue d'œil, tandis que son nez et son menton revenaient à des proportions normales. Lorsque la transformation fut achevée, Jack avait retrouvé son allure d'antan. C'était un fort et beau jeune homme, et comme il avait revêtu l'armure de vent et portait la plus belle épée du monde, il fit grande impression.

Cependant, la princesse n'aima pas ce bel inconnu qui se tenait maintenant devant elle.

— Où est passé mon Jack ? se récria-t-elle, les larmes aux yeux. Où est mon bouffon adoré ?

Jack s'agenouilla devant la princesse, et prit ses mains délicates dans les siennes.

— Je suis toujours votre bouffon adoré, princesse, murmura-t-il afin de n'être entendu que d'elle seule. Celui qui dansait et faisait des cabrioles pour vous amuser. Je vous aime, et je reprendrais volontiers mon apparence difforme si cela pouvait vous rendre heureuse.

À ces mots, la princesse sourit. Et elle l'embrassa. Car si Jack avait changé physiquement, au point qu'elle ne le reconnaissait plus, sa voix était toujours la même. C'était la voix de Jack le Rieur, devenu Jack le Bouffon – l'homme qu'elle aimait.

Et celui qu'elle avait choisi d'épouser.